Mistérios da
LUA NEGRA

Demetra George

Mistérios da LUA NEGRA

Lilith, Kali, Hécate e a Cura dos Arquétipos Femininos Sombrios no Mundo Moderno

Tradução
Cláudia Hauy

Editora
Pensamento
SÃO PAULO

Título do original: *Mysteries of the Dark Moon – The Healing Power of the Dark Goddess.*

Copyright © 1992 Demetra George.

Copyright da edição brasileira © 2021 Editora Pensamento-Cultrix Ltda.

1ª edição 2021.

Todos os direitos reservados. Nenhuma parte deste livro pode ser reproduzida ou usada de qualquer forma ou por qualquer meio, eletrônico ou mecânico, inclusive fotocópias, gravações ou sistema de armazenamento em banco de dados, sem permissão por escrito, exceto nos casos de trechos curtos citados em resenhas críticas ou artigos de revista.

A Editora Pensamento não se responsabiliza por eventuais mudanças ocorridas nos endereços convencionais ou eletrônicos citados neste livro.

Ilustrações de Gracie Campbell nos capítulos 4, 5, 6 e 8. Ilustrações de Clyde H. Breitwieser nos capítulos 1, 2, 3 e 7 (exceto a figura 1.2). Ilustração "Filha da Lua", na p. v, de Nancy Bright; na p. 1, de JAF; na p. 109, de Rohmana D'Arezzo Harris; na p. 199, de Terrence Stark. Diagramação de Irene Imfeld. Composição de TBH/Typecast.

Editor: Adilson Silva Ramachandra
Gerente editorial: Roseli de S. Ferraz
Preparação de originais: Vivian Miwa Matsushita
Gerente de produção editorial: Indiara Faria Kayo
Editoração eletrônica: Join Bureau
Revisão: Luciana Soares da Silva

Dados Internacionais de Catalogação na Publicação (CIP)
(Câmara Brasileira do Livro, SP, Brasil)

George, Demetra
 Mistério da lua negra: Lilith, kali, Hécate e a cura dos arquétipos femininos sombrios no mundo moderno / Demetra George; tradução Cláudia Hauy. – 1. ed. – São Paulo: Editora Pensamento Cultrix, 2021.

 Título original: Mysteries of the Dark Moon – The Healing Power of the Dark Goddess
 ISBN 978-65-87236-67-4

 1. Deusas 2. Deusas – História 3. Espiritualidade 4. Feminilidade 5. Mulheres 6. Sagrado feminino I. Hauy, Cláudia. II. Título.

21-56568 CDD-202.114

Índices para catálogo sistemático:
1. Deusa: Mulheres: Sagrado feminino   202.114
Aline Graziele Benitez – Bibliotecária – CRB-1/3129

Direitos de tradução para a língua portuguesa adquiridos com exclusividade pela
EDITORA PENSAMENTO-CULTRIX LTDA., que se reserva a
propriedade literária desta tradução.
Rua Dr. Mário Vicente, 368 – 04270-000 – São Paulo – SP
Fone: (11) 2066-9000
http://www.editorapensamento.com.br
E-mail: atendimento@editorapensamento.com.br
Foi feito o depósito legal.

Dedicatória

A ela, que navega a prateada barca da lua crescente através das águas escuras e calmas do nosso devir.

Sumário

Parte I
Reavaliando a Escuridão

1. A Lua Negra 13
2. A Deusa Negra 41
3. Uma Herstória Lunar do Feminino 81

Parte II
Deusas da Lua Negra

4. Nix, Deusa da Noite, e as Filhas da Noite 147
5. A Rainha Medusa com Cabelos de Serpentes 193
6. Lilith – A Donzela Negra 217

Parte III
Ritos de Renascimento

7. A Deusa Negra como a Musa da Menstruação e da Menopausa 251
8. Os Mistérios Iniciáticos de Deméter e Perséfone 291
9. O Poder de Cura da Escuridão Lunar 327

Índice Remissivo 363

Agradecimentos

Meu amor e apreço a Art Fisher, Douglas Bloch, Jim, Michelle, Daniel e Reina Frankfort, Vicki Noble e os estudantes do Instituto Motherpeace, o Círculo Monday Night, Natasha Kern, Barbara Moulton, Christiane Carruth, Suzette Bell, Yana Murphy, Jane Mara, Sarah Scholfield, Lynn Jeffries, Phil Russell, Tsering Everest, Fred Heese, Charlie Tabasko, Mary Lou Miller, Rohmana Harris, Spot, Gabby e o meu mestre espiritual, Chagdud Tulku Rinpoche.

Parte I

Reavaliando a Escuridão

A estória que a Lua conta é de nascimento,
crescimento, plenitude, declínio, desaparecimento,
com renascimento e crescimento novamente.

CAPÍTULO 1

A Lua Negra

"Senhora Lua, seus chifres apontam para o leste;
Brilhe, aumente
Senhora Lua, seus chifres apontam para o oeste;
Mingue, descanse."
– CHRISTINA ROSSETI[1]

A lua, Rainha da Noite, em todo o seu esplendor prateado, alcança-nos conforme paira pelos céus escuros, por ela iluminados. A cada noite ela aparece com uma veste diferente, sugerindo os mistérios que envolvem suas duas faces, a luminosa e a sombria. Quem é essa senhora da lua e com que dons ela ilumina as criaturas da Terra? E quando, a cada mês, ela desaparece completamente por vários dias, o que ela esconde por trás de sua face escura, seu mais secreto momento?

Mistérios da Lua Negra busca descobrir o segredo da fase escura e misteriosa da lua por meio da exploração do simbolismo mítico, psicológico e espiritual da escuridão lunar. Se tivermos sorte, o que descobrirmos poderá nos ajudar a liberar nossos medos do escuro.

O título deste livro não foi escolhido arbitrariamente. A palavra "mistério" vem do inglês médio (1066-1450) *misterie* ou *mysterie*, do latim *mysterium*, e do grego *musterion*, ou "ritos secretos"; de *mustes*, aquele que é iniciado nos ritos secretos. A palavra "lua", em inglês *moon*, vem da raiz indo-europeia *me-*, e na sua forma estendida e sufixada *men-*, *men-em*, *men-s*, *men-ot-* tem o significado de mês (uma antiga e universal medida de tempo, com o corpo celeste que o mede). "Negro" tem a conotação de turvo, nublado ou, neste caso, *oculto*.

Uma tradução literal do título deste livro poderia ser "Os ritos secretos do período oculto do mês", o que, de fato, é a essência do que trata este livro: um aspecto específico dos ciclos da vida, o período sombrio, que é simbolizado aqui pela fase negra da lua.

Os povos primitivos compreendiam que o poder da vida residia na escuridão da lua. Mas, depois de milhares de anos, a humanidade esqueceu essa verdade e começou a temer o poder na minguante lua escura. Plutarco escreveu: "A lua crescente é de boas intenções, mas a lua minguante traz a doença e a morte". Na alternância entre as fases crescente e minguante da lua, os povos posteriores viram as fases de luz crescente da lua como benéficas, trazendo vida e crescimento. Entretanto, eles tinham uma atitude muito diferente sobre a fase minguante e escura da lua, a qual associaram com a morte, a destruição e as forças do mal.

A lua, com seus contínuos ciclos de crescer e minguar, tornou-se para os antigos um símbolo de nascimento, crescimento, morte e renovação de todas as formas de vida. O ritmo lunar representava a criação (a lua nova), seguida pelo crescimento (até a lua cheia), e uma diminuição e morte (as três noites sem lua, isto é, a lua negra). O historiador da religião Mircea Eliade afirma que foi, muito provavelmente, a imagem de eterno nascimento e morte da lua que ajudou a cristalizar as primeiras intuições humanas sobre a alternância entre a vida e a morte; e sugeriu posteriormente o mito da criação e da destruição contínuas do mundo.[2]

A lua, nas suas transformações, espelha as mesmas flutuações de crescimento e declínio que ocorrem no corpo humano e na psique. Em nossa vida, nós experimentamos essas alternâncias entre criação e destruição, crescimento e decadência, nascimento e morte, luz e sombra, consciência e inconsciência. Infelizmente, em nossa sociedade fomos ensinadas a temer e resistir às energias decrescentes, representadas pela sombra, pela degradação, pela morte e pelo inconsciente. Assim, perdemos nosso conhecimento de uma parte essencial dos processos de vida cíclicos, simbolizados pela fase escura da lua.

O propósito da fase escura de qualquer ciclo é o de transição entre a morte do velho e o nascimento do novo. O período escuro é o tempo do retiro, da cura e de sonhar com o futuro. A escuridão é iluminada com a qualidade translúcida da transformação; e, durante esse período essencial e necessário, a vida é preparada para nascer.

A escuridão precede a luz da mesma maneira que a gestação precede o nascimento e o sono permite o rejuvenescimento. Na psique humana, vivenciamos períodos sombrios quando nós nos sentimos voltadas para dentro e nada parece acontecer. Entretanto, em retrospectiva, em geral compreendemos que aqueles tempos invernais foram períodos que precederam explosões de criatividade e crescimento.

Sem o período para se retirar, descansar e se recuperar das exigências das atividades exteriores da vida em vigília, nosso corpo e nossa mente não podem se manter abastecidos de energia vital. Entretanto, se compreendermos a sombra da maneira correta, poderemos usar o manto da escuridão para aprender a magia dos nossos próprios e particulares ritos secretos, que nos levam a uma vida revitalizada e reconstituída.

Infelizmente, temos muitas associações confusas e negativas com o lado sombrio. A escuridão possui a conotação daquilo que é desconhecido, escondido, oculto e mau. Fomos ensinadas a suspeitar do desconhecido e a temê-lo. A fase escura do ciclo lunar retém tudo aquilo que não pode ser visto com os olhos despertos ou compreendido pela mente racional. O conteúdo dessa fase do processo cíclico tem que ser rotulado como "negro", compreendido como ameaçador e divulgado como tabu. Uma vez que o ego consciente rejeita e nega as experiências e sabedorias da fase escura, esses conteúdos crescem para incorporar nossos piores medos e assumem formas ameaçadoras da "sombra" demoníaca nos indivíduos e na sociedade. As atitudes da sociedade em relação aos povos negros, à sexualidade feminina, ao oculto, ao inconsciente, às artes divinatórias, ao envelhecimento e à própria morte são todas manifestações dessas projeções temíveis da lua negra.

Somos condicionadas pela nossa falta de visão noturna a vivenciar o sombrio como aterrorizante. Quando estamos infelizes, dizemos que estamos passando por períodos negros, associando o negro com falta de amor, medo de abandono, alienação, derrotas, isolamento, desintegração e loucura. O negro simboliza nosso medo do envelhecimento, da doença, da morte e do morrer. Ele acoberta e esconde nossas memórias secretas dolorosas e vergonhosas de traumas como aborto, incesto, estupro, violação sexual, abuso físico, transtornos alimentares, disfunções corporais e vícios. O negro mantém esses medos secretos enterrados profundamente na mente inconsciente.

Devido ao fato de nossas percepções da escuridão serem preenchidas por imagens de perda, dor e sofrimento, reagimos com medo, pânico, ansiedade, confusão, depressão e desespero sempre que atravessamos os muitos períodos de fase negra em nossa vida. Muitas vezes, o que conhecemos no passado não existe mais e o que está por vir ainda não apareceu. Nós nos sentimos presas no vazio caótico e disforme do não saber. Visto que não compreendemos a verdadeira natureza da escuridão, muitas de nós rotulamos esses tempos de períodos de depressão.

A classe médica chama de depressão uma doença devastadora que afeta, possivelmente, 20 milhões de norte-americanos a cada ano. Uma paciente diz: "Eu fecho os olhos e não vejo nada, e quando os abro apenas olho fixamente para as paredes. E eu apenas olho e olho e olho, porque acho que não adianta. Não tenho esperança. Não vejo o futuro de jeito nenhum. Absolutamente nenhum". E o psiquiatra Dr. Harold Eist comenta: "É uma doença terrível e dolorosa que interfere na motivação das pessoas, que confunde seus pensamentos, que as deixa desanimadas, que as enche de desespero e de ódio por si mesmas. E, por fim, a dor é tão grande que a única saída que elas veem é acabar com a própria vida. Existem poucas doenças dessa magnitude".[3]

A maioria de nós não percebe que todas temos muitas épocas de fase negra em nossa vida e que esses períodos ocorrem naturalmente em qualquer ciclo da vida. Falhamos em compreender que os fins são os precursores dos novos começos; assim, quando nossos ritmos de vida nos movem para dentro e através dessas fases negras, não compreendemos o que de fato está acontecendo. Ficamos paralisadas de medo ou em pânico por desespero. Tememos que, a partir de então, o caos, a incerteza e a dor serão nosso modo de vida. E esse medo engendra mais medo e pânico.

A intenção de *Mistérios da Lua Negra* é reavaliar a escuridão. Esperamos que a leitora entenda que a fase negra do processo cíclico é um período de cura e renovação, e não uma fase de medo e desconhecimento; ela é um tempo de mistério, sabedoria e poder de cura – todas dádivas da Deusa da Lua Negra.

A Lua e seu Ciclo de Lunação

A Lua circunda a Terra a cada 29 dias. A cada mês, a Lua se revela uma fatia no quarto crescente, aumentando sua luz, até ficar totalmente iluminada na lua cheia. Então, conforme a lua mingua, ela gradualmente diminui sua luz até a fase negra, quando fica invisível.

A lenda da lua misturou-se com a do sol porque, se não fosse pela luz solar, nós nunca veríamos a lua. Para entender os mistérios da fase escura da lua, precisamos explorar sua íntima relação com o sol. O sol e a lua retratam um relacionamento conhecido como ciclo lunar. O ciclo lunar é o ciclo das fases da lua mudando da nova para a cheia e para a negra, que mostra a sua relação fluida e sempre mutável com o sol conforme é vista daqui da Terra.

A relação da lua com o sol segue um padrão de onda de aumento e diminuição na luz ou na separação do sol e no retorno para ele.[4] A cada noite, a lua revela uma faceta diferente da sua face ora luminosa, ora sombria, conforme reflete e distribui as várias quantidades de luz solar. A lua, em si, não muda; o que muda é a sua luz. O que nós, seres da Terra, vemos como as fases da lua são, na verdade, reflexos da relação mutável da lua com o sol.

O sol e a lua, referidos como "os luminares", são os corpos astronômicos mais proeminentes no céu. Juntos eles incorporam o princípio da

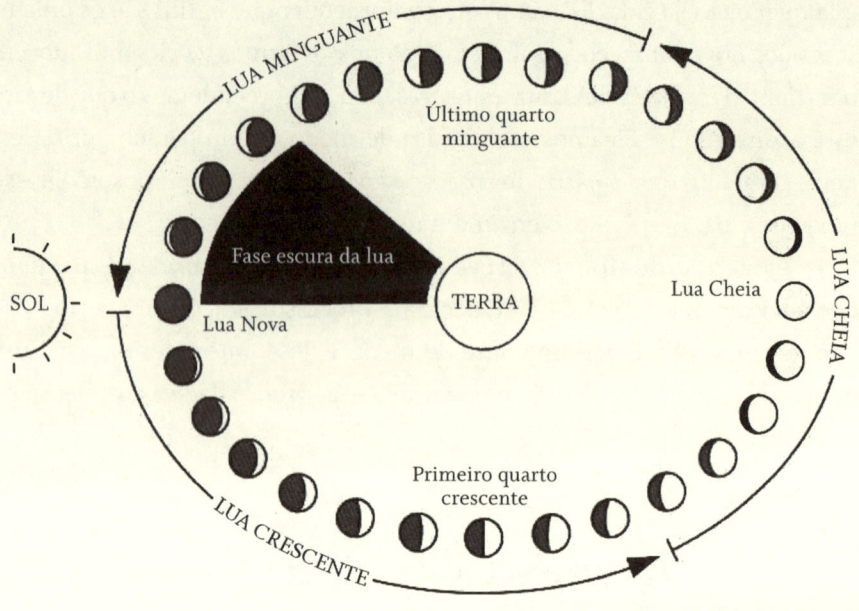

Figura 1.1   O Ciclo de Lunação.

polaridade tanto no mundo físico quanto em nossa natureza psicológica. Em nosso dia a dia, os ritmos alternantes entre o sol e a lua regulam nossos ciclos de dia e noite. Assim como o sol regula a luz do dia da consciência e o mundo externo objetivo, a lua regula a noite do inconsciente e a nossa vida instintiva intuitiva interior. A escuridão e a luz refletem nossos períodos de receptividade e criatividade e de contemplação e ação.

Os antigos personificaram essas duas luzes como o Deus Sol e a Deusa Lua, que eram vistos como a fonte das energias masculina e feminina. O sol e a lua são opostos complementares. Com o princípio masculino incorporado na nossa noção de Deus e o princípio feminino na de Deusa, eles são a manifestação da mesma força divina primeva e indiferenciada. Se originam da mesma fonte e para ela retornam. Quando essas duas polaridades são unidas de tempos em tempos, retratando o Casamento Sagrado do Deus e da Deusa, eles criam a dimensão mística conhecida como Unidade, união, iluminação. Quando essas duas polaridades são periodicamente separadas, elas dão à luz, simbolicamente, à Criança Divina, a dimensão mística conhecida como as formas de vida manifestadas.

O sol, emanando luz brilhante e calor, projeta sua energia ardente e criativa para fora. A qualidade reflexiva da lua distribui essa luz para a terra durante as horas de orvalho e umidade da noite, proporcionando a matriz fértil da qual a vida pode germinar e crescer. A lua, como musa, faz a mediação entre o sol e a Terra. Os seres da Terra não podem assimilar diretamente as poderosas energias do sol sem serem consumidos nas chamas dessa energia constante de alta voltagem. A lua intervém por nós e distribui a luz do sol em um padrão rítmico de aumento e diminuição, que nós vivenciamos como as marés dos oceanos e o fluxo sanguíneo da mulher. Assim, a lua possibilita aos seres da Terra absorver gradualmente a luz solar e utilizá-la para criar nossa vida orgânica e psíquica.

O sol e a lua não são forças opostas, no sentido de serem conflitantes e irreconciliáveis. São as contínuas interação e interpenetração das forças solares e lunares que criam as condições necessárias para a vida existir aqui na Terra. Na sua dança, nós podemos vê-los eternamente se aproximando e se afastando um do outro, apenas para retornar para o abraço do casamento sagrado. Ao debater os ciclos da lua no restante deste livro, vamos manter em mente que o simbolismo revelado nas fases da lua surge do mistério da sua relação com o sol.

A vida dos povos antigos era muito sintonizada com o ritmo da relação solar-lunar percebida como as fases da lua. Noite após noite, eles contemplavam a senhora de prata sempre mutante no céu e viam seu novo lugar, sua forma, sua cor; seu desaparecer e seu reaparecer. Com base na forma com que ela aparecia, os antigos, aos poucos, intuíam as verdades relacionadas ao grande mistério de vida e morte. A lua veio a simbolizar os temas da fertilidade e do nascimento, do tempo e do destino, da mudança e da transformação, os segredos do desconhecido, da morte e da regeneração. A lua era considerada um ponto de encontro dos mortos, o depósito das sementes da vida e, nesse sentido, um ser feminino.[5]

De acordo com as crenças dos povos antigos, a lua era a força que fertilizava e acelerava toda nova vida. Os ciclos de acasalamento dos animais

Figura 1.2   O Deus Sol e a Deusa Lua.

e a natureza sazonal da produção da colheita, tanto quanto os ciclos menstruais da mulher e as gestações, representavam o fluxo e o refluxo rítmicos do poder de fertilização da lua. Eles também sabiam da relação da lua com as marés. Considerava-se que a lua era a reguladora das águas dos oceanos, o útero do qual toda a vida dizia-se ter emergido.

A lua sempre foi associada com o tempo e o destino. Os primeiros calendários, datados de 33000 anos A.E.C.,[*] durante o Paleolítico Superior,[**]

---

[*] A.E.C. (antes da era comum) é usado no lugar de a.C. (antes de Cristo) para designar o tempo de forma inclusiva para cristãos e não cristãos. Da mesma forma, e.c. (era comum) é usado em vez de a.D. (*anno domini*, "no ano do Senhor").

[**] Até 10000 A.E.C. (N. do T.)

eram sequências de entalhes gravados em osso e marfim que seguiam o tempo de acordo com as fases da lua. Esses calendários também marcavam os dias do ciclo menstrual de uma mulher, indicando as datas para a concepção e depois os meses lunares de gravidez até o nascimento. Deusas lunares como as Moiras (os Destinos) eram retratadas medindo a extensão da vida de uma pessoa e tecendo o seu destino.

Como os povos antigos observavam a capacidade da lua de aparecer em uma forma, um lugar e uma cor diferentes a cada noite, a lua passou a encarnar a verdade da mudança e da transformação. O movimento constante da lua pelo céu, alternando as faces escura e iluminada, ensinou às pessoas que nada permanecia estático, tudo estava em permanente mudança, ascendendo e descendendo, morrendo e renascendo. A lua passou a simbolizar o ciclo de transformação e a capacidade de uma coisa se transformar em outra. Via-se esse poder de transformação residindo na mulher, que presidia sobre os mistérios do alimento: por meio do cozimento do grão, a vegetação se tornava o pão. Ao internalizar esse poder, as mulheres transformavam seu sangue em leite para nutrir a nova vida que emergia do seu corpo.

Enquanto a luz do sol dominava as horas do dia e obliterava a passagem da lua pelo céu, era a lua que reinava suprema no firmamento à noite. Tudo se ocultava sob o manto da escuridão da noite, então a lua passou a ser associada a todas as coisas secretas e aos mistérios do desconhecido. Ela guardava os ensinamentos secretos sobre sexualidade, adivinhação e magia, além de proteger esse conhecimento de abuso por parte dos não iniciados.

O maior mistério de todos, o da morte e da regeneração, estava contido no aspecto mais secreto da lua, a fase negra. As três noites escuras, sem lua, correspondem ao fim da vida, mas, na quarta noite, a lua renascia, significando um novo começo. Da mesma forma, entendia-se que os mortos teriam uma nova vida. Os antigos acreditavam que os mortos ou iriam para a lua ou para o subterrâneo da Mãe Terra a fim de receberem os necessários poderes de regeneração.[6] A serpente, que perde sua pele e a renova, assim como o crescer e o minguar da lua, encarnava os mistérios de morte e renovação. Esse animal lunar tornou-se o símbolo do poder transformador da energia feminina.

Percebendo a correlação entre os 29 dias do ciclo da lua e os 29 dias do ciclo menstrual das mulheres, os antigos presumiram que a lua deveria ser feminina. Então eles a personificaram como a Grande Deusa. A Deusa Lua, em sua fase brilhante, era uma doadora de vida e de tudo o que promovia a fertilidade. Na sua fase negra, ela era a portadora dos poderes destrutivos da natureza. Sob um ponto de vista moderno e racional, uma deidade pode ser amigável ou maligna, mas não pode ser ambas.[7] Para os adoradores da Deusa Lua, porém, não havia contradição na sua natureza dual. Seus dois lados, o luminoso e o escuro, criação e destruição, eram compreendidos como aspectos essenciais dos processos da vida.

O ciclo reprodutivo da Mãe Lunar universal, conforme passava de nova para cheia, para negra, espelhava as fases sucessivas de nascimento, crescimento, morte e renovação de todas as formas de vida. Como a Grande Mãe, a lua veio a simbolizar o grande mistério de vida e morte; ela era a matriz fértil da qual nascem todas as formas de vida e para a qual todas serão reabsorvidas. Todas as coisas vivas ressoavam com o seu ritmo instintivo de surgimento, plenitude e término.

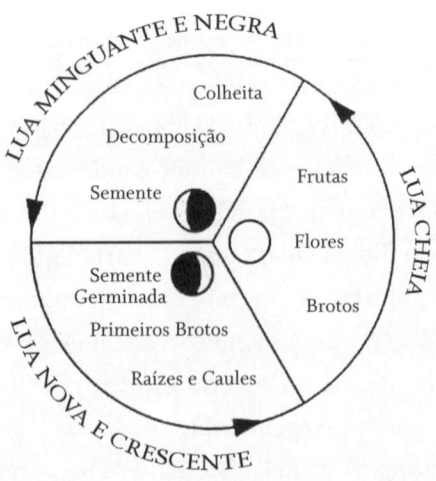

Figura 1.3   As Fases Lunares e o Ciclo de Vida de uma Planta.

Quando os povos agrícolas descobriram o ciclo vegetativo das plantas, eles viram o ritmo da lua refletido no ciclo de crescimento das suas colheitas. Podemos entender melhor esse processo comparando as fases da lua com o ciclo de vida de uma planta.

A *lua nova* corresponde à germinação da semente sob o solo, quando a força vital da planta quebra a cápsula da semente. Com a luz da lua aumentando, os primeiros brotos tenros abrem seu caminho para a superfície. A planta manda suas raízes para baixo, a fim de retirar os nutrientes do solo, e seus caules e folhas vão para o alto, a fim de absorver a energia da luz do sol.

Como a luz refletida da lua continua a aumentar, os brotos contêm a expectativa ansiosa da promessa a cumprir. A *lua cheia* culmina com a exposição máxima de luz, e a planta dá suas flores e seus frutos. Nesse estágio, a fruta incorpora a plena concretização da essência da semente.

Quando a lua começa a diminuir em luminosidade, a colheita é reunida e estocada. Durante a *fase* minguante *negra* do ciclo da lua, a fruta é deixada na videira para a semente murchar e apodrecer. A planta concentra sua força vital restante na cápsula da semente que repousa adormecida debaixo da terra escura. Ela aguarda a germinação com o início do próximo ciclo e da fase de lua nova.

Harmonizada com esse ritmo lunar, toda vida emana em espirais como o seu ciclo de nova para cheia, para negra e então, novamente, para nova. O movimento essencial de toda vida é cíclico na natureza. O ciclo de lunação é o protótipo do processo de fases progressivas de desenvolvimento e renovação contínua de todas as formas de vida. O ciclo de lunação carrega a batida rítmica da sua dança com o Sol. Isso sinaliza o padrão de como a vida se cria, se completa e se destrói, para depois renascer renovada.

A Fase Escura da Lua

A fase escura da lua, não confundir com o lado escuro da lua, ocorre todo mês nos três dias que antecedem a lua nova. Nessa época, a lua minguante vai se dissolvendo na escuridão e a lua desaparece de vista. Em razão do fato de a luz que vemos como proveniente da lua ser a luz do sol refletida, a lua negra é, em certo sentido, a verdadeira face da lua.

Todo mês, durante a escuridão da lua, os antigos de muitas regiões vivenciavam medo e espanto. Durante a ausência da luz da lua, a fase negra do ciclo continha tudo o que eles não podiam ver acordados nem compreender com a mente racional. No início dos tempos e mesmo depois, em plena época do patriarcado, a escuridão da lua simbolizava divinação, iluminação e os poderes da cura. Com o passar dos séculos, uma vez que as pessoas não adoravam mais a lua como uma deusa, os mistérios da lua negra foram imbuídos de terror e maldade. Os povos posteriores pensavam que o desaparecimento da lua ocorria em razão do fato de ela ter sido devorada por um poder sombrio e demoníaco. A lua minguante passou a representar um tempo em que os poderes destrutivos chegavam ao seu apogeu e enchentes, tempestades, desastres e pestes eram esperados. Era considerado um tempo desafortunado para qualquer empreendimento, um tempo no qual tudo diminuía e reduzia. A lua negra era a capitã dos fantasmas e a senhora da magia negra. Durante a sua permanência, os fantasmas perambulavam assombrando as pessoas e os poderes da feitiçaria podiam ser invocados para operar sua maldade livremente.[8] A escuridão da lua também era um tempo de atos nefastos e um prenúncio de morte.

A serpente sempre foi associada aos mistérios da lua negra; esse animal lunar ainda tem sido o mais difamado e considerado como uma força monstruosa da tentação e do mal. A serpente, com o seu poder de renovar a pele, era comparada à lua, que também se renovava todo mês depois de sua aparente morte. Serpentes vivem nos buracos escuros e os antigos acreditavam que suas casas subterrâneas ficavam no submundo. A fase negra da lua também era associada ao submundo e as divindades da lua negra apareciam, com frequência, na forma de cobras ou com serpentes nos cabelos.

Na Índia, a serpente enrolada como a energia *kundalini* no local do chakra sexual, na base da coluna, simbolizava os poderes da lua negra de regeneração por meio da participação nos mistérios sexuais. Acreditava-se que os dons da inspiração, da profecia e da adivinhação vinham da lua negra, cheia de serpentes, cujo veneno era usado para induzir estados visionários transcendentes. Também se dizia que a serpente revelou para os humanos as virtudes psicodélicas da bebida *soma*, que continha inspiração na lua negra. Em alguns mitos, a bebida *soma*, à qual as deidades deviam sua sabedoria e sua imortalidade, era um fermentado dos frutos da mítica árvore da lua. O equivalente terrestre da árvore da lua era uma planta que crescia no noroeste da Índia (*Asclepias acida* ou *Sarcostemna viminale*), a partir da qual era preparado um vinho que tinha propriedades narcóticas e inebriantes. Os humanos partilhavam goles nos ritos religiosos de comunhão com o espírito divino.[9]

Em tempos muito anteriores, quando as sociedades eram predominantemente sintonizadas com os ritmos lunares, o papel da lua era tanto ser quanto se tornar. Ela passava pela morte, no entanto permanecia imortal; e sua morte nunca foi um fim, mas uma pausa para a regeneração.[10] Na sua fase escura, a lua era a terra dos mortos, o receptáculo das almas entre as encarnações. Ela abrigava os mortos e os não nascidos, que eram um e o mesmo.[11]

A lua negra leva ao submundo, mas ela também torna a transformação possível. Hoje, o lado negro da lua da nossa psique tornou-se uma região de salvação individual. É por meio da descida ao nosso inconsciente que podemos encontrar os segredos da renovação – segredos que são, em geral, diametralmente opostos aos pontos de vista conscientes.[12] Vez ou outra, todas nós vamos entrar em uma fase da vida de lua minguante. Essas épocas de declínio nos dão a oportunidade de fertilizar e germinar as sementes do nosso renascimento. A lua negra contém o poder tanto de destruir quanto de curar e regenerar – dependendo da nossa capacidade de compreender seu significado e fluir de acordo com o ritmo. Como Esther Harding diz: "Nós devemos reconhecer que, embora a estrada do crescente leve para baixo, ela também pode levar à transformação da personalidade e a um verdadeiro renascimento do indivíduo".[13]

A Fase Negra do Processo Cíclico A fase negra da lua é o período de conclusão do processo cíclico bem como de transição para a próxima espiral de desenvolvimento. Todos os ciclos têm uma fase negra, um período recessivo que ocorre naturalmente quando a entidade de vida incessante vivencia uma mutação essencial e uma regeneração da forma. Quando a vida

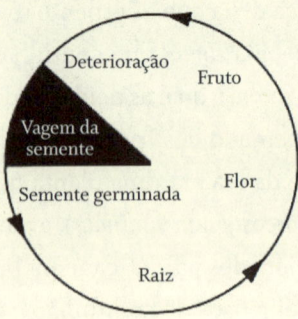

Figura 1.4a O Ciclo da Planta.

é percebida de uma perspectiva linear, a fase final significa uma finitude absoluta que dá origem ao medo do desconhecido. No entanto, quando a vida é compreendida como cíclica, a fase final é reconhecida como a transição para o novo. Em uma cosmologia cíclica, a fase negra da lua corresponde ao tempo em que o impulso de vida incessante, sob o manto da escuridão, vai ao subsolo para se limpar, se revitalizar e regenerar sua forma e seu conteúdo.

No ciclo vegetal e sazonal, a fase de lua negra corresponde à vagem da semente, que contém a essência da planta e é enterrada no rico e escuro solo do inverno à espera da germinação da primavera. No tempo de vida humano, entramos na fase negra por meio da morte e, posteriormente, somos gerados no seu útero quente, escuro e nutridor esperando pelo renascimento. O urso hibernando, a galinha chocando os ovos, a lagarta envolvida no casulo, todos espelham a fase escura nos ciclos da vida no reino animal.

Reguladas pelo ciclo lunar, as noites escuras antes da lua nova têm seus equivalentes em todos os ciclos naturais da Terra. Nos ritmos alternados de dia e noite, a fase da lua negra corresponde à parte mais profunda da noite, as duas horas antes do amanhecer. Esse é um momento de profunda inspiração, quando podemos ser mais receptivos às mais afinadas vibrações das intuições, visões e revelações por meio de preces e meditação. Se estamos dormindo durante essas horas antes de despertar, imagens do futuro são reveladas por meio dos nossos sonhos.

Figura 1.4b O Ciclo do Ano.

Nos ritmos anuais, a Terra gira em torno do Sol dando-nos a mudança das quatro estações. A primavera germina para a abundante fertilidade do verão, seguido pela colheita do outono. A fase negra da lua no ciclo das estações desenrola-se quando o inverno leva a vida de volta para o cálido, escuro e protetor subsolo para dormir e sonhar com seu novo renascimento.

Na Roda do Ano Celta, a fase negra começa no Halowmas, conhecido atualmente como o Halloween (31 de outubro),[*] quando o folclore diz que o véu entre o mundo dos vivos e dos mortos é mais transparente. Essa fase abrange os dias mais curtos até o nascimento do Sol, no solstício de inverno.

Épocas de Lua Negra em nossa Vida

Vivemos as características da escuridão da lua muitas vezes e de diversas maneiras. De tempos em tempos, passamos por épocas que duram alguns dias, semanas, meses ou até anos, em que as energias da fase de encerramento da lua negra estão operando. Essas são as épocas de transições de morte e renovação em nossa vida. Existem períodos genéricos, quando todos vivem as fases negras ao mesmo tempo ou em idades parecidas. Além

---

[*] 1º de maio, na Roda do Ano no Hemisfério Sul. (N. do T.)

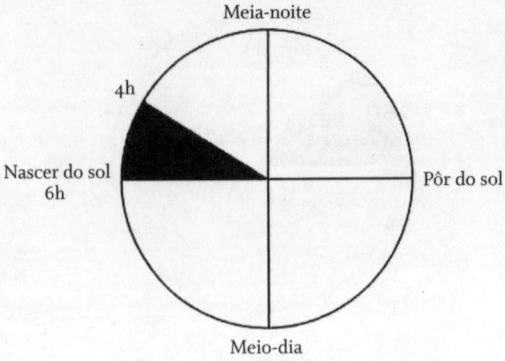

Figura 1.5a O Ciclo do Dia.

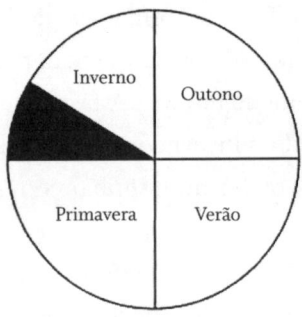

Figura 1.5b O Ciclo do Ano.

Figura 1.6 A Roda do Ano.

disso, existem períodos individuais específicos de fase de lua negra nos ciclos de nossa vida pessoal. Muitas tradições esotéricas ensinam que é possível, por meio dos antigos sistemas de astrologia, tarô e numerologia, prever e identificar o momento e a duração desses períodos transitórios de fase de encerramento em nossa vida.[14]

Assim como vamos dormir todas as noites para nos sentirmos revigoradas para um outro dia, às vezes precisamos liberar, desistir, interiorizarmo-nos e renovarmo-nos na escura calmaria de outros tipos de transições. A oportunidade para esse trabalho interno existe não apenas nos dias que antecedem a lua nova a cada mês, mas também todas as noites nas últimas horas antes de amanhecer ou de despertar e, para as mulheres, todo mês quando elas menstruam e, depois, na menopausa. As energias da fase negra também são preponderantes a cada ano, no mês anterior ao nosso aniversário, nos dias mais curtos em termos de luz solar nas semanas que antecedem o solstício de inverno e na última parte gelada do inverno antes do degelo da primavera.

A Fase de Lua Negra e o Mês Anterior ao Aniversário das Pessoas O mês que antecede o nosso aniversário é a fase escura da lua de nosso ciclo de envelhecimento anual. Em algum ponto da meia-idade, em vez de esperar pelo aniversário com a expectativa infantil, o adulto maduro começa a temer a chegada desse dia. Temos a dolorosa consciência de que estamos um ano mais velhas, outro ano se passou e nós ainda não concretizamos nossos sonhos e esperanças, estamos um ano mais próximas do fim de nossa vida. Muitas vezes, as pessoas se sentem sozinhas e tomadas pelo desespero nessa época.

Em nossa sociedade, envelhecer geralmente é mais difícil para as mulheres do que para os homens. Conforme os homens envelhecem, a sociedade os encara como chegando a seu poder e sua sabedoria. À medida que as mulheres envelhecem, a sociedade as enxerga como menos atraentes, menos desejáveis e menos empregáveis.

Nas semanas que antecedem o nosso aniversário, nos preocupamos com quem vai se lembrar de nós com um cartão ou um presente e quem vai se esquecer. Nosso aniversário, independentemente de quão bom seja, fica aquém de nossas fantasias não ditas. No dia seguinte ao do nosso aniversário, nós damos um enorme suspiro de alívio pela data ter passado e podermos, finalmente, retornar à nossa vida cotidiana. Para dizer a verdade, ocorrem mais suicídios nos trinta dias que antecedem a data de aniversário de alguém do que em todo o resto do ano.

É importante entender que a *maioria das pessoas* passa por essas emoções durante a fase de lua negra no mês anterior ao seu aniversário. É normal que sentimentos de incerteza e medo venham à tona durante esse período. *Há* menos energia disponível para as atividades externas e para atender as expectativas dos outros, pois o propósito da fase negra é focar nas dimensões internas do nosso corpo e da nossa mente. Se pudermos aprender a nos sintonizar com os ritmos naturais de altos e baixos em nossa vida, poderemos usar a função intrínseca dos períodos negros para cura e renovação. Quando resistimos a esse movimento interior em nossa psique, é mais provável que a ansiedade, o estresse e o medo dominem nossas emoções.

A Fase de Lua Negra e o Solstício de Inverno Podemos ver os mesmos temas aparecendo no ciclo sazonal, no qual a fase de lua negra corresponde ao mês que antecede o Natal e o Hanukkah. Essa é outra época de altos índices de suicídio, quando muitas pessoas são tomadas por sentimentos de estranheza ou desconexão com a família ou o grupo. Outras são guiadas pela ansiedade de tentar atender às expectativas e aos desejos irreais dos filhos ou cônjuges por presentes como prova de amor.

Esses feriados ocorrem no solstício de inverno,* quando a luz do sol renasce. Nessa época, o cristianismo celebra o nascimento do Filho de Deus. No mês que antecede a tais feriados, a influência negra predomina durante esses dias mais curtos, com pouca luz solar. De novo, o ritmo sazonal nos convida a hibernar e ficarmos quietas; reunir nossas energias, recuar, descansar e refletir. Em vez disso, somos pressionadas a sair, comprar freneticamente todo fim de semana, gastar o dinheiro que não temos, preparar e embalar presentes, planejar e ir a festas e fazer os preparativos

---

* No Hemisfério Norte. (N. do T.)

intermináveis para o momento culminante do grande dia. A intenção aqui não é menosprezar a importância e a alegria dessa celebração de renovação, mas reconhecer que os aspectos negativos da escuridão emergem quando resistimos ou vamos contra as correntes naturais do processo cíclico. Se, como indivíduos e como uma cultura, pudermos lembrar de um modo mais simples de honrar esse momento, um que esteja de acordo com os ritmos naturais, poderemos transformar grande parte da insanidade exalada durante as festas de fim de ano.

A Fase da Lua Negra e a Menstruação, a Gravidez e a Menopausa A fase da lua negra também está associada aos períodos menstruais femininos. Quando o ciclo lunar é sobreposto ao ciclo menstrual, a lua cheia corresponde à ovulação e a lua negra é análoga à menstruação (ver Figura 7.1, no Capítulo 7). Durante o período de ovulação na lua cheia, as mulheres estão abertas, férteis, magnéticas, receptivas e carinhosas com o outro. Em um nível estritamente biológico, essas mensagens químico-emocionais são propícias para promover a união sexual, a fertilização, a procriação e a continuidade das espécies. Entretanto, no período menstrual de lua negra, a força vital não está mais voltada para o outro e extrovertida; ao contrário, está introspectiva.

Se as mulheres estão sintonizadas com seu próprio ritmo corporal, quando sangram tudo o que elas querem é refugiar-se em seu quarto, fechar as cortinas, deitar-se na cama e descansar no doce e calmo silêncio da renovação. Entretanto, essa reação não costuma ser encorajada ou apoiada pela nossa sociedade. As mulheres se sentem forçadas a continuar como sempre, fingindo que nada está diferente e se sentindo envergonhadas se o seu "segredo" vazar. Quando negamos nossas necessidades menstruais, nosso eu inconsciente atravessa nossa personalidade socialmente condicionada como uma cadela raivosa. Para explicar a dor, a tensão, as lágrimas, a raiva, a histeria, a hipersensibilidade, a emotividade e a irracionalidade da TPM é que nós passamos a associá-la à "maldição".

As antigas culturas adoradoras da Deusa compreendiam que o período menstrual é a época do mês mais poderosa da mulher, um tempo em que suas energias psíquicas e espirituais estão mais altamente sensíveis. E, por esse motivo, as mulheres se retiravam para tendas menstruais durante o seu tempo da lua, de modo que pudessem comungar com as deidades por meio da meditação, da prece e do ritual a fim de buscar cura e verdade. Com a ascensão das culturas do deus masculino, as mulheres continuaram a ser separadas e isoladas durante seu tempo da lua. Mas agora não porque elas eram sagradas, mas porque os homens temiam seu grande poder durante esse período do mês. Mulheres menstruadas se tornaram tabu e foram consideradas impuras. Essa tradição sobrevive ainda hoje em muitas culturas nas quais as mulheres menstruadas são impedidas de participar de cerimônias religiosas.

As mulheres não mais compreendiam que o movimento instintivo durante a menstruação é o de retirada para se conectarem com as poderosas energias psíquicas, a fim de efetuar a cura e as revelações em suas vidas mensalmente. Diferentemente, a menstruação, como uma fase da lua negra, passou a ser algo doloroso, sujo e embaraçoso, que leva ao caos, à rejeição e ao isolamento.

O último mês de gravidez também é uma época de fase da lua negra. Em meio à alegria e à expectativa da chegada de um filho, muitas mulheres se sentem frustradas, irritadiças, imobilizadas pelo seu corpo grande e estranho e sentem uma raiva indescritível. É durante esse período que antecede o nascimento que as mulheres enfrentam seus medos de um parto doloroso e da possibilidade de ocorrer a morte dela ou a da criança no procedimento.

O conhecimento sobre o nascer, bem como sobre o morrer, tem sido retirado dos povos modernos. A maioria das mulheres em seu primeiro parto nunca viram ou participaram do parto de outra mulher. Elas só ouviram sussurros de histórias assustadoras sobre a angústia e o sofrimento envolvidos. Novamente, é a nossa ignorância da escuridão, que é o portal entre a morte e o nascimento, que dá origem aos nossos medos e contribui para nossa dor.

A menopausa, que marca o terço final da vida de uma mulher, é a fase da lua negra do seu ciclo de vida sexual tríplice, que também inclui a menarca e o parto (ver Figura 7.2, no Capítulo 7). Para muitas mulheres, a menopausa é uma época muito triste e dolorosa. Depois que elas criaram suas famílias, os filhos estão crescidos e os maridos faleceram, a sociedade diz a elas que são imprestáveis e que não são mais desejadas. A fase negra da menopausa na vida de uma mulher é caracterizada por solidão, rejeição e falta de propósito.

Nas culturas antigas, as mulheres mais velhas, as anciãs, eram honradas como mulheres sábias, conselheiras da comunidade. Acreditava-se que elas tinham alcançado o ápice de seus poderes como curandeiras, visionárias e magas. No entanto, a sociedade moderna, na sua dificuldade de compreender o valor da escuridão, veio a projetar muitos dos seus medos do desconhecido sobre as mulheres mais velhas, que haviam passado pela menopausa. Hoje, os sinais da menopausa são o começo do ostracismo da mulher na sociedade; agora, ela encarna o pavor da sociedade em relação ao poder que a mulher mais velha tem na fase negra de sua vida. E as próprias mulheres esqueceram-se de que o rito da menopausa as inicia na maturidade psicológica. Se elas vierem a entender o verdadeiro propósito da escuridão, poderão deixar de concentrar sua energia na tarefa de cuidar dos outros em primeiro lugar e passar a utilizá-la para nutrir sua própria criança mental e criativa.

No Capítulo 7, discutiremos mais a fundo os temas da menstruação e da menopausa em relação à lua negra.

A Fase da Lua Negra e o Envelhecimento e a Morte A última fase de lua negra começa quando nos aproximamos do fim de nossa vida, período no qual, em geral, passamos por doenças e incapacidade crescente. Somos confrontadas com a inevitabilidade da nossa morte e com as crenças sobre o que vem depois. Nas culturas ocidentais, que zombam da filosofia da reencarnação, a morte contém os medos da tortura interminável no inferno ou um estado de finitude e não existência. É, em parte, por essa razão que nossa sociedade se encontra angustiada e desconfortável por estar perto do envelhecimento e da morte. As pessoas mais velhas refletem a certeza da morte futura de todos.

A negação coletiva da morte tem feito com que a maioria dos idosos seja removida do convívio social. Eles são considerados incapazes de trabalhar e são retirados da força de trabalho. Enquanto alguns conseguem aproveitar a aposentadoria, muitos ficam frustrados com os mercados restritos para expressar sua sabedoria, sua habilidade e sua criatividade, que não diminuíram com a idade. Para aqueles que são indefesos na vitimização social do idoso, a idade avançada se torna uma nuvem negra que os envolve enquanto eles ficam sentados nas cadeiras de balanço, em frente à televisão, esperando a morte. As pessoas mais velhas são reunidas e postas em condomínios e vilas para idosos ou são confinadas em casas de repouso. Elas são impedidas de continuar a interagir com o resto do mundo.

A maioria dos povos modernos tenta evitar qualquer contato com a morte. Os moribundos são isolados nas enfermarias de hospitais, muitas vezes rejeitados por suas famílias e transportados para as funerárias, cujo trabalho é disfarçar a face da morte. Em termos históricos, nosso conhecimento sobre a morte foi obliterado pelos conceitos religiosos e filosóficos das religiões ocidentais e a morte é temida, acima de todas as coisas. Foi só nas últimas décadas que tivemos alguma informação clara a respeito do que pode ocorrer durante a transição da morte, por exemplo, com o livro *Death: The Final Stage of Growth*, de Elisabeth Kübler-Ross.* Pesquisas nessa área têm levado a uma abordagem mais compassiva da velhice e do morrer; e está ajudando as pessoas a se libertarem dos seus medos das fases de lua negra finais de suas vidas.

A Fase da Lua Negra e as Perdas Pessoais Além desses períodos genéricos de lua negra, nós atravessamos uma lua negra sempre que passamos por uma perda pessoal e por um momento de ruptura e luto. Atravessamos a escuridão da Lua sempre que estamos imersas em uma fase final em um relacionamento, no trabalho, em um sistema de crença, na família, em uma identidade específica, em responsabilidades, em um ambiente de vida ou um vício; e sempre que encaramos a perda da forma que deu à nossa vida uma estrutura e um senso de identidade. Presas no caos da ausência de forma, podemos sentir uma ansiedade flutuante. O que foi não

---

* Elisabeth Kübler-Ross. *Death: The Final Stage*. Nova York: Simon & Schuster, 1986.

é mais e o que virá ainda não apareceu. Podemos nos sentir dominadas por uma depressão paralisante, bloqueadas pelo pesar e pelo luto por nossa perda ou enredadas na loucura da incerteza de nossa situação.

Os resultados de uma pesquisa social recente nos informaram que um período de luto normal pode demorar dois anos e, em alguns casos, até mais. Elizabeth Kübler-Ross definiu os estágios do processo de luto – negação, isolamento, raiva, barganha e depressão – pelos quais passamos antes de finalmente aceitarmos a situação e seguir em frente para uma nova expressão de nossa identidade e vida. Se não nos permitirmos esse período de lamento e repouso, muitos problemas graves poderão emergir mais tarde – como um câncer em nosso corpo ou depressão crônica e frigidez emocional em nossa psique.

Descobrindo nosso Caminho Através da Escuridão

Quando entramos em um desses períodos de lua negra, que podem durar de vários dias a muitos anos, uma visão do que esperar e de como utilizar melhor as energias durante os diversos estágios do processo pode nos permitir passar por esse momento com paz e fé, em vez de medo e pânico. A fase de lua negra corresponde à fase final de qualquer processo cíclico, quando alguma coisa em nossa vida acaba, e ela abrange o intervalo da nossa transição para outra coisa que simboliza um novo começo. Para entender melhor o porquê do que acontece durante esses tempos negros, convém compreender o ciclo maior cujo fim a fase de lua negra simbolicamente representa, assim como os estágios sucessivos do processo de transformação em si mesmo.

Toda vida é composta de partículas de matéria em movimento. Os cientistas sabem que todas as substâncias se movem para trás e para a frente entre seu estado de forma, que é chamado de matéria, e seu estado de ausência de forma, que é chamado de energia, em um ciclo contínuo de criação, preservação e destruição. O ponto entre destruição e criação, no qual a matéria se torna energia, é chamado de estágio de transformação. A transformação ocorre durante a fase de lua negra do processo cíclico. Aqui a matéria, contida por uma forma que cumpriu a sua função e esgotou seu estoque de essência vital, se desintegra em energia. A vibração de alta frequência desse meio, o processo transformador, limpa e energiza essa *prima materia*, ou matéria-prima, e a prepara para a renovada e revitalizada forma constituída.

As fases nova, cheia e negra dos ciclos da lua espelham o ciclo da criação, preservação e destruição como vistos em começos, meios e fins em todos os nossos projetos de vida.

O ciclo é iniciado por um ato de criação, correspondente à fase da lua nova. Algum tipo de desejo é gerado e liberado energeticamente como uma forma-pensamento impulsionada por uma motivação. Por exemplo, esse desejo pode ser uma ideia para adquirir recursos a fim de construir uma casa na qual possa criar uma família. A parte crescente do ciclo lunar consiste

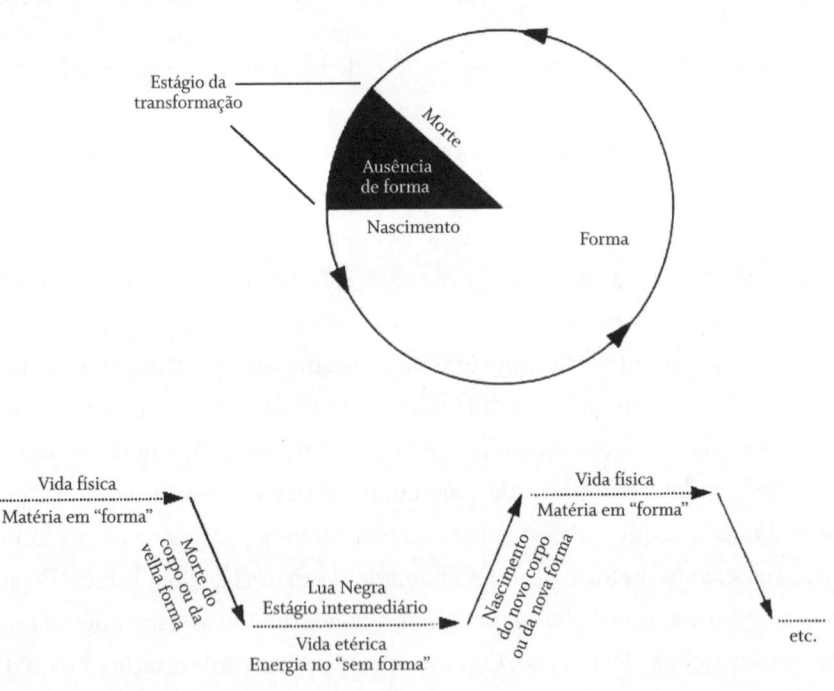

Figura 1.7 A Transformação da Forma para o Sem Forma.

em tentar construir algum tipo de forma que possa conter esse impulso, sonho ou senso de propósito. Essa energia bruta e disforme se aglutina e assume a forma do nosso desejo.

A criação é seguida pela preservação. No estágio da lua cheia do processo cíclico, é a hora de infundir conteúdo nessa forma, de modo que o sentido da forma possa ser realizado. Em nosso exemplo, o carpinteiro constrói a casa e isso se assemelha com a construção da forma. Contudo, até a família se mudar para a casa e transformá-la em um lar, o sentido da casa não é realizado. O período ideal para viver de fato o sentido e o propósito do nosso desejo é após a Lua Cheia. Os filhos agora crescem e florescem no lar.

A parte minguante do ciclo lunar corresponde à destruição. O que era desejado que acontecesse já aconteceu, o propósito foi cumprido, a função da forma foi realizada. Nesse momento, a forma pode ser antiquada, desgastada, inútil, esgotada de energia vital. As crianças já cresceram e se mudaram. A casa ampla precisa de mais manutenção física e financeira do que é viável para os já idosos pais. É hora de abrir mão de uma forma que cumpriu sua função e não serve mais ao propósito para o qual era destinada. Pode ser necessário vender a casa velha e sinuosa e se mudar para um ambiente de vida mais simples e mais apropriado, que atenda melhor às necessidades dos pais.

É nesse ponto que entramos na fase de lua negra, a transição entre a destruição do velho e a criação do novo. Esse processo é chamado de transformação, um processo que ocorre sempre que qualquer forma de vida cumpriu seu propósito e gastou seu estoque de energia vital. A essa altura, é necessário que aquela forma seja decomposta a fim de liberar a energia contida para que possa ser revitalizada, recarregada e disponibilizada novamente, de modo a ser infundida em uma nova forma de vida.

É na fase negra do processo cíclico que a cura e a renovação ocorrem. Durante esse período, qualquer forma que tenha cumprido sua função e exaurido seus suprimentos de força vital abandona a estrutura que continha sua energia. A matéria então acaba, se dissolve e é reabsorvida de volta para o estado sem forma da não existência "porque tu és pó e ao pó tornarás" (Gênesis 3:19), do mesmo modo que o universo volta para dentro dos

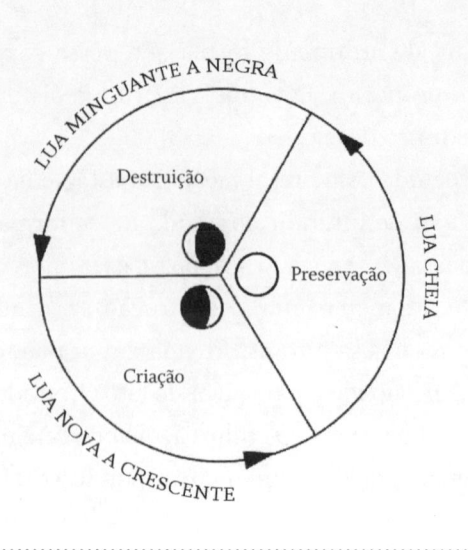

Figura 1.8 O Ciclo de Criação, Preservação e Destruição.

buracos negros. Essas formas podem variar da nossa vida útil pessoal ou social para aquelas dos nossos relacionamentos, crenças e identidades. Na fase negra, a essência daquela forma é limpa, destilada, reenergizada e especificada com uma visão que se torna a nova forma renascida no momento de renovação.

O processo transformador destrói velhos padrões de pensamento e de comportamento que nos atrasam. Velhos conceitos e suas estruturas de vida correspondentes, que não servem mais a um propósito criativo ou impedem o crescimento, precisam ser eliminados. Muita dor e agonia podem surgir no processo de liberar nossa energia vital de formas inúteis ou padrões psicológicos improdutivos habituais, mas é também a própria energia que vai nos nutrir e nos permitir seguir adiante rumo ao novo crescimento. O resultado pode não se tornar aparente até que tenhamos esclarecido e adotado nossa nova visão e isso, em geral, leva algum tempo.

No processo, é inevitável que enfrentemos nosso terror do desconhecido, que nos mantém constrangidas pelo medo. Nossas imagens do sombrio também terão que ser revistas. Esse é um movimento corajoso rumo à aceitação da inteireza do nosso ser, que desafia nosso condicionamento cultural misógino de temer o grande e sombrio desconhecido. Uma compreensão da Deusa Negra nos ajudará a desenvolver nossa visão noturna, por meio da qual poderemos descobrir um caminho através da escuridão e conhecê-la como o local do nosso renascimento.

Perguntas do Diário

1. Eu equiparo o conceito de luz com as forças do bem, o crescimento e a felicidade? Em contrapartida, eu associo o negro com as forças do mal, o declínio e a tristeza?

2. Tenho medo do escuro? Como me sinto quando a luz acaba e minha casa é mergulhada na escuridão? Entro em pânico? Sinto-me mais segura com um abajur ou a luz da varanda acesos a noite toda? Como me sinto a respeito de lugares escuros no meu ambiente, por exemplo, *closets* e porões? Como me sinto em relação às pessoas de pele escura?

3. Como me sinto em relação ao envelhecer? Tenho medo da idade ou de dizer às pessoas quão velha eu sou? Como reajo quando vejo pessoas idosas? Isso me deixa desconfortável ou apavorada? Já fui a uma casa de repouso ou a um lar de idosos? Fiquei ansiosa para sair de lá?

4. Como me sinto em relação à expectativa da minha própria morte e da dos meus entes queridos? Tenho medo de morrer? Sinto-me abandonada com a morte ou a perda de entes queridos? Posso expressar minha raiva e minha tristeza e me permitir lamentar?

5. Sofro de ansiedade, depressão e períodos sombrios nas semanas que antecedem meu aniversário, durante a época das férias de inverno, quando menstruo ou quando enfrento uma grande alteração na minha segurança? Já parei para pensar que esses tempos negros na minha vida podem fazer parte do processo cíclico que ocorre naturalmente e é um período necessário para proporcionar a regeneração e o nascimento de algo novo?

Notas

1. Christina Rossetti, "Lady Moon", em *The Oxford Book of Children's Verse*, organizado por Irma e Peter Opie (Oxford: Oxford University Press, 1872), p. 277.
2. Mircea Eliade, *Images and Symbols* (Nova York: Sheed e Ward, 1961), pp. 71-3.
3. ABC News, "20/20", "Depression Beyond Darkness", transcrição (Nova York: Journal Graphics, 1990), pp. 2-3.
4. Dane Rudhyar, *The Lunation Cycle* (Santa Fé: Aurora Press, 1986), p. 37. [*O Ciclo de Lunação*. São Paulo: Pensamento, 1985 (fora de catálogo).]
5. C. G. Jung, *Collected Works V*: Symbols of Transformation (Princeton: Princeton University Press, 1967), pp. 317-18.
6. Anne Bancroft, *Origins of the Sacred* (Londres/Nova York: Arkana, 1987), p. 43.
7. Esther Harding, *Woman's Mysteries* (Nova York: Harper & Row/Colophon, 1976), p. 111.
8. *Ibid.*, p. 26.
9. *Ibid.*, pp. 53, 226-27.
10. Anne Bancroft, *Origins of the Sacred* (Londres e Nova York: Arkana, 1987), p. 43.
11. Barbara G. Walker, *The Woman's Encyclopedia of Myths & Secrets* (San Francisco: Harper & Row, 1983), p. 671.
12. Fred Gustafson, *The Black Madonna* (Boston: Sigo Press, 1990), p. 96.
13. Esther Harding, *Woman's Mysteries* (Nova York: Harper & Row/Colophon, 1976), p. 151.
14. Em ciclos astrológicos, a fase de lua negra se refere não apenas à fase balsâmica progredida e natal, mas também à lua fora de curso, aos eclipses lunares e à décima segunda casa. Suas qualidades são ativas nos trânsitos de Plutão para pontos sensíveis no mapa, nos trânsitos dos planetas pela décima segunda casa e no(s) ano(s) final(is) de qualquer ciclo de retorno planetário (o ano anterior ao retorno de Saturno e assim por diante). Os planetas significadores associados com as energias da fase de lua negra são Plutão, o asteroide Lilith, a Lua Negra Lilith, a Lua Preta Lilith e outros asteroides-deusas, como Perséfone, Hécate, Moira, Medusa, Nêmesis e Átropos.

CAPÍTULO 2

A Deusa Negra

A Sombra Feminina

❦

*Não basta dizer que precisamos de um relacionamento renovado
com o feminino em nossos tempos.
O que precisamos é de uma relação com o
lado negro do feminino.*
— Fred Gustafson[1]

Nas sociedades primitivas que reverenciavam a lua como a Deusa, a terceira fase negra era personificada como a Deusa Negra, sábia e piedosa, que reinava sobre os mistérios da morte, da transformação e do renascimento. Ao longo de muitos milênios, culturas posteriores substituíram gradualmente os adoradores da lua, e o conhecimento da natureza cíclica da realidade, como espelhado pelas fases da lua, foi perdido.

Hoje, em nossa sociedade, a maioria das pessoas não tem conhecimento do potencial para a cura e para a renovação que existe como uma qualidade intrínseca da fase de lua negra do processo cíclico. Em vez disso, associamos a escuridão com a morte, o mal, a destruição, o isolamento e a perda. Em uma sociedade regida pela consciência branca solar, fomos ensinadas a temer, rejeitar, desvalorizar e tirar o poder de tudo o que é associado aos conceitos do escuro – pessoas negras, mulheres, sexualidade, natureza, o oculto, o pagão, a noite, o inconsciente e irracional e a morte em si. Em termos mitológicos, incorporamos todos esses medos do escuro em uma imagem do mal feminino conhecida como a Deusa Negra, que está intimamente ligada à lua negra.

Ao longo do curso da história, o papel original da Deusa Negra como renovadora foi esquecido e ela passou a ser temida como uma destruidora. Em muitas mitologias universais, ela foi retratada como a Sedutora, a Mãe Terrível e a Anciã Portadora da Morte. Seus biógrafos posteriores a registraram como sombria, má, venenosa, demoníaca, aterrorizante, malevolente, ardente e revoltada. Como a cultura patriarcal tornou-se predominante, a Deusa Negra passou a ser um símbolo da sexualidade feminina devoradora que leva os homens a transgredir suas convicções morais e religiosas para, em seguida, consumir sua energia vital e os enredar em um abraço de morte.

No imaginário mítico das culturas dominadas pelo masculino, a natureza original da Deusa Negra tornou-se distorcida e ela ganhou proporções assustadoras. Como Kali, ela aparece em crematórios adornada com uma guirlanda de crânios, segurando a cabeça decepada e ensanguentada de seu parceiro, Shiva. Como Lilith, ela voa pela noite como um demônio feminino que seduz os homens, procria demônios e mata crianças. Como Medusa, seus cabelos bonitos e abundantes se tornam uma coroa de serpentes sibilantes e o olhar de seu Olho do Mal transforma homens em pedra. Como Hécate, ela persegue os homens nas encruzilhadas à noite com seus ferozes cães de caça infernais.

Nós podemos muito bem perguntar por que a Deusa Negra apresenta uma imagem tão aterradora. De que maneira ela e sua contraparte psicológica, o feminino sombrio, ameaçam nossa segurança e causam estragos em nossa vida? E como seu poder destrutivo está relacionado com suas qualidades curativas que trazem renovação? De que formas a Deusa Negra passou a incorporar nosso medo do escuro, nosso medo do oculto, nosso medo da morte e da mudança, nosso medo do sexo e nosso medo de confrontar nosso próprio ser essencial e nossa própria interpretação da verdade?

As respostas a essas perguntas podem ser encontradas na transição da cultura matriarcal para a patriarcal que ocorreu há cinco milênios.[2] Pesquisadores atuais da história antiga, trabalhando nos campos da teologia, da arqueologia, da história da arte e da mitologia, estão descobrindo evidências de que, por volta de 3000 A.E.C., ocorreu uma transição nas estruturas políticas e religiosas predominantes que governavam a humanidade. Sociedades matriarcais que haviam cultuado deusas da Terra e da Lua, tais como Inanna, Ishtar, Ísis, Deméter e Ártemis, cederam às sociedades patriarcais, que seguiam os deuses e heróis solares, como Gilgamesh, Amon-Rá, Zeus, Jeová e Apolo.

Antes desse tempo, uma compreensão sobre a ligação entre morte e renascimento era o ensinamento da ciclicamente renovadora Deusa Lua, que era adorada pelos povos antigos. Os ensinamentos da Deusa diziam que a morte nada mais era do que a precursora do renascimento e que o sexo podia ser usado não apenas para a procriação, mas também para o êxtase, a cura, a regeneração e a iluminação espiritual. Quando a humanidade transferiu sua lealdade para o culto dos deuses solares, os símbolos da Deusa começaram a desaparecer da cultura e seus ensinamentos tornaram-se esquecidos, reprimidos e distorcidos.

Acadêmicos contemporâneos estão descobrindo agora evidências de como o culto à Deusa foi suprimido, seus templos e artefatos destruídos, seus seguidores perseguidos e assassinados e a sua verdade negada. Os novos sistemas de crença das tribos solares patriarcais conquistadoras denunciaram a renovação cíclica, interrompendo com isso o ciclo da Deusa Lua, de nascimento, morte e regeneração.

Vamos abordar com mais detalhes o desenvolvimento histórico e psicológico do arquétipo da Deusa Negra, que era o terceiro aspecto da antiga Deusa Tríplice. A Deusa da Lua Tripla, em suas fases nova, cheia e negra, era um modelo para a natureza feminina em sua inteireza como donzela, mãe e anciã. Em seu culto original, a Deusa Negra, como o terceiro aspecto dessa trilogia lunar, era honrada, amada e aceita por sua sabedoria e seus misteriosos ensinamentos de renovação. Durante o curso da cultura patriarcal, entretanto, ela e seus ensinamentos foram exilados da sociedade legitimada e banidos para os cantos recônditos do nosso inconsciente.

O Culto à Deusa: sua História e sua Mitologia

A história da Deusa Negra teve início há milhares de anos, em um tempo antes da história escrita, quando a lua era adorada como uma divindade feminina primordial. Sua história nos leva a muitas partes do mundo, onde a Deusa Negra é conhecida por muitos nomes em terras diferentes. Ela é chamada de Kali, na Índia; Hécate e Perséfone, na Grécia; Lilith, no Oriente Médio; Eresh-kigal, na Suméria; Morgana, na Bretanha; e Hel, na Escandinávia. Moira, as Parcas, as Fúrias, Medusa, Medeia, Circe, Nêmesis, Nix, as Górgonas, as Sereias, a Madona Negra, Cerridwen, Néftis, Ísis Negra, Oyá, Coatlicue, a Senhora Holle, Baba Yaga, a Negra Dakini, a Mãe Terrível, a Fada Má e a Bruxa Malvada são alguns dos seus outros nomes.

Desde o início do Paleolítico Superior, há 40 mil anos, existem evidências de que a humanidade cultuou uma deidade feminina que foi personificada no simbolismo da Deusa. Os povos da Idade do Gelo honravam a imagem dela em sua arte sagrada, esculpindo a forma feminina na argila e entalhando-a em osso, pedra e marfim. Essas figuras de deusa enfatizavam os seios, o ventre e a vulva do corpo feminino, simbolizando a reverência dos povos pré-históricos pelos poderes do feminino de dar à luz e manter a vida. Ao longo das últimas centenas de anos, os arqueólogos têm desenterrado milhares dessas estatuetas e desses amuletos abrangendo uma extensão de território desde a Espanha, passando pela Eurásia até chegar à Sibéria Central.

Durante esses tempos antigos, a humanidade entendia a Grande Deusa como um princípio organizador do universo que incorporava todas as forças da vida, da morte e do renascimento na sua figura. Seu domínio englobava não apenas o mundo humano, mas também os reinos animal e vegetal, a terra e os céus e os ciclos sazonais e celestes. A Deusa era a força vital que animava toda a existência.

Essas crenças tornaram-se a base para o culto à Grande Deusa na Era Neolítica, que começou no nono milênio A.E.C. Por volta de 11 mil anos atrás, as culturas agrárias fundaram as primeiras vilas no Crescente Fértil, beirando o Mar Mediterrâneo, incluindo Çatal Hüyük, Jericó e Halicar. Eles desenvolveram uma religião cósmica complexa, que focava no culto da Deusa da Lua Tripla como Doadora de Vida, Portadora da Morte e Regeneradora.[3]

Essa Deusa Neolítica abarcava a constante e periódica renovação da vida, na qual a morte não era dela separada. Essa religião mostrava um profundo respeito pelos ciclos naturais das mulheres. O princípio masculino era conhecido e honrado como o jovem Deus Cornífero, que era filho, amante e consorte da Deusa. Ele também participava nos ritos de nascimento, morte e renovação. A sexualidade era sagrada e celebrada como sensual, prazerosa, erótica e curativa.

A Grande Deusa apareceu em muitas culturas por todo o mundo antigo. Conhecida por muitos nomes, ela era multifacetada e manifestava-se em uma variedade de formas para satisfazer as diversas necessidades das pessoas que apelavam por sua sabedoria e sua compaixão. No Oriente Próximo, ela era cultuada como Inanna, Tiamat, Ishtar e Astarte. No Egito, ela era venerada como Ísis, Hathor, Neith e Maat. Na Grécia, era reverenciada como Deméter, Hera, Ártemis e Afrodite. No Extremo Oriente, era conhecida como Shakti, Adati e Durga, na Índia; Tara, no Tibet; e Kwan Yin, na China e no Japão. Essa divindade feminina depois evoluiu para a Virgem Maria, Sofia e a Shekinah das culturas cristã e judaica.

A Deusa era imanente em toda a natureza e as pessoas construíam santuários para honrar e interagir com ela em fontes, bosques, cavernas, picos de montanhas, lareiras e nascentes. Nas sociedades onde ela era cultuada, as mulheres exerciam papéis elevados como sacerdotisas, líderes, curandeiras, parteiras e adivinhas. A arte sagrada desses povos tem sido desenterrada para revelar mais de 30 mil imagens femininas, feitas de argila, mármore, pedra, cristal, cobre e ouro, dos quase 3 mil sítios encontrados na Velha Europa e no Oriente Próximo durante os últimos mil anos.[4] A arte, os artefatos e os primeiros escritos desses povos documentam que eles eram agricultores pacíficos vivendo harmoniosamente em sociedades de parceria matrilinear.[5] Discutiremos as origens pré-históricas da religião da Deusa, a partir de uma perspectiva cíclica, no Capítulo 3.

A Deusa da Lua Tripla

O ritmo da lua, cujas fases repercutem no ciclo menstrual das mulheres, tem um lugar especial nos mitos, na religião e nos símbolos da Deusa. Os antigos consideravam a lua, que mostrava o fluxo e o refluxo de nascimento, vida e morte, feminina e eles a personificavam como a Grande Deusa que regia esses três grandes mistérios. Conforme a lua mudava de nova para cheia, para negra, era adorada como uma personificação de cada uma dessas

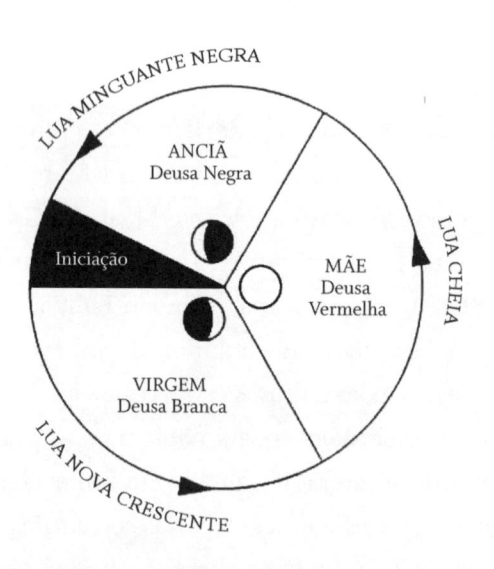

Figura 2.1 A Deusa da Lua Tripla.

três fases, por isso era denominada Deusa da Lua Tripla, que se mostrava em muitos níveis como conjuntos de três.

No nível energético absoluto, no qual o nosso cosmos existe como partículas de matéria em movimento alternando-se entre estados de forma e ausência de forma, os antigos conceitualizaram a natureza tripla da energia lunar feminina como forças cíclicas de criação, preservação e destruição que mantêm o universo em movimento. À medida que essa energia começou a se aglutinar nos reinos da forma, ela passou a ser vista como as deidades que habitam os céus e assumem a aparência dos aspectos de virgem, mãe e anciã da Deusa. E, quando a energia se solidifica no reino físico da manifestação humana, a natureza tripla da energia lunar feminina era vivida pelos povos antigos como as três idades básicas da vida da mulher: a lua nova como jovem donzela e noiva, a lua cheia como mãe e esposa plenamente florescida e a lua negra como sábia avó e viúva.

A cada mês a Deusa Tríplice revelava-se primeiro como a Virgem Branca da Crescente Lua Nova que dá à luz a nova vida e a promessa de novos começos. Na sua juventude e inocência, ela governa a estação da primavera e os ares elevados dos céus. Cheia de curiosidade e excitação, a Deusa da Lua Nova é aventureira, despreocupada e encantadora, repleta de entusiasmo e energia ilimitada.

Ela é a caçadora e lutadora, tem domínio sobre os animais perigosos e heroicos, como leões, tigres, panteras, gatos, cervos e gamos. Representações artísticas da Virgem da Lua Nova algumas vezes a retratam como uma donzela jovem, seminua, com um cocar em forma de Lua crescente, um cinto ao redor dos quadris e adornada com joias. Ela também é retratada como Senhora das Feras Selvagens ou como a forte e destemida donzela guerreira. Ártemis, Diana e Palas Atena são alguns dos nomes da Deusa Virgem da Lua Nova.

À medida que a lua aumenta em tamanho e luminosidade, a Deusa cresce rumo à Mãe Vermelha da Lua Cheia, que nutre e sustenta a vida. Na sua fertilidade e produtividade, ela rege a estação do verão, com sua colheita abundante e a região intermediária entre a terra e o mar. A Deusa da Lua Cheia é madura, exuberante, vigorosa e poderosa, protegendo ferozmente tudo o que ela cria e ama.

Ela é um símbolo de amor e fertilidade. Seus animais simbólicos incluem todos os que são nutridores, como as vacas, as cabras e as ovelhas, bem como os animais de amor, os pombos e as abelhas. Na arte, a Mãe Lua Cheia é muitas vezes retratada com uma barriga protuberante, grávida, dando à luz ou amamentando uma criança nos seus opulentos seios. Deusas como Deméter, Ísis, Afrodite, Tara e Kwan Yin encarnam a natureza da Mãe Lua cheia.

Com a diminuição da luminosidade da lua, ela se transforma na Anciã Negra da lua negra minguante, que recebe os mortos e os prepara para o renascimento. *Essa é a derivação original da mítica Deusa Negra.* Em sua sabedoria, que veio da experiência, ela abrange a estação do inverno e o submundo. Alicerçada em sua força interior, a Deusa da Lua Negra é plena de compaixão e compreensão pela fragilidade da natureza humana e seu conselho é sábio e justo.

Ela governa as artes mágicas, o conhecimento secreto e os oráculos. Seus animais totens são aqueles que vivem debaixo da terra – cobras, serpentes, dragões – e animais da noite – corujas, corvos, gralhas, cães e cavalos brancos e pretos. A Anciã Lua Negra foi representada artisticamente com a face colérica da deusa que devora a vida, e algumas figuras também retratam sua vulva, simbolizando a sucessiva renovação. Rainhas da magia e do submundo, como Hécate, Kali e Eresh-kigall, são símbolos da minguante Deusa da Lua Negra.

Dentre os costumes mais sagrados da Deusa, em todas as suas três manifestações, estavam os ritos sexuais, nos quais suas sacerdotisas teriam intercurso ritual com os membros da comunidade que vinham aos templos para adorá-La. Essas sacerdotisas atuavam como canais para trazer as bênçãos divinas de amor e fertilidade da Deusa para a vida dos seres humanos. Guerreiros retornando ao lar depois da batalha deveriam ir primeiro a essas sacerdotisas a fim de serem purificados ritualisticamente das máculas por terem matado outros guerreiros. Os beneficiários dessa bênção participavam de um rito no qual eles poderiam ser purificados, curados e regenerados por meio da sexualidade da Deusa.

Desse modo, a Deusa era vista em suas cíclicas mudanças das fases da lua e na sempre renovada exibição de sua luz. Ela era amada e aceita em todos os seus três aspectos e sua tripla natureza era trançada com as crenças sobre a natureza da realidade. No reino da Deusa Tríplice, o conceito de tempo era cíclico em vez de linear, e o ciclo das estações, com suas fases crescente e minguante, de vida e morte e reavivamento, era o padrão básico de todo o pensamento.

A ANTIGA DEUSA NEGRA No culto à Deusa da Lua Tripla, os indivíduos compreenderam a relação das fases negras do ciclo da lua como o protótipo da morte no tempo de vida humano. E eles também compreenderam o papel do sexo durante a escuridão da lua como a conexão para a regeneração e o renascimento. Por meio da observação da sempre renovável visão da luz da lua, os antigos desenvolveram uma crença intrínseca no renascimento.

Eles viam que, da mesma forma como a lua desaparecia e depois reaparecia, também a semente brotava, a fruta murchava, elas desapareciam e depois reapareciam com a nova germinação. Não havia razão para pensar que com os seres humanos seria diferente do que ocorre com os ciclos lunar e vegetativo, com cujos ritmos o homem vivia em íntima harmonia. Assim como a luz da lua ressurgia depois do seu período de escuridão, assim também os indivíduos renasceriam para a luz. Essa era a lei do ciclo e nenhum poder conseguiria impedir sua mudança.

A Deusa Negra, que é a encarnação da fase escura do ciclo da lua, era assim honrada por seu papel de presidir os mistérios e as iniciações da passagem intermediária entre a morte e o renascimento. Seus epítetos incluíam: a Velha Sábia, a Anciã, a Avó, a Rainha das Sombras, a Guia para o Submundo, a Dama da Iniciação e a Guardiã do Portal para os Reinos do Espírito. Ela dava conforto, consolo e sábios ensinamentos para as pessoas que se aproximavam do fim da vida.

Quando as pessoas se aproximavam da morte, a Deusa Negra estava lá para elas com infinita compaixão. Ela entendia a causa de todos os seus erros e falhas e perdoava suas transgressões. Suas devotas eram respeitadas como as sacerdotisas fúnebres que instruíam as pessoas em relação às situações que elas encontrariam em breve, durante a jornada para a escuridão e no retorno à luz novamente.

As sacerdotisas da Deusa Negra cuidavam dos doentes terminais, sentadas junto aos moribundos no momento de seu último suspiro, preparando os corpos, presidindo os ritos fúnebres e aconselhando as famílias enlutadas. Antigas lendas contam sobre paixões sexuais despertadas pela Deusa Negra nas pessoas moribundas no momento da morte, levando-as para o corredor da morte por meio de contrações orgásticas semelhantes às contrações do parto.

Os antigos sabiam que assim como ela morria a cada mês com a velha lua negra, assim ela renasceria na lua nova crescente. Era a Deusa Anciã da Lua Negra que levava a vida de volta para o seu útero; mas os antigos também entendiam que uma Deusa Virgem da Lua Nova traria a vida à luz novamente. Era a anciã quem promovia a morte, assim como era a virgem quem promovia o nascimento. A reencarnação era representada pela nova fertilização da anciã-que-se-tornava-virgem. A interação contínua da destruição tornando-se criação é a sua eterna dança que mantém o cosmos.

A Deusa Negra eliminava e consumia tudo o que era velho, decrépito, desvitalizado e inútil. Ela transformava essa substância em seu caldeirão mágico e a oferecia na forma de elixir. Como retratado em seus ritos secretos de iniciação, todas as antigas religiões compartilhavam o conceito de um submundo onde a Deusa Negra levava a alma pelos espaços escuros da ausência de forma. Nesse lugar, ela exercia seus poderes secretos de regeneração.

A palavra inglesa *hell* [inferno] deriva da terra da deusa subterrânea escandinava, Hel, mas seu submundo não era um lugar de castigo. Era apenas o útero escuro, simbolizado pela caverna, caldeirão, cova ou poço.[6] A Deusa Negra não era temida e a sua morada não era um local de tortura. Ela esperava por seus iniciados em cemitérios, a entrada para seu templo. Por intermédio da morte, os indivíduos entravam na fase de lua negra do seu ciclo; lá encontravam a Deusa Negra, que os guiava através da passagem intermediária de volta ao nascimento.

Quando essa fase de transição e de encerramento do tempo de vida era compreendida e aceita, a Deusa Negra era honrada por sua sabedoria e amada por sua absoluta aceitação e sua compaixão pelos povos da Terra. Ela não era temida pelos povos adoradores da lua, que compreendiam a morte como uma interrupção recorrente na continuidade espiralada através do tempo.

O Ponto Decisivo no Culto à Deusa

O período por volta de 3000 A.E.C. é uma época crítica no ciclo de vida da Deusa Lua e dos povos que a cultuavam. Foi um tempo em que as culturas da deusa que haviam florescido por todo o mundo por mais de 30 mil anos começaram a declinar. Esse período também marcou a ascensão das tribos patriarcais, que reverenciavam os deuses solares, e os primórdios dos registros históricos da humanidade, a qual se dizia ter originado na civilização cujo berço ficava entre os vales dos rios Tigre e Eufrates, no Antigo Oriente Próximo, atual Iraque.

O início do desaparecimento da Deusa remonta ao final do período Neolítico e ao advento das Idades do Bronze e do Ferro. Entre 4000 e 2500 A.E.C., sucessivas levas de tribos protoindo-europeias do norte da Europa e da Ásia Central migraram para a Europa Ocidental, o Oriente Médio e a Índia. Esses povos de pele clara, nômades, aguerridos, cavalgavam e lutavam com armas de bronze. Eles cultuavam um Deus Pai que veio dos céus acima. Em sua natureza ardente, portadora de luz, esse deus solar brandia raios, que podiam ser vistos flamejando no topo das montanhas e brilhando no céu. Os primeiros inimigos desse Deus foram os povos da Deusa Mãe, e os seguidores dele invadiram, conquistaram e destruíram as culturas indígenas da Deusa.

Esses invasores nômades, com seus ígneos deuses solares, eram governados por sacerdotes e guerreiros. Eram conhecidos como os arianos, na Índia, os hititas e os mitani, no Crescente Fértil,* os luwianos,** na Anatólia,

---

* O Crescente Fértil é uma região que compreende os atuais Israel, Jordânia, Líbano e partes da Síria, do Iraque, do Egito, do sudeste da Turquia e do sudoeste do Irã. (N. do T.)
** Os luwianos eram um grupo de povos da Anatólia que viviam no centro, no oeste e no sul da Ásia Menor.

os kurgans, no Leste Europeu, os acarnânios e, mais tarde, os dórios, na Grécia, e os semitas e hebreus, na Palestina.[7] A evidência arqueológica indica que dessa época em diante existiram padrões de ruptura, incluindo invasões e catástrofes naturais que causaram destruição em larga escala das culturas neolíticas da Europa e do Oriente Médio.

Um meticuloso exame mito-histórico e escavações arqueológicas relatam a violência e a destruição que ocorreram durante esse período de transição nos *habitats* dos povos adoradores da Deusa em todo o mundo. Eles foram violentados e massacrados; seus lares e comunidades, pilhados e incendiados; seus valores e crenças, suprimidos. Foram escravizados, explorados e exilados. As mulheres nessas culturas foram destituídas de suas posições de autoridade política e de seu poder de decisão como líderes; além disso, foram privadas de sua autoridade espiritual como sacerdotisas. Proibidas de exercerem suas habilidades profissionais e de cura, foram progressivamente impedidas de expressar sua sexualidade, sua inteligência e sua autossuficiência.

As tribos patriarcais rapidamente ascenderam ao poder e construíram suas civilizações sobre as ruínas dos povos cuja vida era afinada com os ritmos da terra como Mãe e da lua como Deusa. Eles impuseram suas ideologias e seus modos de vida aos povos e terras conquistados. Riane Eisler escreve que essas tribos invasoras tinham como base um modelo dominador de organização social e que elas caracteristicamente adquiriram substancial riqueza não por desenvolverem tecnologias de produção, mas por utilizarem tecnologias de destruição cada vez mais efetivas.[8] Os valores da religião da Deusa e as contribuições artísticas e sociais das mulheres, que eram suas sacerdotisas e devotas, começaram a desaparecer da cultura e houve um retrocesso na cultura e na civilização.

Na literatura histórica e mítica, esses acontecimentos foram descritos nas estórias em que as deidades femininas da religião da Deusa foram substituídas por divindades masculinas dos indo-europeus. O sexo da deidade principal foi mudado da Grande Deusa, Mãe do Universo e de toda a criação, para o Grande Deus, Pai do Universo e da humanidade, como na transição de Tiamat para Marduk, Gaia para Urano e Inanna para Dumuzi.[9] O Deus, Rei, Sacerdote e Pai prontamente assumiu os papéis e as posições da Deusa,

Rainha, Sacerdotisa e Mãe. A Deusa foi renomeada e seus mitos foram reescritos. O que se desenvolveu depois de 2500 a.e.c. foi uma mescla desses dois sistemas míticos, europeu antigo e indo-europeu.[10]

As lendas mitológicas dessa transição entre culturas falam do surgimento do jovem Deus, primeiro como filho/amante/consorte da Deusa. Depois, conforme ele cresce em poder, finalmente se sobrepõe a ela para tornar-se o Deus/Rei e o seu criador, marido e pai. Os mitos, na realidade, relatam de que modo os homens conquistadores suplantaram as mulheres como líderes políticos e religiosos; e de que maneira eles usaram as rainhas e sacerdotisas como peões para estabelecer os direitos divinos dos reis bem como a herança e a sucessão patriarcal.

Embora originalmente a Deusa reinasse suprema e solitária, as culturas patriarcais posteriores a relegaram a uma posição de importância secundária como a mãe do Deus/Rei, por exemplo, Ísis como mãe de Hórus ou Maria como mãe de Jesus. Eles também a coagiram a aceitar a inversão desse processo. Agora, o Deus se tornaria seu criador, como na criação de Eva da costela de Adão. As deusas também foram forçadas a aceitar deuses como maridos, sem os quais elas seriam fracas – como no casamento de Hera com Zeus e de Ísis com Osíris. Esses casamentos forçados entre as sacerdotisas da Deusa e os líderes das tribos patriarcais serviram para destruir as linhagens de sucessão matrilinear e transferir as linhagens sanguíneas reais por meio da descendência patriarcal. Sacerdotisas que se recusavam a se casar eram isoladas em um celibato forçado, como as Virgens Vestais Romanas.

O *status* dependente da Deusa foi depois intensificado quando ela foi feita filha em vez de esposa do onipotente Deus Pai e herdou suas características.[11] Esse padrão foi simbolizado no nascimento de Atena da cabeça de Zeus; e ela manteve sua posição elevada como favorita de seu pai ao negar que jamais teve uma mãe e destruindo suas antecedentes matriarcais, como Medusa e Palas.

As vitórias finais dessa transição são encontradas nos mitos indo-europeus de rebelião, repletos de relatos de heróis solares patriarcais assassinando dragões e serpentes. A serpente e o dragão são representações animais primitivas da Deusa ou de seu filho/amante e são um símbolo da antiga religião da Deusa. As serpentes filhas de Gaia, Tífon e Píton foram mortas por Zeus, portador do trovão, e pelo Deus Sol, Apolo. Marduk matou sua mãe-dragão Tiamat, Perseu decapitou a Górgona Medusa, de cabelos de serpentes, e Jeová destruiu a serpente-monstro Leviatã.

Esse movimento culminou no judaísmo, no cristianismo e no islamismo, com a intenção de banir a Deusa definitivamente. No Deuteronômio 12:2-3, Jeová publica uma ordem para o seu povo: "Destruireis por completo todos os lugares onde as nações que ides desapossar serviram aos seus deuses, sobre as altas montanhas, sobre os outeiros e debaixo de toda árvore frondosa; deitareis abaixo os seus altares, e despedaçareis as suas colunas, e os seus postes-ídolos queimareis, e despedaçareis as imagens esculpidas dos seus deuses, e apagareis o seu nome daquele lugar".

Na psicologia da humanidade, ocorreu uma polarização entre os deuses masculinos que vieram de cima, portadores da luz, e as divindades femininas, que habitavam na escuridão das cavernas e da terra. A luz foi equiparada ao bem, e a escuridão, ao mal. As guerras contra a Deusa foram conceituadas como batalhas entre forças de luz e escuridão. Na Índia, os arianos do norte, de pele muito clara, dominaram os matriarcais dravidianos do sul, de pele escura. Os arianos instituíram o sistema de castas para manter os povos de pele escura, adoradores da Deusa, nas castas inferiores e subordinados a eles.

Assim como a Deusa foi distorcida de uma imagem de mãe misericordiosa, a fonte e o sustento de toda vida, em um símbolo associado com as forças das trevas e do mal, as mulheres, suas manifestações terrenas, foram também consideradas impuras, malignas e culpadas pelo pecado original – pessoas que devem ser punidas. Elas se tornaram propriedade de seus pais e maridos. Mulheres que tinham relações sexuais fora do contrato de casamento monogâmico patriarcal ameaçavam a transmissão da linhagem sanguínea patriarcal; eram banidas e mortas como prostitutas e meretrizes; seus filhos ilegítimos eram privados de todos os direitos legais e de aceitação social.

Na Grécia clássica, aclamada como o berço da democracia, as mulheres eram privadas de sua cidadania, do direito de votar e de transmitir seu nome para os filhos. O amor ideal era idealizado como o amor entre dois homens, especialmente entre um mais velho e um mais jovem. As mulheres eram consideradas indignas de relações intelectuais e emocionais significativas; a única função delas era a de gerar filhos legítimos que poderiam herdar direitos de propriedade.

Os antigos cristãos romanos metodicamente suprimiram toda informação que não se originasse da Igreja. Fecharam academias gregas antigas e queimaram os livros de grandes poetas clássicos, filósofos e acadêmicos. A eterna chama das Virgens Vestais em Roma foi extinta, o grande templo iniciatório de Elêusis, na Grécia, foi destruído e seus ritos, proibidos. No século V, a grande biblioteca de Alexandria foi destruída, acabando com o último repositório da sabedoria e do conhecimento dos antigos.

O Concílio de Constantinopla, também no século V, baniu o conceito de reencarnação e renovação cíclica. O que foi rotulado como paganismo e bruxaria na era medieval eram apenas costumes populares das pessoas do campo. Eles ainda estavam relacionados com as forças do mundo natural e celebravam ritualmente as transições dos mistérios da agricultura. A Inquisição e a caça às bruxas na Idade Média eliminaram de forma sistemática todos aqueles que continuavam a lembrar, praticar e passar adiante o conhecimento da antiga religião. Parteiras, curandeiros e adivinhos, os antigos devotos da Deusa, foram rotulados de bruxos. Foram perseguidos, mortos e suas propriedades e bens, confiscados pela Igreja.

O matriarcado e o culto à Deusa foram sufocados dentro da escuridão da pré-história e do reino da lenda fantasiosa. Os remanescentes dos ensinamentos matriarcais que sobreviveram podem ser encontrados nas religiões de mistério dos cultos a Deméter, na Grécia; a Ísis, no Egito; a Kali, na Índia; a Cibele, na Ásia Menor; e às bruxas e fadas, na Velha Europa.

Com o espírito criativo agora concebido como masculino, as novas religiões patriarcais moveram-se cada vez mais rumo ao monoteísmo e substituíram os antigos panteões de muitos deuses, deusas e elementares. O Deus Pai, único e absoluto, derivado do espírito masculino, reinava sozinho e supremo no céu e na terra; e denunciava todas as antigas deidades como "ídolos pagãos". A destruição final da antiga Deusa Tríplice ocorreu quando sua natureza tríplice se transformou naquela do Pai, do Filho e do Espírito Santo.

Nas novas cosmologias monoteístas, a cultura patriarcal tacitamente reconheceu os dois primeiros aspectos da trindade da antiga Deusa – a virgem e mãe, vista agora como uma imagem do feminino ideal, que deu à luz o Santo Filho sem a impureza do intercurso sexual. A sexualidade da mulher era aceita apenas com o propósito de gerar a descendência e continuar a raça; e a lembrança de como as energias sexuais da Deusa, que eram também usadas para ritual, cura e regeneração, foi abolida.

As doutrinas religiosas rejeitaram totalmente o terceiro e obscuro aspecto da Deusa, a velha sábia que traz a morte. A humanidade perdeu de vista os papéis do sexo e da morte como partes intrínsecas da renovação, que reside na fase negra do processo cíclico, e a crença na renovação cíclica equivalia à heresia. A Deusa Negra e suas sacerdotisas, versadas nas artes dos ritos fúnebres e da sexualidade sagrada regeneradora, foram temidas e rejeitadas.

O Desenvolvimento do Cérebro Esquerdo e o Medo da Morte

A queda das deusas e a ascensão dos deuses também podem ser compreendidas em termos das mudanças que estavam ocorrendo no cérebro humano durante o período de transição. A mente, de acordo com teorias psicológicas e científicas contemporâneas, apresenta funções no cérebro direito e no cérebro esquerdo. O cérebro direito é comparado à polaridade de energia feminina ou *yin*, enquanto o cérebro esquerdo está ligado à polaridade masculina ou *yang*.

O professor Julian Jaynes, da Universidade de Princeton, em seu controverso estudo sobre a consciência humana, sugere que os povos antigos não "pensavam" como nós pensamos hoje. Eles eram "bicamerais", guiados por "vozes" emanadas do lado direito do cérebro e apreendidas pelo lado esquerdo – vozes que eles tratavam como divinas e às quais obedeciam inquestionavelmente até que uma série de desastres naturais e a crescente complexidade da sociedade deles os forçasse a se tornar conscientes.[12] Ele sugere que as pessoas não eram seres conscientes, o que ele associa com as funções do cérebro esquerdo, até por volta 1500 A.E.C. Aqui deve ser observado que Jaynes revela um viés misógino na sua definição de consciência como relacionada apenas a funções do cérebro esquerdo e as implicações correspondentes, de que os processos do cérebro direito não são conscientes e, portanto, são inferiores. Como veremos, esse certamente não é o caso.

A cosmologia que se desenvolveu durante o reinado da Deusa surgiu dos tipos de processos de pensamento que se originam primariamente fora do cérebro direito. O cérebro direito é feminino em polaridade, circular em movimento, intuitivo em natureza e auditivo na atenção. O cérebro direito é comparativo e unificador; ele foca em uma visão holística de como as coisas são similares e interconectadas. Quando o cérebro direito é predominante, então humanos, animais, plantas e o mundo físico sobre o qual eles todos vivem, os céus, a terra e os mares, o submundo e o mundo espiritual das deidades são todos vistos como aspectos interdependentes de um único ser vivente. O universo é vivo, operando com inteligência, padrão e propósito.

O cérebro direito também vê o tempo como cíclico. A humanidade cultuava uma deidade lunar feminina que circundava a si mesma e sempre se renovava. Ela iluminava o mistério onde o fim e o começo são o mesmo ponto, tocando-se costas com costas. As pessoas entendiam a morte e o sexo como precursores do renascimento. E eles não temiam a escuridão da morte, o êxtase da sexualidade ou as deusas e suas sacerdotisas, que facilitavam a transição deles entre as vidas.

Embora Jaynes não discuta a troca das deusas pelos deuses, ele documenta as catástrofes e os cataclismos que começaram a ocorrer em meados de 2000 A.E.C. Além de erupções vulcânicas, maremotos, enormes inundações, ele vê a guerra generalizada e deslocamentos que nós identificamos antes como as invasões patriarcais. Jaynes sugere que a mente racional, lógica e analítica, todas funções do cérebro esquerdo, foi desenvolvida para ajudar a humanidade por meio da crescente complexidade do seu mundo em transformação. Ele apresenta evidências de que as funções do cérebro esquerdo se tornaram mais ativas nessa época e cresceram para influenciar as formas pelas quais os indivíduos percebiam a realidade.

O cérebro esquerdo é masculino em polaridade, linear em movimento, lógico em natureza e visual em percepção. Ele tem sido mais predominante no intelectualismo analítico, tecnológico e científico dos tempos modernos. Enquanto o cérebro direito foca em como as coisas se parecem, o esquerdo enfatiza quanto elas são diferentes. Ele desenvolve nossa capacidade para análise e discriminação e, no processo, percebe a distinção entre sujeito e objeto.

Esse tipo de visão dualista enxerga uma separação entre si mesmo e os outros, entre nós e eles, e essa percepção leva inevitavelmente a uma guerra de opostos que gera um opressor e uma vítima. Nosso desejo por autopreservação cria um medo de sermos dominadas por qualquer coisa que percebamos como externa ou alheia a nós. O apego ao ego, quando levado ao extremo, resulta em sentimentos de isolamento e desconexão. Esse tipo de pensamento leva a uma conclusão em que os indivíduos se sentem alienados em um universo solitário que é aleatório, caótico e sem inteligência subjacente. O sofrimento que se segue causa uma latente e menos consciente ânsia por reconciliação; consequentemente, a tensão dinâmica entre pares de opostos.

Depois de 1500 a.e.c., quando os seres humanos passaram a operar principalmente com o cérebro esquerdo, associado ao princípio masculino, começaram a ver a distinção entre eles mesmos e o resto de toda a criação. Porque agora eles temiam a ameaça de ser subjugados por forças externas ou algo alheio a eles, surgiu um desejo de conquistar o princípio feminino, encarnado na Deusa, nas mulheres e na natureza, mais do que viver em harmonia com ela.

Além do medo do outro, o medo da morte foi um produto da percepção do cérebro esquerdo que nega o tempo cíclico e, pelo contrário, vê o tempo como linear. No tempo linear, o fim não é mais conectado ao começo. O fim é o fim e a morte é a conclusão da vida. Vida e morte não são vistas como as duas fases alternantes da existência cíclica, mas, em vez disso, como opostos em guerra. Em uma cosmologia em que a morte é linear e final, não cíclica e renovadora, a morte é o terror supremo. O apogeu da religião cristã monoteísta era a ressurreição, o triunfo final da vida eterna sobre a morte.

O dogma que prevalece agora ensina aos indivíduos que eles têm apenas uma vida para viver e que essa vida deve ser vivida de acordo com as novas leis morais reveladas pelos deuses solares. Desobedecer a tais leis era cortejar um caminho de pecado e punição. Exercer a sexualidade por qualquer outra razão que não fosse a procriação em um casamento monogâmico legítimo era contrário a viver uma vida espiritual. Essa negação dos poderes extáticos e curadores da sexualidade dava início à última tentação dos homens santos – sempre desconfiados de que a natureza sedutora e licenciosa das mulheres os forçasse a fraquejar e pecar. A menos que eles se convertessem à fé do deus colérico patriarcal e rezassem para ele por perdão e salvação, eles estavam predestinados a sofrer eternamente nas fogueiras da danação. Não haveria indulto, nem perdão, nem chance de explicar nem de aprender com seus erros e fazer reparações.

Embora a religião da Deusa sempre incluísse um conceito de submundo, não era um lugar de punição. Era apenas o intervalo entre as existências, o útero escuro da Deusa, para onde se iria a fim de ser purificado, curado e preparado para o renascimento. Foram as religiões monoteístas patriarcais operando fora da mentalidade do cérebro esquerdo que conceberam um paraíso e um inferno, com as respectivas associações do bem e do mal, de recompensa e punição. E o inferno desse Deus Pai vingativo era carregado de tortura sádica infinita e sofrimento generalizado.

A humanidade, então, começou a temer a escuridão da morte. Aqueles que, durante a vida, não foram salvos por uma conversão religiosa ao Pai enfrentavam uma morte de tortura eterna e finitude absoluta. O terror deles estendia-se à Sombria Deusa da Lua Negra, que era agora apenas a portadora da morte e não mais a renovadora. Quando a Deusa foi separada de seu papel na renovação cíclica, seu terceiro aspecto escuro tornou-se a imagem assustadora do mal feminino que seduzia, devorava e trazia o fim para a vida dos seres humanos. O aspecto escuro da Deusa passou a ser odiado, perseguido, suprimido e banido para a noite da história e para as profundezas do inconsciente. No exílio, as imagens da Deusa Negra foram reprimidas e depois distorcidas; e ela cresceu para dominar a imaginação mítica da humanidade na sua capacidade de destruir os homens.

À medida que as energias do cérebro esquerdo se tornaram cada vez mais ativadas na mente humana, aumentou a influência do princípio masculino nas crenças conceituais da humanidade. Os deuses masculinos e os homens elevaram-se a posições de poder nos negócios mundiais e espirituais. Com a diminuição da percepção do cérebro direito sobre a natureza cíclica do tempo, a morte foi esquecida como parte do renascimento cíclico. E o medo da morte associado ao medo do sexo conduziram à invenção da Deusa Negra como uma maléfica fêmea destruidora, com a consequente demonização do aspecto negro do feminino como o mal.

A Deusa Negra como a Sombra Feminina no Mundo Moderno

Hoje, a Deusa Negra, como a terceira fase da antiga Deusa Tríplice, representa muitos dos aspectos rejeitados da trindade da inteireza feminina. Os ensinamentos da Deusa Negra da Lua Escura são sobre divinação, magia, cura, sexualidade sagrada, dimensões não físicas do ser e sobre os mistérios do nascimento, da morte e da regeneração. De modo similar, esses ensinamentos da lua negra, agora chamados de pseudociência, têm sido rejeitados como áreas legítimas de pesquisa pelas religiões modernas e instituições educacionais.

Para a maioria das pessoas, qualquer coisa que as leve para além da segurança de seus limites conscientes normalmente evoca a compulsão para contê-los e negar sua existência. O feminino sombrio e seus ensinamentos de lua escura foram banidos do dogma aceito pela sociedade patriarcal. Essa rejeição se assemelha ao desenvolvimento psicológico da sombra em indivíduos e na sociedade. A negação de um aspecto do todo é o ingrediente-chave na formação da sombra.

A sombra, de acordo com a psicologia junguiana, é a parte escura e rejeitada da psique. Ela consiste em todas as qualidades que nós, por sermos influenciadas pelos valores da nossa cultura, não sentimos como desejáveis ou aceitáveis para serem expressas como parte de nossa personalidade. A sombra contém aquilo de que não gostamos em nós, o que achamos ameaçador, vergonhoso e inadequado, assim como certas qualidades positivas e valorizadas que somos pressionadas a reprimir e a repudiar. Individualmente e como uma cultura, nós rejeitamos essas partes negadas e desvalorizadas de nós mesmas, as exilamos no inconsciente e não permitimos que aflorem como parte de nossa identidade consciente. A sombra é também a mensageira do inconsciente que, por meio de sonhos e imagens, revelam os mecanismos do nosso ser interior que opera sob o patamar da mente consciente.

Os deuses e as deusas da religião e da mitologia correspondem às personalidades arquetípicas que habitam nossa mente e se expressam como as inúmeras forças em nossa personalidade. Como a cultura coletiva baniu e difamou a mítica Deusa Negra e seus ensinamentos, assim também nós, como indivíduos, fomos condicionados a negar e detestar as partes de nossa personalidade que correspondem às qualidades da Deusa Negra. A Deusa Negra veio para conter os aspectos rejeitados da inteireza feminina e, como tal, ela agora simboliza a sombra feminina. Enquanto a sombra feminina consiste primariamente nas qualidades mágicas e regenerativas da Deusa Negra Anciã da terceira fase escura da lua, ela também guarda algumas qualidades dos aspectos de virgem e de mãe da Deusa Tríplice, como independência, assertividade, sexualidade, poder e conquistas materiais. Na medida em que as culturas patriarcais temem esses aspectos da totalidade feminina, as mulheres são pressionadas a desvalorizar e renegar essas partes delas mesmas.

Sempre que aspectos da nossa totalidade não são expressos e aceitos, pelo contrário, são negados e rejeitados, eles se tornam distorcidos. Quando a sombra é confinada nos reinos escuros do nosso inconsciente, ela se torna limitada, distorcida e deformada. Conforme ela se deteriora, subprodutos tóxicos são liberados em nosso corpo e nossa mente. Esses venenos contorcem nossos traços físicos e obscurecem as lentes mentais através das quais nós percebemos o mundo. Nossa visão de nós mesmas, dos outros e do mundo é colorida por esses venenos em nossos modos de pensar, que são gerados pelos aspectos rejeitados de nós mesmas.

A natureza inerente da Deusa Negra original, que trazia tanto a morte quanto o renascimento, foi reprimida e negada por milhares de anos. Seus resíduos tóxicos, apodrecendo no exílio, distorceram e envenenaram nossas percepções de um aspecto intrínseco da natureza feminina. A Deusa Negra foi conceitualizada como maléfica e seus ensinamentos quanto à escuridão, ao sexo e à morte foram distorcidos. Nossa literatura mítica é repleta de imagens da Deusa Negra como o mal feminino. Ela era temida como as Parcas que, no momento do nosso nascimento, determinavam a hora da nossa morte e cujo decreto era irrevogável; como Nêmesis, a Deusa do Julgamento e da rápida retribuição; como as Fúrias, que levavam um homem à loucura e à morte. Ela também aterrorizava os homens como Medeia, que matou seus filhos; Circe, que transformou homens em porcos; Medusa, que os transformava em pedra; Lâmia, que sugava o sangue deles; Lilith, que os seduzia para gerar demônios do seu esperma; e Hécate, Rainha das Bruxas, que os sequestrava para o submundo.

Por meio do condicionamento cultural, todos nós herdamos essas imagens negativas e falsas do aspecto negro do feminino. O tipo de mulher que é uma ameaça à cultura patriarcal é temida, ridicularizada e rejeitada por ser dissimulada, manipulativa, ciumenta, gananciosa, controladora, exigente, imoral e vingativa. Do ponto de vista arquetípico, ela foi imaginada como a Rainha Megera, a Filha Proscrita, a Mulher Perdida, a Mãe Terrível, a Bruxa Malvada, a Rainha Má, a Madrasta Má, a Sogra Dominadora, a Mendiga e a Bruxa Feia.

Esses aspectos distorcidos do feminino sombrio vivem dentro de cada um de nós, homens e mulheres, como padrões de pensamento negativos em nossa mente. Eles tomam a forma de nossos demônios pessoais, que os psicólogos chamam de nossas neuroses, nossos complexos, obsessões e compulsões. Nossos demônios internos, tanto masculinos quanto femininos, crescem em um ambiente de egoísmo, culpa, vergonha, censura e julgamento. Eles enchem nossos ouvidos com promessas sussurradas de fracasso, abandono, falta de merecimento e rejeição. E eles nos guardam zelosamente de expor nossos segredos vergonhosos, que nos rodeiam como vícios, disfunções, imperfeições, violência, incesto, abuso e estupro.

A sombra parece prosperar e adquirir força enquanto está no exílio. Ela age de modos subversivos para dominar nossa personalidade. Em nossas horas mais vulneráveis de exaustão ou estresse extremo, a sombra pode repentinamente irromper do nosso inconsciente com inventividade e fúria. Quando nossos demônios internos são ativados, eles explodem como raiva, ódio, ciúme e ganância e nos fazem agir de forma violenta, autodestrutiva e obsessiva, minando nossos esforços positivos e causando estragos em nossa vida.

Às vezes somos levadas aos limites de nossa resistência e nossa mente inconsciente não pode mais conter a raiva latente e o ressentimento sobre tudo o que nós negamos, desvalorizamos e repudiamos. Nessas horas a sombra, agora deturpada e distorcida devido à repressão, domina nossa personalidade e o eu consciente perde o controle. Embora possamos ficar chocadas e horrorizadas com o que emerge de nosso interior, também nos sentimos impotentes para deter nosso comportamento. Nós podemos reconhecer a sombra feminina quando ela se volta contra indivíduos e uma cultura que oprimem certos aspectos da totalidade feminina.

A sombra feminina aparece no comportamento obsessivo e viciante da mulher que ama demais, na amante desprezada, na esposa traída ou na ex-esposa louca. Hera, que foi forçada a uma promessa de monogamia e traída pelas infidelidades do marido, buscou vingar-se de Zeus, suas amantes e seus filhos. Da mesma forma, nossa própria sombra extravasa sua raiva e vingança contra nossos parceiros e suas amantes. Ou como Medeia, que matou seus filhos para punir Jasão por trocá-la por outra, nossa sombra pode despejar seu desespero e sua raiva sobre nossos filhos. O comportamento histérico da mulher pré-menstrual, a eternamente queixosa e nunca satisfeita mulher na menopausa ou a mulher sexualmente manipulativa ou incontrolada são todas manifestações de uma natureza feminina rejeitada que está incontrolavelmente em erupção com a angústia do seu sofrimento.

Quando a sombra é acionada, surgem muitas situações difíceis e dolorosas que nos forçam a confrontar essas partes ocultas e detestáveis de nós mesmas. Relutamos em reconhecer os aspectos de nós mesmas que são a causa de nossa vergonha, nossa humilhação ou nosso fracasso e que esperamos que ninguém jamais descubra. Podemos racionalizar nossa reação dizendo: "Eu não sei o que se apoderou de mim. Eu não era a mesma de sempre", e descartar nossa explosão como algum tipo de aberração isolada que provavelmente nunca mais acontecerá. No entanto, esse tipo de reação nos faz perder a oportunidade de ver e conhecer a natureza dos nossos mecanismos inconscientes. O que é importante compreender, tanto sobre nossa sombra feminina quanto em relação às imagens míticas da Deusa Negra, é que elas não são intrinsecamente más; mas, devido ao condicionamento e à pressão social, nós criamos seus efeitos destrutivos por meio da nossa negação e repressão dos aspectos femininos da totalidade.

Embora possamos negar os aspectos sombra de nosso ser, é impossível renegar por completo esse material; o que é empurrado para baixo em um lugar vai inevitavelmente emergir em outro. A sombra vive não apenas dentro de nós, na forma de nossos demônios pessoais, como também tem uma vida aparentemente independente fora de nós. Quando a sombra não é trazida à luz, nós vamos projetá-la nos outros. As imagens nos olhos de nossa mente são a semente para a realidade externa que criamos para nós mesmas. Quando projetamos nossa sombra, nós externalizamos essas imagens internas distorcidas e então as lançamos sobre os outros, enfraquecendo, desse modo, nossa capacidade de formar relacionamentos seguros e honestos.

Nós percebemos o mundo externo através do filtro interno das nossas emoções e dos nossos pensamentos negativos. Quando nossa mente está cheia de medo e ódio, nós vemos os outros como a personificação do que é mais assustador e detestável para nós. Quando os poderes mágicos, sexuais e regenerativos da Deusa Negra são rejeitados, deturpados e distorcidos, eles são projetados como as forças demoníacas do mal. A escuridão tornou-se personificada como a Deusa Negra, que era possuída por um ódio furioso e destrutivo tentando reivindicar seu direito.

Esses aspectos rejeitados de nós mesmas assumem a forma de mal e tentação em nosso mundo externo. Eles se tornam todos os nossos inimigos – abusadores, estupradores, terroristas, impostores e destruidores. Por meio dos nossos estados emocionais, atraímos esses tipos de pessoas e situações para nós. Além disso, também evocamos e catalisamos essas qualidades negativas nos outros, que são, na verdade, os reflexos do nosso próprio eu inconsciente negado. Nossa sombra, então, se torna tudo o que ameaça a nossa segurança e nossa proteção.

Edmond Whitmont resume esse fenômeno de projeção da sombra da seguinte maneira:

> Esse tipo de situação é tão clássico que se pode quase jogar um jogo de salão com ele – se a pessoa quiser a ruína social. Peça a alguém para dar a descrição do tipo de personalidade com que ela acha mais impossível de conviver e ela vai descrever suas próprias características reprimidas – uma autodescrição que é totalmente inconsciente e que por isso a tortura sempre e em toda parte quando ela recebe seus efeitos de outra pessoa.[13]

Isso se torna, em especial, perigoso quando a sociedade, coletivamente, projeta uma sombra em um grupo ou fantasia que ele é o inimigo. Preconceitos sociais contra negros, judeus, homossexuais, bruxas, estrangeiros, comunistas ou o Diabo, todos levam à intolerância em massa e até a perseguições, inquisições e outras manifestações de ódio envolvendo o sacrifício de um bode expiatório. A Deusa Negra e seus ensinamentos vieram a assumir a forma da sombra feminina coletiva do patriarcado, que a imagina como o inimigo a ser destruído. Foi esse padrão de repressão e projeção que levou à demonização da Deusa Negra e de seus ensinamentos na Idade Média, quando 9 milhões de mulheres* foram queimadas como bruxas.

Os rígidos códigos morais sexuais das sociedades patriarcais como a dos puritanos, quando reprimidos, distorcidos e projetados, são refletidos de volta para eles como o poder maligno de bruxas sedutoras que fornicavam com o Diabo e eram uma ameaça à segurança da comunidade. Originada do medo patriarcal da sexualidade, a sombra escura feminina era percebida como a "tentadora que enfeitiçava". A mulher que expressava sua paixão era denunciada e segregada como uma sedutora, puta, ninfomaníaca, mandona e castradora. Originada do medo da morte, a piedosa e sábia anciã foi

---

* O número de mulheres acusadas de praticar bruxaria e condenadas à morte nesse período é bem menor. Os historiadores estimam que, ao longo dos quatro séculos de existência da Inquisição, houve cerca de 200 mil julgamentos, com 10 mil pessoas condenadas à morte. (N. do T.)

deturpada como a feia, a abominável bruxa e um monstro.* A mulher mais velha, no auge da sua sabedoria, era considerada inútil e grotesca, e era expulsa das culturas patriarcais da mesma maneira.

Na sociedade de hoje, a expressão feminina da sua independência, sexualidade e sabedoria está se tornando mais aceitável. Maxine Harris, em *Sisters of the Shadow* [Irmãs da sombra], pergunta: qual é então o conteúdo atual da sombra feminina? Ela prossegue ressaltando que muitas mulheres modernas renegam seus aspectos de vulnerabilidade, alienação, agressividade e rebeldia. Como a vítima arquetípica, exilada, predadora e rebelde, são as mulheres sem lar que se tornaram agora as portadoras dos aspectos negados e não vividos da consciência feminina.[14]

É importante compreender que o conteúdo da sombra é quase sempre inconsciente, e que o raciocínio intelectual ou as boas intenções não vão resolver o problema das partes desagradáveis de nossa personalidade e da sociedade. É necessário que nos tornemos conscientes de nossos aspectos negros para nos aceitarmos e aos outros, e esse esforço requer comprometimento com o trabalho interno.

Quando permitimos que alguma inferioridade se expresse em nossa personalidade, a sombra será mais equilibrada com o eu consciente. Entretanto, quando somos extremamente corretas e rígidas, a sombra se tornará exagerada e destrutiva. Da mesma forma, quanto mais limitante e restritiva for a sociedade na qual vivemos, maior será a sombra coletiva. As forças malignas do inconsciente escuro tomarão proporções enormes e assustadoras, das quais devemos nos defender banindo e proibindo sua existência.

Quais ensinamentos da Deusa Negra têm sido temidos pela cultura patriarcal e de que maneira eles foram sucessivamente demonizados como a sombra? Ao examinarmos essas questões, devemos ter em mente que são essas mesmas qualidades que nos permitem transitar pelo nosso inconsciente e através dos corredores escuros da nossa transformação e da nossa renovação.

---

* No original: *death-snatcher* ("ladra da morte", em tradução literal). (N. do ,T.)

Nosso Medo dos Ensinamentos da Deusa da Lua Negra A humanidade, sob o domínio patriarcal, esqueceu os ensinamentos misteriosos da Deusa a respeito do sexo e da morte como partes intrínsecas do processo cíclico que leva à renovação. Esses ensinamentos foram reprimidos nas esferas sombrias do inconfessável e, posteriormente, demonizados como as forças sombrias do mal. Hoje, as imagens do escuro, do sexo, da morte, da magia e da adivinhação abrangem o que é mais temido e mais incompreendido pelos povos modernos.

Patricia Weis, em um artigo sobre a Deusa Negra, afirma:

> A escuridão, como nós a vemos por meio de nossa mente racional consciente, passou a representar todas as forças que ameaçam nossa segurança, proteção e sanidade no nosso mundo. A maioria das pessoas tenta se proteger do medo por meio da negação da escuridão. Nós negamos nossa sexualidade e a enterramos sob camadas de moralidade. Negamos a morte isolando os idosos e criando um culto à juventude e à beleza física. Negamos o medo em si criando uma proteção imaginária ao nosso redor de um seguro de vida contra mísseis nucleares.[15]

Como aprendemos a viver com medo do escuro, a cultura patriarcal fabricou imagens de uma Deusa Negra que era associada com a sexualidade pecaminosa e o terror da morte. Durante o reinado da Deusa, em geral a morte acontecia de causas naturais ou por acidente. Ela não era temida, devido à intrínseca compreensão do renascimento. Sob o reinado dos novos deuses, com a sua mentalidade masculina do cérebro esquerdo, a morte se tornou mais temida do que qualquer outra coisa, pois, da perspectiva linear, ela não era mais vista como um estágio preparatório para a renovação.

Os cristãos baniram a crença na reencarnação e sustentaram que temos apenas uma vida a viver. Eles venciam a morte com a promessa da vida eterna (não cíclica) no reino dos céus. Entretanto, ela era somente para aqueles que tinham sido salvos pela aceitação do Pai, do Filho e do Espírito Santo como seus salvadores; todos os outros eram condenados ao sofrimento eterno. As sociedades patriarcais nas religiões orientais que mantiveram a crença na reencarnação também difamaram os valores positivos da renovação cíclica, propondo que a existência cíclica é sinônimo de "sofrimento em *samsara*", que é o mundo físico dos fenômenos. Eles ensinavam que a meta da iluminação era escapar da roda do renascimento e transcender para os reinos da Terra Pura, que não era diferente do paraíso dos seus pares ocidentais. E também a morte se tornou mais temida do que tudo porque foi cortada da sua relação essencial e positiva com o ciclo de renovação.

As Eras do Bronze e do Ferro floresceram no início do domínio do patriarcado. Nessa época, a morte tomou proporções nefastas e assustadoras. Os adoradores dos deuses solares desenvolveram tecnologias de armas letais e destrutivas com as quais matar – não animais para comer, mas outros povos em troca de poder hegemônico. A coragem do guerreiro para engajar-se em batalhas sangrentas nas quais ele poderia cortejar e desafiar a morte era glorificada como heroica. E para aqueles vitimizados e derrotados na batalha, em uma cosmologia linear na qual a morte não era mais conectada com a renovação, a morte se tornou a maior ameaça pela qual o dominador podia obter rendição e submissão.

Ao reavaliarmos a escuridão, teremos que reavaliar nossas crenças sobre a morte. A Deusa Negra nos ensina a entender a morte não como final e absoluta, mas sim como parte de um ciclo natural de vida em constante renovação. Esse conhecimento pode nos ajudar a dissolver o domínio do terror desencadeado pelas estruturas de poder religioso e político que intimidam e controlam os povos do mundo por intermédio do seu medo da morte.

Na tentativa de negar a Deusa Negra que trazia a morte e que guardava os segredos sexuais, a cultura patriarcal escondeu de nós o conhecimento das dádivas curativas e rejuvenescedoras da sexualidade dela. Esse erro grave não só envenenou a relação entre homens e mulheres, mas a rejeição do poder sexual regenerativo feminino também resultou na estagnação e no apodrecimento do nosso corpo e da terra.

Hoje, a sexualidade da Deusa Negra é tabu em nossa cultura. Fizeram com que as mulheres se sentissem envergonhadas dos seus desejos sexuais básicos e instintivos e sentissem que seu sangue menstrual é sujo e repugnante. E a cobra, como um símbolo do poder sexual feminino, é odiada por ter causado nossa expulsão do Éden de Jeová. Os homens chamaram o orgasmo de *le petit mort* – a pequena morte, a diminuição da vitalidade deles. Eles deturparam e distorceram imagens das mulheres e da Deusa Negra em terríveis imagens de sexo e morte. As qualidades regenerativas da cobra foram identificadas com a sexualidade feminina devoradora que tenta, seduz e depois desgraça um homem.

O antigo poder da capacidade da Deusa Negra de curar, regenerar e renovar foi centrado na sua sexualidade extática. Na transição para o regime patriarcal, em que os homens cultuavam os novos deuses solares, foi necessário afastar as pessoas dos ritos sexuais sagrados da Deusa. Para fazer isso, as culturas dominadas pelo masculino destruíram e se desassociaram-se do poder da sexualidade das mulheres. A sexualidade feminina foi promovida como uma tentação do mal, a única exceção seria para os propósitos procriadores dentro dos estritamente definidos limites monogâmicos. A liberdade sexual foi negada às mulheres e elas foram proibidas de expressar sua sexualidade instintiva.

Como reprimimos a sexualidade da Deusa em nós mesmas e na sociedade, nos afastamos de seus poderes de renovação que permitem que nossas feridas sejam curadas para que possamos nos transformar e nascer de novo. Quando as feridas não podem ser curadas, elas inflamam, se autointoxicam e enfraquecem todo o sistema. Esses subprodutos venenosos distorcem nossa compreensão do relacionamento entre o sexo e a morte. O aumento das doenças sexualmente transmissíveis, algumas delas fatais, é símbolo máximo de uma sociedade que teme e nega tanto o sexo quanto a morte. É um grito da Deusa Negra para reexaminarmos e reavaliarmos nossas atitudes e ações que dizem respeito a duas das mais poderosas forças em nossa vida.

Com o aumento das doenças autoimunes, ambientais e degenerativas que levam à morte prematura, o inevitável fim de nossa vida entra agora para a corrente dominante da nossa consciência. A sociedade não pode mais negar sua realidade e sua presença. Quando reconquistamos nossa aceitação da morte, as energias sexuais da Deusa Negra podem ser curadas e empoderadas em cada uma de nós. Para que essa cura seja efetiva, devemos confrontar nossos medos mais ocultos da Deusa Negra, que na cultura patriarcal foram entrelaçados com imagens negativas da relação entre o sexo e a morte.

Tanto os homens como as mulheres precisam examinar, curar e transformar seus medos inconscientes de serem destruídos pelas energias sexuais. Essas atitudes subliminares, mas muito poderosas, nos impedem de nos abrirmos sexual, emocional e completamente para outra pessoa. As compreensões equivocadas também nos motivam a usar nossas energias sexuais de modo a ferir, dominar, degradar ou destruir uns aos outros. O segredo do sexo e da morte como regeneradores da vida é o segredo da Deusa da Lua Negra que o patriarcado tentou esconder de nós em nome do tabu.

Além do sexo e da morte, os ensinamentos da Deusa Negra sobre adivinhação, magia e as dimensões não físicas do ser também foram desprezados e suprimidos. A fase de lua negra existe como um aspecto de todos os ciclos da vida e sistemas de compreensão. A cada mês, quando a lua desliza para dentro da escuridão, ela encobre seus mistérios por trás do negro véu. Os conteúdos da fase negra do processo cíclico são os mais ocultos e difíceis de acessar. Fomos ensinadas a temer aquilo que não podemos ver, por isso nós consideramos esses depósitos de sabedoria secreta como maus. Contudo, os iniciados têm usado tradicionalmente as qualidades especiais inerentes a esse mais secreto tempo para cura e profecia.

As qualidades essenciais da lua negra são a mudança e a transformação. Hoje, nós tememos muitos dos ensinamentos da lua negra, como alquimia, astrologia e outras disciplinas psicológicas ou espirituais que revelam informações sobre o inconsciente ou as dimensões sutis do ser. A Bíblia afirma que elas são malignas e contrárias à vontade de Deus. Os educadores nos dizem que elas não são validadas pelas pesquisas científicas e seus praticantes são rotulados de charlatães.

Mas são esses ensinamentos, baseados na periodicidade dos padrões cíclicos, que nos dão a orientação que nos permite atravessar as escuras e não físicas dimensões do ser – da morte e do renascimento, dos términos e novos começos ou das curas espontâneas – com clareza e confiança, em vez de pânico e terror. Tradições filosóficas têm nos informado repetidamente que as respostas às questões principais da vida e da morte são encontradas não no mundo externo, mas na profundidade dos recônditos escuros de nossa própria mente.

Os ensinamentos da lua negra incluem o conhecimento de karma, reencarnação e morte consciente. Podemos viajar para as esferas extraordinárias por meio da meditação, do ritual, de jornadas xamânicas e outras técnicas de transe que ligam as dimensões conscientes e inconscientes da realidade. As artes mediúnicas intuitivas, como a astrologia, o tarô e a numerologia, fornecem uma janela para os mistérios. A sabedoria da escuridão pode ser acessada por meio de canalização, visões mediúnicas e profecia oracular. Na espiritualidade das mulheres, ritos de iniciação e mistérios do sangue estão contidos na fase de lua negra. As tradições de mistério e esotéricas indefiníveis, tais como o Tantra Oriental, os Herméticos Ocidentais, os Sufis do Oriente Médio, os Gnósticos, os Druidas, os Rosacruzes, os Essênios, os Pagãos, os Cabalistas e muitos outros, guardam os segredos da transformação e da renovação.

Na psicologia, as áreas de lua negra do inconsciente são alcançadas por meio de psicoterapia, análise dos sonhos, hipnose, regressão, bioenergética e exercícios de respiração. Muitas dessas técnicas recebem apenas uma aceitação mediana, se é que a recebem, pelas sociedades médicas estabelecidas. Só recentemente houve um reconhecimento relutante do sucesso de processos como o programa de doze passos que pode nos guiar através de nossos vícios e feridas até a nossa recuperação.

Mas o que é ainda mais oculto e carregado de apreensão é a fatia negra em cada um dos ensinamentos de lua negra. Astrólogos hesitam quando veem planetas na décima segunda casa, a fase de lua negra do ciclo de casas do zodíaco. Leitores de tarô receiam ter que explicar o significado da carta da Morte quando ela aparece em uma leitura. Nos mistérios de sangue das mulheres, a menstruação é a maldição e falar sobre os poderes mágicos e curativos do sangue menstrual faz com que as pessoas sintam constrangimento e nojo. Nos ritos sazonais, Hallowmas é a celebração da incrível Deusa Negra, e ela foi denegrida como a bruxa negra associada ao Halloween. Cobras e aranhas, os animais totens dos mistérios das Deusas, ainda causam um terror irracional. A cobra está associada ao perpetuador do mal no Jardim do Éden; e a aranha, a um presságio de uma morte horrível.

Em todos esses sistemas, fomos condicionadas a temer e desvalorizar a escuridão da lua, como simbolizado pela parte mais profunda da noite, a sabedoria dos nossos sonhos noturnos, a fase da morte no ciclo da vida, a sombra do inconsciente, a menstruação e a menopausa, a magia e a adivinhação, a árida e desoladora estação do inverno e a colheita da nossa velhice. Ao revermos a escuridão, ela é a fatia negra em cada um dos ensinamentos da lua negra que também precisam ser despidos do medo.

Cura da Escuridão

As imagens da Deusa Negra e suas associações com os ensinamentos da lua negra que existem no inconsciente coletivo também estão presentes no inconsciente pessoal de cada uma de nós. Em nossa tentativa de reaver os poderes curativos e regenerativos da Deusa Negra devemos desenvolver um relacionamento positivo com a sombra feminina como ela opera dentro de cada mulher e de cada homem. Assim como a humanidade veio a perceber o feminino sombrio como ameaçador para o ego consciente e racional e a ordem social estabelecida, assim também cada uma de nós negou e suprimiu essas mesmas qualidades em nós mesmas. No processo, nos separamos do reconhecimento e da expressão de nossa realidade psíquica completa. Essa separação levou a um profundo ferimento e à doença em nossa alma.

Para alguns indivíduos, os arquétipos da Deusa Negra, contidos na sombra feminina, são temas significativos ao longo de suas vidas, e essas questões surgem repetidas vezes com diferentes pessoas e situações. Para outros, a erupção do material da sombra feminina é limitado a apenas algumas incontroláveis épocas negras de suas vidas e opera principalmente de formas ocultas e subversivas que são, em sua na maior parte, inconscientes.

A sombra contém muitas das partes rejeitadas da psique e é a mensageira do inconsciente. Isso nos pressiona profundamente a purificar nossas toxinas e a esclarecer nossas imagens e conceituações mentais e emocionais em nós mesmas, em nossas relações e em nosso mundo. Tendo em vista que vivenciamos as questões da Deusa Negra de formas demoníacas, violentas, dolorosas, destrutivas e assustadoras, o que podemos fazer para entender, lidar e, talvez, transformar essa negatividade que ameaça nosso senso de bem-estar?

Quando estamos mergulhadas nos tipos de traumas que são coloridos pelas projeções do material da sombra feminina, podemos ser, alternadamente, aquela que está fazendo a projeção ou aquela sobre a qual esse material está sendo projetado. Em ambos os casos, os resultados são em geral perturbadores e é difícil desenredar a consequente confusão. Em primeiro lugar, podemos estar lançando a projeção de nossas próprias partes repudiadas e odiadas sobre outra pessoa. Aqui intoxicamos nosso ambiente psicológico na medida em que forçamos os outros a carregar o conteúdo da nossa sombra e, inadvertidamente, os levamos a agir de maneiras que são mais ameaçadoras e desconfortáveis para nós. Nossas relações se tornam caóticas, cheias de desconfiança, desapontamento, traição e recriminação.

Na segunda situação, quando não estamos em contato com nossa própria totalidade, nos tornamos vulneráveis e passamos a ser os receptáculos das projeções de outras pessoas sobre nós. Aqui, aceitamos o conteúdo odiado e repudiado deles e passamos a acreditar que ele é parte de nós. Somos presas em uma rede de autodepreciação e baixa autoestima. Curar o feminino sombrio requer que o receptor da projeção reconheça e devolva o conteúdo renegado da sombra para o emissor, que deve, então, recuperar e integrar essas partes negadas da personalidade para dentro da totalidade do *self* dele ou dela.

O conceito mais importante a ser compreendido é que a natureza maléfica da Deusa Negra, como ela é incorporada em nossa mente na forma de demônios pessoais contidos na sombra feminina, não é inerentemente má. Nem ela tem uma realidade independente fora de nós, separada das projeções de nossa mente. A negatividade e o mal associados com o feminino sombrio não é sua verdadeira essência; ela foi distorcida dessa forma por meio de nossa repressão cultural e pessoal.

A escuridão se torna assustadora e destrutiva somente quando nós a negamos e a repudiamos. Quando negamos que o abuso sexual tenha ocorrido na infância, podemos crescer emocionalmente frígidas ou paranoicas. Quando negamos que uma família alcoólica foi um fator de extrema importância na juventude, temos dificuldade em acreditar ou confiar em nossos parceiros e amigos. Quando renegamos algum aspecto de nós mesmas, ele volta para nos assombrar e nos atormentar disfarçado em outra pessoa. A negação de algum aspecto do passado que é agora esquecido e inconsciente, ou a rejeição de algum aspecto da nossa personalidade que é inaceitável para nós, desempenha um papel crucial nos problemas que enfrentamos mais tarde. Eles podem variar de depressão e inibições sexuais a atitudes infantis, medo da gravidez e bloqueios na inspiração criativa.

A psicologia junguiana nos ensina que, para curar as feridas e os sofrimentos causados pelos aspectos negados e rejeitados da nossa totalidade, devemos primeiro entrar em nosso inconsciente e desenvolver uma relação com a nossa sombra. É necessário reconhecer que todas essas partes odiadas e banidas de nós mesmas têm uma necessidade legítima de existir e de ser expressadas. Se podemos afirmar a grande variedade de nossa natureza humana essencial, reconhecendo as qualidades desejáveis e as indesejáveis, então nós temos a opção de transformar as energias mais problemáticas que causam nossa dor e nosso sofrimento em atividade construtiva que beneficiará nossa vida e nossos relacionamentos.

À medida que nos tornamos menos temerosas e nos permitimos olhar para o que temos escondido, podemos começar a recuperar o feminino sombrio e curar nossa psique. Quando embarcamos na jornada de cura para os domínios da sombra feminina, é importante abordá-la com honra, respeito e gentileza. Quando confrontamos a sombra pela primeira vez, podemos nos sentir sobrecarregadas pela loucura e pela dor das partes proscritas de nosso ser. Devemos admitir o sofrimento que escondemos de nós mesmas e dos outros. Em nosso sofrimento, os limites do que pensamos que podemos suportar são consideravelmente estendidos; e essa expansão nos torna abertos e vulneráveis a forças maiores.

Ao vivenciar a dor que emerge das partes rejeitadas de nós mesmas e nossas lembranças traumáticas, podemos liberar as energias bloqueadas que repousam apodrecendo no inconsciente. Podemos iniciar um processo de cura de feridas em nossa alma purificando os subprodutos tóxicos dos padrões emocionais negativos que se acumularam em nossa mente ao longo dos anos e até de vidas inteiras de repressão e falsas crenças. Ao percorrer nossa dor e nosso medo, a Deusa Negra remove todas as nossas inautenticidades, ilusões ou falsa segurança, nossas adaptações aos padrões sociais; e ela expõe a força e a essência da nossa verdadeira natureza, que reside no âmago negro de nosso ser.

No processo de recuperação da Deusa Negra e da sombra do feminino, é importante estender a compaixão aos aspectos fracos e indesejáveis de nossa personalidade que anteriormente menosprezamos e rejeitamos. Em última análise, é por meio da empatia e da aceitação das partes odiadas e negadas de nós mesmas que podemos transformar e curar as feridas da própria sombra.

No budismo tibetano, os demônios são explicados como aparições irreais que assumem as formas de raiva, ódio, ganância, orgulho e ignorância de nossa mente. Nos ensinamentos dessa filosofia e religião, existe uma prática de meditação da Mãe Negra, uma imagem oriental da Deusa Negra. Revelada no Tibete por intermédio de Machig Lapbrön, no século XI E.C., o propósito dessa prática é aplacar e exorcizar os demônios que surgem de nossos padrões emocionais negativos. É chamado de *Chod*, que significa cortar o medo e a ilusão pela raiz. A essência dessa prática implica que o correto procedimento para exorcizar demônios não é os matar, banir ou destruir, mas, em vez disso, convidá-los para uma grande festa como convidados de honra.

A prática *Chod* requer a visualização e a preparação de uma grande quantidade de comida e outras coisas desejáveis, entre elas os próprios apegos do ego da pessoa, que são oferecidos aos demônios. Esses aspectos famintos, carentes, necessitados e rejeitados de nós mesmas vêm e participam desse banquete até que eles estejam completamente satisfeitos. Uma vez alimentados, esses demônios são pacificados e desaparecem como influências demoníacas destrutivas em nossa vida.

O professor de budismo tibetano Tsultrim Allione, em *Places Where She Lives*, diz: "Se alimentarmos nosso demônio com raiva e frustração, ele continuará a nos incomodar; se o alimentarmos com amor e compaixão, ele vai evoluir. Amando o demônio, ele se derrete. A tensão está na dualidade e forçar o demônio a se afastar causa mais sofrimento... Por fim, por meio do amor e da compaixão, os demônios evoluem e são libertados".[16]

Do mesmo modo, precisamos adentrar nossa escuridão e fazer as pazes com todas as partes perdidas de nós mesmas para redimir a cura e a renovação que residem no escuro. Devemos chamar para dentro os nossos demônios que estão no quintal, famintos e relegados à casa de cachorro em ruínas. Devemos recebê-los no calor da nossa cozinha e alimentá-los com comidas que vão curar suas feridas de rejeição. Quando limparmos nossas imagens internas da Deusa Negra ao amá-la e aceitá-la, notaremos uma respectiva diminuição no medo, na raiva, na rejeição, no fracasso, no desapontamento, na decepção e no ódio que vivemos como parte de nossa realidade externa. Desse modo, alcançamos a essência original e verdadeira do feminino sombrio que existe dentro de nós, uma essência que é descoberta sob camadas de distorção.

Assim como os contos de fada nos instruíram a beijar o sapo para transformá-lo em príncipe, podemos transformar a fera na bela ao recuperar as partes perdidas e rejeitadas de nós mesmas e integrá-las na totalidade do nosso ser. Muitas vezes, por intermédio de outra pessoa que vê a pior parte de nós e nos ama e nos aceita apesar de tudo é que podemos aceitar nossa própria sombra. No processo, conseguimos a cura e a transformação. Desse modo, podemos recuperar o potencial curativo e regenerador das energias da lua negra. Então somos capazes de acessar a Deusa Negra, que nos oferece suas dádivas do inconsciente: dons de cura, profecia, sexualidade extática sagrada, regeneração e crescimento espiritual.

A jornada do herói ou da heroína ao submundo para reaver o tesouro roubado do monstro não é uma busca fácil, é repleta de muitos perigos. Para entrar em nossa escuridão, confrontar a fera dentro de nós, recuperar a obscuridade e readmitir a noite requer muita coragem, força interior e compromisso com o processo de bem-estar físico, integralidade psicológica e crescimento espiritual. Ao nos movermos para a aceitação da totalidade dos nossos seres, teremos inevitavelmente que rever nossos medos do escuro.

Por isso devemos invocar e louvar a Deusa Negra, que foi banida para os recantos negligenciados de nossa psique. A função principal dela é facilitar a transformação que ocorre no escuro. Ela provoca a morte de nosso ego, de nossas velhas formas e de nossas falsas premissas para que possamos dar origem ao novo.

Quando aceitamos a escuridão e nos permitimos adentrar as dimensões desconhecidas de nossa mente, podemos ser guiadas para a nossa cura, salvação, transformação e renovação. A orientação de programas psicológicos, espirituais e de grupos de apoio pode nos ajudar a confrontar nossa negação e reconhecer a realidade de nossas atitudes e projeções inconscientes que contribuíram para a nossa vida ser como ela é. Assim como o novelo de Ariadne revelava o caminho através do misterioso labirinto, podemos seguir essa brilhante linha de mudança ao perambularmos pelo nosso precário caminho pela escuridão. Aqui, a coragem é essencial para saber que retornaremos para a luz.[17]

A cura que ocorre na escuridão precede a renovação, e nós emergimos de volta para a luz com a sabedoria da mudança. As experiências de cura pessoais se tornam campos de treinamento para a compaixão que permeia nossas potencialidades como um agente de cura ferido.

O Segredo da Deusa da Lua Negra

Qual é, então, o ensinamento secreto da Deusa da Lua Negra, que se tornou o demônio da sombra da cultura patriarcal e cuja sabedoria foi escondida de nós em nome do tabu? O que está por trás do nosso medo da escuridão eterna da morte e da não existência que as instituições patriarcais usaram para intimidar, aterrorizar e controlar as massas?

Por trás do véu escuro e luminoso, é a atividade do Divino Deus e da Deusa em união sexual que cria e anima o mundo. Quando fazem amor, seus orgasmos tremulam como ondas reunindo-se na maré alta de onde a vida emerge. Quando a Deusa Lua se retira todo mês para dentro de sua fase negra, ela repousa entre a Criança da Terra e o Deus Sol. Sua face iluminada está voltada para o sol e sua face escura está voltada para a terra.

Essa é a época escura que fica no espaço entre as luas anciã e nova. Esse é o tempo de descanso que permite a purificação e a regeneração. Esse é o tempo da morte que garante a renovação.

O mistério da Deusa da Lua Negra é que a morte e o nascimento são as faces gêmeas do orgasmo cósmico dela com o Deus Sol todo mês na conjunção da lua nova. Plena de amor, ela circula, sempre girando ao redor da Terra, e jorra uma chuva de bênçãos com o conhecimento de que não há aniquilação.

Perguntas do Diário

1. Quando frequentei a escola, fui ensinada alguma vez sobre a existência de civilizações mais antigas, que cultuavam uma deidade feminina? Qual foi minha reação quando ouvi falar sobre essa ideia pela primeira vez? Achei uma blasfêmia que no início Deus pode ter sido uma mulher? Como as pessoas reagem quando apresento essa ideia a elas? Se eu tivesse ouvido a expressão Deusa Negra, eu a teria associado com uma imagem do mal feminino?

2. Tenho segredos sombrios que eu nunca revelaria a alguém? Quais características eu menos gosto nas pessoas? Se eu olhar de perto, vou reconhecer algumas dessas características em mim? Como a possibilidade dessa ideia me faz sentir agora? O pensamento de quais circunstâncias ou que tipos de pessoas causam os maiores medos em mim? Em que medida meus medos são parte da minha realidade, seja como fobias ou como situações reais? Estou paranoica com a ideia de que alguém quer me pegar e de que eu devo me proteger?

3. Sou atraída por amantes sombrios ou parceiros que me levam a atravessar os lugares negros das minhas emoções e da minha sexualidade? Como me sinto em relação à minha sexualidade? Eu a vejo como uma

fonte de cura e renovação na minha vida? Eu me sinto desconfortável ou envergonhada em relação à sexualidade, ou sinto que os órgãos são sujos, obscuros ou repulsivos? Como me sinto em relação ao sexo oral e à ingestão de fluidos sexuais?

4. Quais são as minhas crenças sobre a vida após a morte? Acredito que a morte é o fim absoluto e o nada? Irei para o céu ou para o inferno? Eu creio na reencarnação e na renovação cíclica?

5. Acredito ou pratico alguma das artes psíquicas, como astrologia, tarô, leitura de mão, numerologia, transe, magia, bruxaria, paganismo, cura pelos cristais? Tenho receio de reconhecer ou revelar esses meus interesses para os outros? Se eu sou cética ou condeno esses estudos, qual é a minha opinião sobre as pessoas que seguem tais caminhos?

Notas

1. Fred Gustafson, *The Black Madonna* (Boston: Sigo Press, 1990), p. 96.
2. Informações documentando a transição da cultura matriarcal para a patriarcal podem ser encontradas nos seguintes trabalhos: J. J. Bachofen, *Myth, Religion, and Mother Right* (Princeton: Princeton University Press, 1967); Riane Eisler, *The Chalice and the Blade* (San Francisco: Harper & Row, 1987); Eleanor Gadon, *The Once and Future Goddess* (San Francisco: Harper & Row, 1989); Monica Sjöö e Barbara Mor, *The Great Cosmic Mother* (San Francisco: Harper & Row, 1987); Merlin Stone, *When God Was a Woman* (Nova York: Harvest/Harcourt Brace Jovanovich, 1976); Barbara G. Walker, *The Woman's Encyclopedia of Myths and Secrets* (San Francisco: Harper & Row, 1983).
3. Marija Gimbutas, *The Language of the Goddess* (San Francisco: Harper & Row, 1989), p. xix.
4. Marija Gimbutas, *The Goddesses and Gods of Old Europe: Myth and Cult Images* (Berkeley: University of California Press, 1982).
5. Riane Eisler, *The Chalice and the Blade* (San Francisco: Harper & Row, 1987).
6. Barbara G. Walker, *The Crone* (San Francisco: Harper & Row, 1985), p. 85.
7. Riane Eisler, *The Chalice and the Blade* (San Francisco: Harper & Row, 1987), p. 44.
8. *Ibid.*, p. 45.

9. Heide Gottner-Abendroth, *Matriarchal Mythology in Former Times and Today*, traduzido pela autora com Lise Weil (Freedom: The Crossing Press, 1987), p. 4.
10. Marija Gimbutas, *The Goddesses and Gods*, Prefácio.
11. Gottner-Abendroth, *Matriarchal Mythology*, p. 10.
12. Julian Jaynes, *The Origin of Consciousness in the Breakdown of the Bicameral Mind* (Boston: Houghton Mifflin, 1976).
13. Edmond Whitmont, *The Symbolic Quest* (Nova York: G. P. Putnam's Sons, 1969).
14. Maxine Harris, *Sisters of the Shadow* (Norman/Londres: University of Oklahoma Press, 1991).
15. Patricia Weis, "The Dark Goddess", *Women of Power 8*, Reavaliando a Escuridão (inverno de 1988), p. 44.
16. Tsultrim Allione, *Places Where She Lives*, citado na Tara Foundation Newsletter (abril de 1990).
17. Sarah Scholfield, *The Four Directions* (Yachats: Edição da autora, 1989), p. 9.

CAPÍTULO 3

Uma Herstória* Lunar do Feminino

O Nascimento, a Morte e o Renascimento da Deusa

*A consciência nua da Deusa Negra é ver a destruição
e a morte do velho e alegremente abraçá-las
como um sinal de iminente renovação.*

A Deusa é, em essência, uma personificação das energias lunares. Do mesmo modo que a lua tem seu ciclo de nova para cheia, para negra e de volta para nova, a Deusa tem em si mesma os ciclos de vida do

---

* O pronome *her*, em inglês, significa "dela". *Herstory* é um neologismo criado pelo movimento feminista na década de 1970 para denominar a história vista sob a óptica da mulher. (N. do T.)

nascimento, do crescimento, da morte e do renascimento. Durante o escuro da lua a cada mês, ela desaparece de vista por alguns dias. Após esse período de dormência e escuridão, na lua nova, a luz da lua emerge como a fina e jovem fase crescente. Sua luz aumenta e culmina na lua cheia, diminui gradualmente e some por completo, apenas para aparecer de novo.

Neste capítulo, proponho uma teoria original que veio a mim enquanto eu caminhava pelas praias da costa do Oregon, onde vivo. Enquanto pensava a respeito da lua e da Deusa em um local onde os ritmos das marés aumentam e diminuem todos os dias, comecei a imaginar se haveria alguma conexão entre o desaparecimento da Deusa e a fase escura da lua.

Comecei a questionar se o desaparecimento da Deusa durante os últimos 5 mil anos de domínio patriarcal pode não ter sido devido à sua supressão e destruição pelo patriarcado, mas por sua retirada natural para a fase de lua negra do seu próprio ciclo. Talvez tenha sido simplesmente que o inevitável tempo chegou no seu próprio processo cíclico lunar, para liberar e recuar, de modo que ela possa curar-se e se regenerar. E agora ela deve reemergir na fase de lua nova do seu ciclo com a promessa e a esperança que acompanham o renascimento da luz.

Além disso, no ciclo precessional* das eras mundiais, a humanidade agora está na cúspide entre o fim da Era de Peixes e o início da Era de Aquário. Os períodos de cúspides que abrangem as eras mundiais podem durar por volta de 5 mil anos e são tempos de grandes transformações.

---

* Além dos movimentos de rotação e translação, a Terra também executa outros movimentos, menos divulgados. Um deles é denominado **precessão**. Esse movimento pode ser comparado ao bamboleio efetuado por um pião girando. Quando lançado, um pião gira em alta velocidade (movimento de rotação) e ao mesmo tempo efetua um movimento de bamboleio (precessão) bastante lento se comparado ao giro rotacional. A Terra também apresenta um movimento de precessão similar. Um ciclo de precessão é executado em aproximadamente 26 mil anos. Para complicar um pouco mais as coisas, o movimento precessional da Terra é mais complexo do que um simples giro de 26 mil anos. Ele é constituído de movimentos secundários que produzem uma oscilação com ciclos de até vinte anos de duração. Esse movimento recebe a denominação de nutação. Um ciclo precessional é composto de 1.300 ciclos nutacionais. Disponível em: <http://www.guia.heu.nom.br/ciclo_precessional.htm>. Acesso em: 13 de junho de 2020. (N. do T.)

Estamos agora na fase de lua negra da Era de Peixes; e, de acordo com alguns historiadores astrólogos, esse período não é somente o final de 2.300 anos da Era de Peixes, mas também de todo um ciclo precessional polar de 26 mil anos. Se isso for verdade, nós estamos na mais poderosa fase de lua negra da história da humanidade.

Os ensinamentos misteriosos essenciais da Deusa são sobre morte e renascimento. A Deusa renasceu durante a transformadora fase de lua negra do período do ciclo precessional de eras no qual a morte em massa permeia a Terra. Em toda parte, o velho está morrendo para dar lugar ao novo. Isso é evidenciado na poluição e na morte das florestas, nos solos, na água, na atmosfera, na vida selvagem e pelo índice crescente de doenças degenerativas nos seres humanos. A Deusa retornou para os povos da Terra em um momento crítico de um ciclo cósmico em larga escala para compartilhar sua sabedoria e sua visão de como melhor atravessar o corredor negro da morte em direção à cura e à renovação.

Deixe-me enfatizar mais uma vez que as visões e sugestões na discussão a seguir são especulativas e baseadas em minhas próprias reflexões. Eu as ofereço a você não como fatos irrefutáveis, mas sim como ideias a ponderar na tentativa de reavaliar o negro. Tente intuir se essas ideias tocam um acorde ressonante dentro de você. Por fim, na falta de documentação histórica incontestável, acurada e imparcial, é apenas dentro de nós mesmas que podemos apurar a verdade sobre um assunto.

Atualmente, a sociedade testemunha um movimento global de mulheres e um movimento ecológico, aos quais muita gente tem se referido como o "Retorno da Deusa". Desde os primórdios do Movimento de Liberação das Mulheres e o renascimento da espiritualidade feminina no início dos anos 1970, as pessoas estão despertando novamente para a beleza, sua sabedoria e sua força do feminino. Estamos agora descobrindo e relembrando seus mitos, símbolos e rituais.

Com o renascimento da Deusa, uma abordagem mais inteligente e compassiva da morte e do morrer tem entrado para a corrente predominante da consciência devido aos esforços de alguns agentes de cura como Elizabeth Kübler-Ross. Nossa sexualidade também está emergindo, saindo do armário da repressão. A disponibilização de mais informações e uma expressão mais completa de nossa natureza sexual multifacetada liberam homens e mulheres dos padrões sociais e religiosos de negação e culpa relacionados a essa potente força vital. Esse movimento também envolve o despertar das energias de cura no nosso planeta e nos indivíduos à medida que compreendemos nossa interdependência em relação à ecologia da Mãe Terra, cujo corpo sustenta a nossa existência.

Existem na literatura contemporânea confusões sobre se esse raiar da espiritualidade feminina se deve a um despertar de um novo centro de consciência feminina na psique humana ou se isso é o despertar de um poder antigo, adormecido. Ao longo da discussão que se segue, vamos descobrir que são os dois. O princípio feminino renasceu em uma outra volta na sua espiral evolucionária, onde atualmente, na fase de lua nova, ela lançou um novo objetivo que está agora germinando no fluxo de pensamento da humanidade.

Na descoberta da "herstória" antiga da Deusa, como discutimos no Capítulo 2, muitas estudiosas feministas concluíram que os cultos à Deusa matriarcal e às mulheres de poder foram suprimidos e destruídos pelos cultos ao deus patriarcal. De acordo com Merlin Stone: "Todas as evidências arqueológicas, mitológicas e históricas revelam que a religião feminina, longe de ter desaparecido naturalmente, foi vítima de séculos de perseguição contínua e supressão por defensores das religiões mais novas que tinham como supremas as deidades masculinas".[1]

Evidências irrefutáveis apontam para essa conclusão, que é a mais óbvia para a mente consciente. Entretanto, quando expandimos nossa percepção para incluir os ciclos cósmicos de longa duração, dos quais a Terra e a Lua participam, o desaparecimento da Deusa pode ser visto no contexto de seu próprio ciclo de lunação.

Se propusermos que a Deusa e seus antigos ensinamentos a respeito da morte estão reemergindo agora, então caberá a nós perguntar: "Quem era ela antes de desaparecer? Por que ela desapareceu? Onde esteve? E o que está causando seu reaparecimento?". Neste capítulo, vamos explorar a ligação entre o simbolismo do ciclo da lua e a identificação da Lua com a

Deusa. Essa correspondência pode servir como um modelo que iluminará o mistério do cíclico nascimento, morte e renascimento da Deusa. Nós também vamos discutir a morte da Deusa em um contexto de mudança de eras precessionais.

Antes de prosseguirmos, vamos mencionar de modo sucinto algo sobre o significado simbólico dos padrões cíclicos. Parece existir uma correlação, que não é necessariamente causal, entre as transições nos ciclos cósmicos planetários e mudanças em símbolos religiosos e culturais que aparecem na Terra durante várias épocas.

O psiquiatra e psicoterapeuta* Carl Jung usou o termo "sincronicidade" para esclarecer o mistério da coincidência significativa – fatos relacionados que ocorrem simultaneamente atravessando limites do tempo e do espaço e que não têm relação de causa e efeito direta. A tentativa de entender por que esses tipos de correlação acontecem, além da esfera da coincidência randômica, tem intrigado as pessoas por milhares de anos. Embora nós não saibamos por que isso funciona dessa forma, a sincronicidade aponta para uma conexão subjacente de padronização inteligente no universo.

Existem muitos ciclos recorrentes diferentes que se relacionam com o desenvolvimento humano e a evolução planetária. Na ciência, nós reconhecemos mudanças periódicas que ocorrem no ambiente da Terra em razão dos ciclos da Era do Gelo, dos ciclos das manchas solares, dos eclipses e do ciclo das marés bem como dos ciclos meteorológicos. Nas disciplinas esotéricas, temos consciência dos muitos e diferentes ciclos planetários e numerológicos, que formam um pano de fundo para entender melhor o curso dos desenvolvimentos na história dos indivíduos e da humanidade.

Visto em um contexto cíclico, eventos discretos e aparentemente não relacionados formam padrões de significado e são percebidos como sendo relacionados entre si. Cada ciclo tem seu próprio tempo de início, ápice e

---

* No original: *psychoanalyst*, "psicanalista". Mas esse é o termo que designa o tipo de psicoterapia fundada e praticada por Freud, a psicanálise. A linha psicoterapêutica fundada e praticada por Carl Jung é a psicologia analítica. Por isso Jung é referido, em geral, como psiquiatra e psicoterapeuta ou, não tão frequentemente, como psicólogo analítico. (N. do T.)

conclusão, que trazem novos começos, mudanças e términos. Como cada ciclo tem seu próprio ritmo e sua duração, os vários ciclos se sobrepõem. Às vezes, dois ou mais ciclos culminam ao mesmo tempo durante pontos críticos em seu desenvolvimento individual. Esse tipo de justaposição em geral traz mudanças significativas que são ainda mais poderosas que as usuais. Foi isso o que aconteceu no período do desaparecimento da Deusa e é o que ocorreu no fim do século XX.

O Ciclo de Lunação

Todas as formas de vida têm ciclos de nascimento, crescimento, morte e renovação que são espelhados nas fases progressivas do ciclo da lua. Muitas culturas, na tentativa de conceitualizar o significado holístico do ciclo da lua, o têm subdividido em três fases e quatro quartos. A divisão tripla, baseada no triângulo (que é uma imagem da polaridade feminina), consiste em três fases: a lua nova crescente, de luz cada vez mais intensa; a lua cheia, que

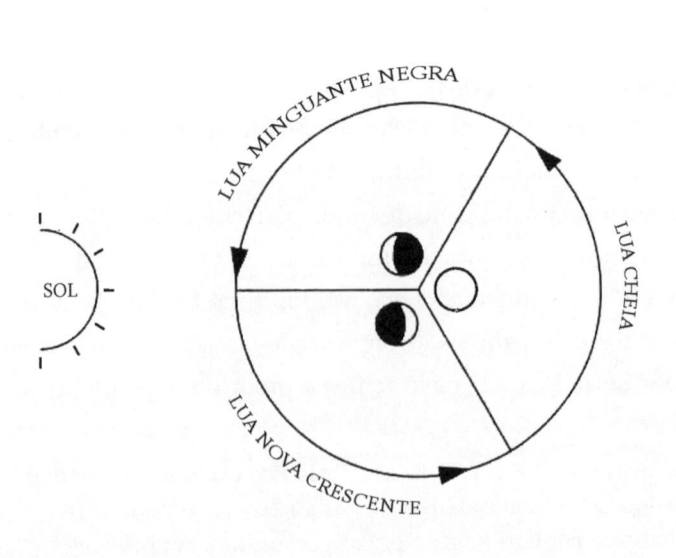

Figura 3.1 As Três Fases da Lua.

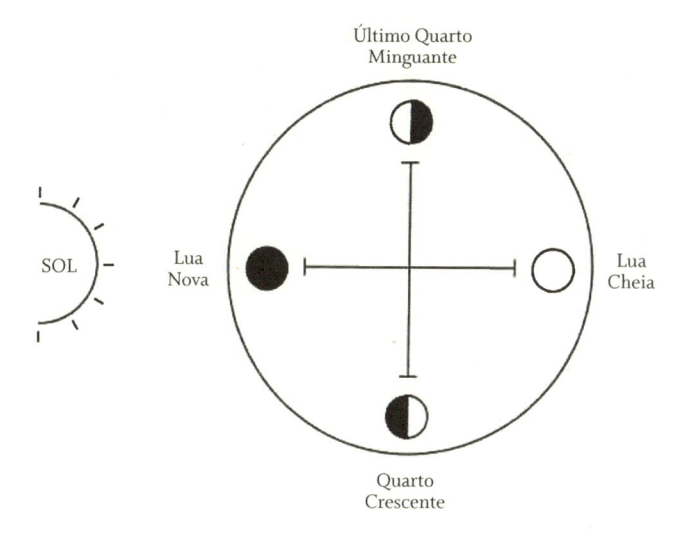

Figura 3.2   Os Quatro Quartos da Lua.

é totalmente iluminada, e a lua minguante negra, de luz cada vez mais tênue. A divisão quádrupla, derivada do quadrado ou da cruz (que é um símbolo da polaridade masculina), gera o quarto crescente da lua, a lua cheia, o quarto minguante da lua e a lua nova, que vem depois da lua negra.

Quando a divisão quádrupla do ciclo mensal da Lua ao redor da Terra é cortada em quatro mais uma vez, ela produz oito fases lunares distintas. Elas são chamadas de nova, crescente, quarto crescente, gibosa, cheia, disseminadora, quarto minguante e balsâmica. Cada fase da lunação representa uma certa qualidade e um tipo de energia que é utilizada nos vários estágios do crescimento e do desenvolvimento de qualquer forma orgânica. Quando o astrólogo Dane Rudhyar redescobriu o antigo ciclo de lunação, ele reinterpretou essas oito fases à luz das funções e dos tipos de personalidade usando a metáfora do crescimento de uma planta para ilustrar o processo.[2]

Vamos agora rever brevemente os estágios sucessivos do desenvolvimento cíclico de qualquer forma de vida conforme retratados no simbolismo do ciclo de lunação de oito fases da lua (mostrado na seção "As Oito Fases da Lunação").

As Oito Fases da Lunação

Aurora Negra

I. Na **Fase Nova**, o fluxo da energia solar-lunar surge, inicia e projeta o impulso da semente de uma forma instintiva e subjetiva que vai preencher e completar um propósito conforme o ciclo restante se desdobra. Na ausência da luz, a visão é sentida, não vista. A semente simbólica germina sob o solo.

- A Lua nasce ao alvorecer e se põe no pôr do sol
- A Lua está de 0 a 45 graus à frente do Sol
- Até 3½ dias depois da lua nova oficial

Aceleração da Luz

II. Na **Fase Crescente**, o impulso de vida encontra um desafio ao ter que lutar para sair da inércia do ciclo passado, mobilizar sua energia e seus recursos e seguir em frente. Como a luz está se agitando, os primeiros vislumbres do objetivo podem ser percebidos. A semente simbólica rompe seu invólucro e empurra seus primeiros brotos para a superfície do solo.

- A Lua nasce no meio da manhã e se põe depois do pôr do sol no céu ocidental
- A Lua está de 45 a 90 graus à frente do Sol
- Entre 3½ e 7 dias depois da lua nova

Luz e Escuridão em Equilíbrio, Luz Ascendente

III. Na **Fase do Quarto Crescente**, a força vital deve se estabelecer firmemente em seu ambiente e tomar atitudes imediatas para construir a estrutura orgânica que vai se tornar o veículo para o propósito de vida. Com a luz aumentando, o contorno estrutural do que será toma forma. A semente simbólica estabelece suas raízes e a estrutura do caule.

- A Lua nasce ao meio-dia e se põe à meia-noite
- A Lua está de 90 a 135 graus à frente do Sol
- Entre 7 e 10½ dias depois da lua nova

Luz Dominante

IV. A **Fase Gibosa**, Quase Cheia, exige que se analise tudo o que foi desenvolvido na fase anterior e que se aperfeiçoe a forma para que possa operar de modo eficiente e efetivamente. Conforme a luz se torna dominante, há uma busca por revelação. A semente simbólica brota.

- A Lua nasce no meio da tarde e se põe por volta das 3h
- A Lua está de 135 a 180 graus à frente do Sol
- Entre 10½ e 14 dias depois da lua nova

Pico da Luz

V. A **Fase Cheia** é a floração do ciclo, quando o significado do propósito de vida é revelado e deve ser infundido na estrutura construída durante o quarto crescente do processo. Se a forma for inadequada para conter o significado ou se o significado não for digno da forma, pode ocorrer colapso, aborto ou dissolução do impulso de vida nesse ponto. Esse é o pico da luz e a total iluminação do objetivo é a promessa dessa fase. A semente simbólica floresce.

- A Lua nasce no pôr do sol e se põe ao amanhecer
- A Lua está de 180 a 135 graus atrás do Sol
- 15 dias depois da lua nova

Primeiro Movimento do Escuro

VI. A **Fase Disseminadora** corresponde ao desfrute do ciclo. A semente germinada na Lua Nova agora se tornou o que ela deveria ser. O impulso de vida deve realizar seu propósito distribuindo a energia e disseminando o significado. Com os primeiros movimentos da escuridão, torna-se urgente realizar e compartilhar o valor do significado. A semente simbólica frutifica.

- A Lua nasce no meio da tarde e se põe no meio da manhã
- A Lua está de 135 a 90 graus atrás do Sol
- Entre 3½ e 7 dias depois da lua cheia

Luz e Escuridão em Equilíbrio, Escuridão Aumentando

VII. Na **Fase do Quarto Minguante**, o impulso de vida completou sua missão e começa agora a se reorientar para um futuro vagamente intuído. A rebelião contra antigos padrões e o colapso de velhas formas inúteis caracterizam revolta interna e crise na consciência. A escuridão se torna cada vez mais dominante à medida que a força vital manda embora, diminui e recicla o velho. A semente simbólica definha e se decompõe.

- A Lua nasce à meia-noite e se põe ao meio-dia
- A Lua está de 90 a 45 graus atrás do Sol
- Entre 7 e 10½ dias depois da lua cheia

A Profundidade da Escuridão

VIII. Na **Fase Balsâmica**, o impulso de vida destila e concentra a sabedoria do ciclo todo dentro de uma cápsula de semente de ideias para visões futuras. Durante o escuro da lua, a força vital transforma o passado em uma mutação do futuro e firma um compromisso de semear novos conceitos dentro de velhas estruturas. A semente simbólica, mais uma vez, retorna para si mesma.

- A Lua nasce às 3h e se põe no meio da tarde
- A Lua está de 45 a 0 graus atrás do Sol
- Entre 10½ dias depois da lua cheia até a próxima lua nova

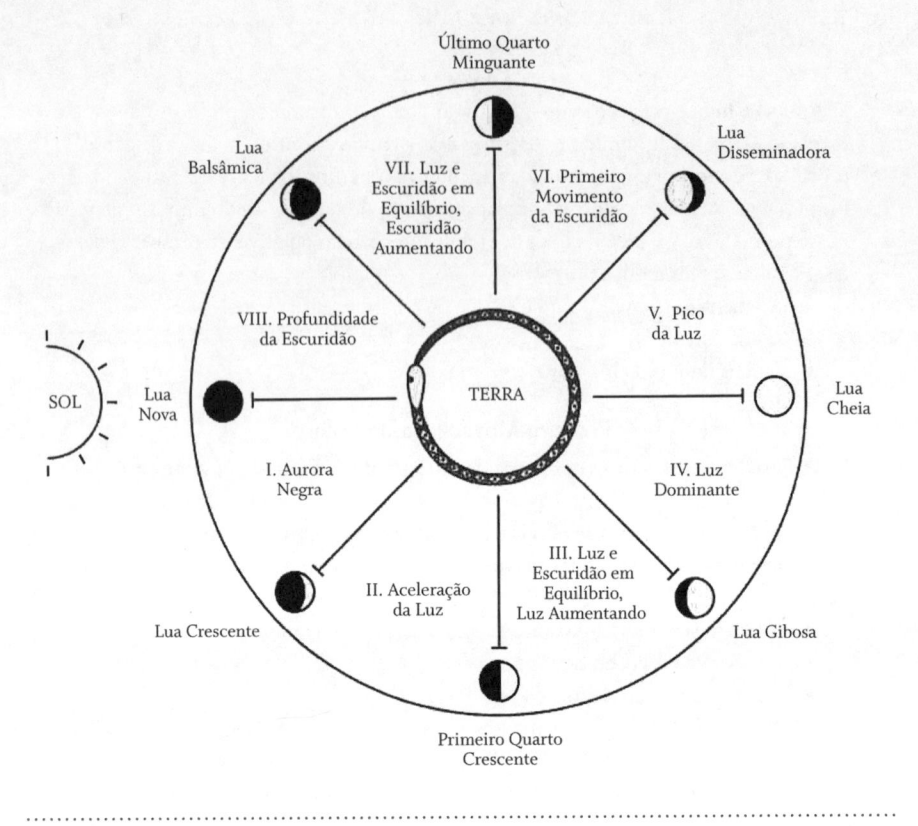

Figura 3.3   A Divisão Óctupla do Ciclo da Lua.

O processo começa na fase de lua nova quando uma semente contendo um novo objetivo, infundido com uma intenção, germina na escuridão. Com a luz da fase crescente, os primeiros tenros brotos desse objetivo lutaram para empurrarem-se para a superfície do solo. Durante a fase do primeiro quarto crescente, a força vital desse objetivo cria raízes, estabelecendo-se; a estrutura do seu caule e de suas folhas configura uma forma forte e definida.

A fase crescente gibosa corresponde ao desenvolvimento dos brotos com a promessa e a expectativa da flor que desabrocha durante a fase da lua cheia. Agora, na metade do caminho do ciclo lunar, na lua cheia, o objetivo está completamente iluminado e infundido com significado e conteúdo. A fase minguante gibosa, também conhecida como disseminadora, corresponde ao desfrute do ciclo, quando o objetivo é aplicado e vivido pela humanidade, cumprindo, com isso, o seu propósito.

A fase do último quarto minguante se refere à colheita da safra da lavoura, quando ingerimos e assimilamos o que fizemos ao longo do ciclo. A essência do objetivo é destilada para dentro da cápsula de uma semente que é enterrada durante a fase final negra ou balsâmica do ciclo, na qual ele é nutrido e preparado para o renascimento. Essa ideia germinal é depois liberada com o início de um novo ciclo.

Essa divisão óctupla do ciclo lunar corresponde ao simbolismo solar da Roda do Ano do paganismo europeu. A Roda do Ano, sobre a qual os antigos mistérios da agricultura se baseavam, é derivada de dois solstícios, dois equinócios e quatro dias trimestrais. Esses festivais sazonais são:

- Yule, no solstício de inverno (de 20 a 23 de dezembro)*
- Candlemas (2 de fevereiro)
- Equinócio da primavera (de 20 a 23 de março)
- Beltane (1º de maio)
- Solstício de verão, também conhecido como Noite do Meio do Verão (de 20 a 23 de junho)
- Lammas (1º de agosto)
- Equinócio de outono (de 20 a 23 de setembro)
- Hallowmas (31 de outubro)

---

* Essas datas correspondem ao Hemisfério Norte. (N. do T.)
Para o Hemisfério Sul, as datas são:
Yule, no solstício de inverno (de 20 a 23 de junho)
Candlemas (1º de agosto)
Equinócio da primavera (de 20 a 23 de setembro)
Beltane (31 de outubro)
Solstício de verão, também conhecido como Noite do Meio do Verão (de 20 a 23 de dezembro)
Lammas (2 de fevereiro)
Equinócio de outono (de 20 a 23 de março)
Hallowmas (1º de maio)

Esse ciclo do aumento e da diminuição da luz do sol, do movimento anual aparente do sol ao norte e ao sul do Equador, indica o ritmo das estações, o fluxo e o refluxo da natureza. Os antigos celebravam esses oito dias sagrados, acreditando serem momentos de poder nos quais existiria uma fenda ou abertura entre mundos. Nessas épocas, a energia sagrada do cosmos podia entrar completamente no plano terrestre.

Quando o ritmo do ciclo de lunação, com referência à lua como um ser feminino, é refletido na Roda do Ano, a Deusa renasce a cada ano no solstício de inverno (lua nova). Ela é uma frágil e nova esperança no Candlemas (lua crescente); e uma criança no equinócio da primavera (quarto crescente). A donzela descobre sua sexualidade no Beltane (lua gibosa); e se torna a mãe

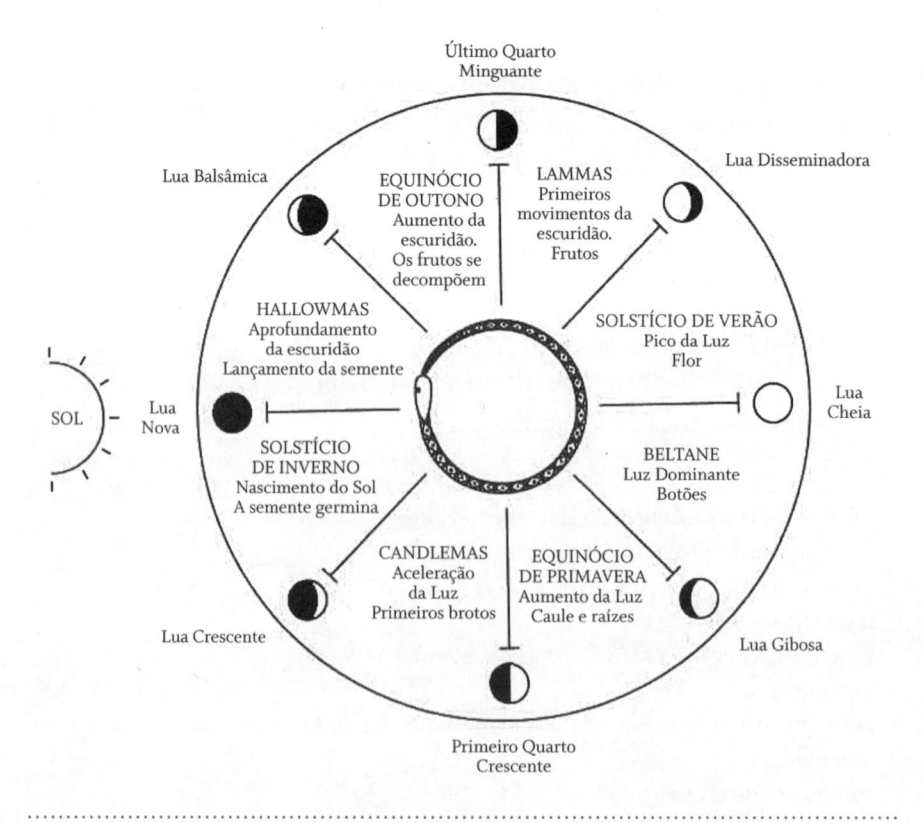

Figura 3.4 As Fases da Lunação e a Roda do Ano.

de toda a vida no solstício de verão (lua cheia). No Lammas (lua disseminadora) ela amadurece como a matrona; chega à menopausa no equinócio de outono (quarto minguante); e completa seu ciclo de vida como a antiga anciã se preparando para a morte no Hallowmas (lua balsâmica negra).[3]

A estória que a lua conta é de nascimento, crescimento, plenitude, declínio, desaparecimento, com renascimento e crescimento novamente. Em todo o ciclo existe uma fase negra que ocorre naturalmente quando a força vital parece desaparecer por um período. A parte recessiva do ciclo ocorre sob o manto da escuridão, onde é invisível para o olhar desperto e consciente. Aqui a vida se purifica, se revitaliza e transforma a si mesma no seu desenvolvimento evolutivo, em espirais rumo à sintonia com sua natureza essencial.

Se a Deusa é fiel à sua própria natureza essencial, ela ressoa em sintonia com os ritmos lunares de fluxo e refluxo e, assim como a lua, retira-se periodicamente para a fase negra do seu ciclo. Assim ela realiza seus mistérios de renovação. *Se olharmos de perto para os ritmos do ciclo lunar, poderemos perceber que o desenvolvimento e o florescimento da Deusa, seu subsequente desaparecimento e o seu ressurgimento podem ser previstos pelo seu ciclo natural de fases crescentes e minguantes.*

O Nascimento e o Crescimento da Deusa

A Deusa Lua é a personificação da energia continuamente autorrenovável simbolizada pelo ciclo de lunação e celebrada na Roda do Ano. Em sintonia com o ritmo cíclico de aumento e diminuição da luz, a Deusa em si tem ciclos de aumento e diminuição que acontecem ao longo do tempo por gerações na evolução cultural da humanidade.

Vamos agora rever a ascensão e a queda históricas da cultura e da religião da Deusa. Dessa vez, nossa busca ao redor do círculo é para ver se podemos descobrir quaisquer correspondências entre o ciclo de vida de um princípio feminino em evolução e o significado simbólico das sucessivas fases do ciclo de lunação.

Nós sabemos que a cultura da Deusa começou a declinar por volta de 3000 A.E.C. Nossos contos de fada nos dizem que a Branca de Neve e a Bela Adormecida foram envenenadas pela Madrasta Má e pela Fada Má e adormeceram, presas em um longo sono mortal. Essas estórias contêm a imagem mítica da Deusa e do feminino, que também caiu em um descanso profundo. As lendas mitológicas repetidamente nos falam das deusas da lua, que sumiam de tempos em tempos para banhar-se nas fontes sagradas a fim de renovar sua virgindade e nascer de novo. Agora vemos, conforme nos aproximamos do ano 2000, que a Deusa renasceu. Podemos ver essa evidência na atual proliferação de seus círculos, estórias, cantos, imagens e rituais.

Durante seu período de adormecimento, as imagens e os símbolos da Deusa ficaram praticamente ausentes da cultura, exceto aquelas suas fontes ocasionais de águas borbulhantes, por curtos períodos de tempo em várias épocas e locais. Embora cinco milênios pareçam um longo tempo – um período que, de fato, engloba toda a história escrita –, na realidade é um intervalo relativamente curto em termos de desenvolvimento humano (2,5 milhões de anos) e formação geológica do nosso planeta (6 bilhões de anos).

Podemos estimar que as energias femininas praticamente desapareceram da cultura por mais ou menos 5 mil anos. Se colocarmos esse período de dormência no contexto do ciclo de lunação, isso corresponderia a 5 mil anos (3000 A.E.C. – 2000 E.C.) de fase negra de um ciclo histórico. Se a fase negra balsâmica consiste em um oitavo do ciclo de lunação, então todo esse ciclo de vida lunar que se relaciona com a Deusa deve ter sido de (8 x 5000) 40 mil anos de duração.

De acordo com a nossa hipótese, um princípio feminino evolutivo incorporado no simbolismo da Deusa Lua também tem ciclos de nascimento, crescimento, morte e renovação. A duração do ciclo anterior do desenvolvimento da Deusa durou 40 mil anos. Se for esse o caso, podemos propor que, mais ou menos em 38000 A.E.C., uma nova visão e um desejo do princípio feminino nasceram e foram liberados no início da fase da lua nova de um dos seus ciclos de vida.

Vamos examinar agora a evolução a longo prazo de um princípio feminino. Primeiro, vamos apresentar um panorama da Era Paleolítica Superior

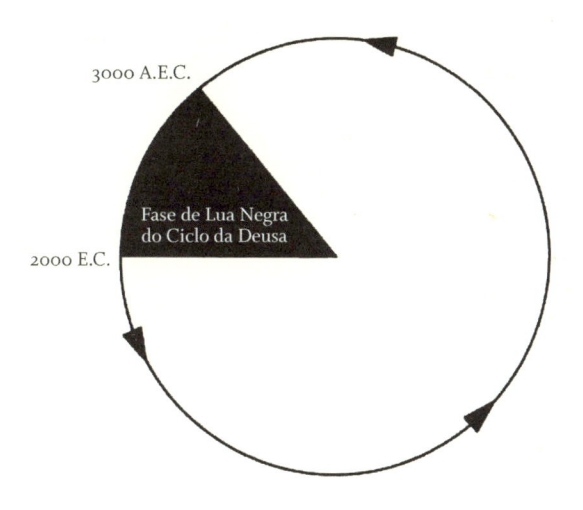

Figura 3.5   A Deusa Emergindo da Fase de Lua Negra.

a fim de mostrar os temas principais no nascimento e no desenvolvimento da cultura da Deusa. Em segundo lugar, vamos mergulhar mais fundo nas suberas específicas que correspondem às fases do ciclo de lunação. Vamos agora sobrepor nosso modelo teórico de ciclo de lunação da Deusa ao calendário de diferentes períodos arqueológicos das eras pré-históricas.

A Figura 3.6 traz as datas e os nomes, atribuídos por paleoantropólogos, para as divisões do Paleolítico Superior e de suas suberas na Europa.

Essas divisões baseiam-se em diferentes tipos de artefatos encontrados que eram um produto de várias raças e de povos que tinham diferentes utensílios, linguagens, estórias e economias.[4] (Também existem variações nesse sistema de datação, que são usadas por outros paleoantropólogos.)[5] Tais divisões são circunscritas à escala de tempo para as oito fases da lunação de um ciclo da Deusa de 40 mil anos, que começa em 38000 A.E.C.

Observando a Figura 3.6, descobrimos que 38000 A.E.C., o proposto início do ciclo de vida da Deusa na fase de lua nova, é também a data que os acadêmicos definem como o início do Paleolítico Superior. Nessa época, o *Homo sapiens*, espécie anatomicamente moderna com capacidades intelectuais aprimoradas da qual a humanidade descende, apareceu pela primeira

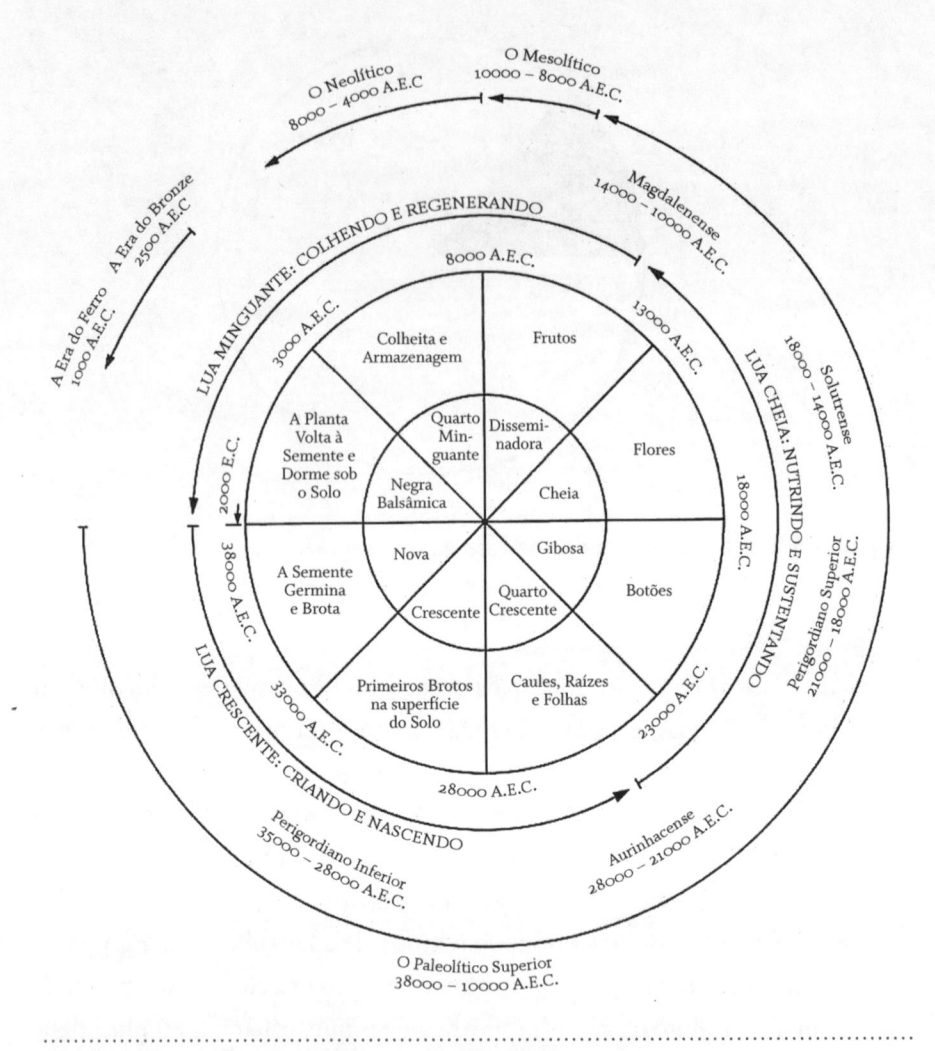

Figura 3.6 Quarenta Mil Anos de Herstória Lunar do Feminino.

vez na Europa, por volta de 40 mil anos atrás. O Paleolítico Superior durou até a Revolução Neolítica começar, por volta de 8000 A.E.C., que corresponde à data em que a última fase do Quarto Minguante desse ciclo de 40 mil anos teria ocorrido. O começo do fim das culturas da Deusa é claramente localizado em 3000 A.E.C. e esse período é análogo à fase negra balsâmica do ciclo. E 2000 E.C., que agora anuncia o retorno da Deusa, alinha-se

96

com a próxima fase de lua nova, significando algum tipo de renascimento. Vamos ver se conseguimos descobrir quaisquer temas originários do início desse ciclo que, ao longo dele, se concretizará e impactará o curso da cultura da humanidade.

Panorama do Paleolítico Superior

De acordo com Randall White, o alvorecer do Paleolítico Superior foi um período revolucionário nas conquistas humanas, em que houve uma explosão virtual do comportamento simbólico.[6] "Surgiu na Europa o humano totalmente moderno e, com o nascimento da nossa própria espécie, veio o que foi chamado de uma explosão criativa – uma erupção de inventividade e sensibilidade totalmente sem paralelo na longa história da família humana."[7]

Três acontecimentos de maior significado marcaram a transição para o Paleolítico Superior. Primeiro, apareceu de repente na Europa uma nova espécie, o *Homo sapiens*, que trouxe ferramentas inovadoras. Sua aparição coincidiu com o desaparecimento dos antigos habitantes, os neandertais, cujos ancestrais haviam povoado o mundo pelo último meio milhão de anos. Segundo, foram essas novas populações que primeiro demonstraram uma habilidade em criar imagens e símbolos e essa capacidade desabrochou em impressionantes realizações. Terceiro, evidências arqueológicas da arte e dos artefatos que esses povos criaram e gravaram denotam que eles cultuavam uma deidade feminina.

Os grandes avanços em tecnologia e cultura que marcaram o Paleolítico Superior contrastam nitidamente com o crescimento muito lento nas eras que precederam esse período. Evidências fósseis tornaram muito claro agora que o gênero *Homo* originou-se de ancestrais dos macacos na África subsaariana há 2,5 milhões de anos. Por quase 1 milhão de anos a evolução humana foi infinitesimalmente lenta. Então, por volta de 1,6 milhão de anos atrás, os primeiros hominídeos tornaram-se *Homo erectus*. A humanidade ainda era primitiva, mas eles dominaram o fogo e desenvolveram técnicas mais avançadas de caça e coleta. Entre 1 milhão e 700 mil anos atrás, o *Homo erectus* propagou-se da África para o Oriente

Próximo, a Europa, a Ásia e a Indonésia. Na Eurásia, o *Homo erectus* evoluiu para o Neandertal cerca de 125 mil anos atrás.

Como os neandertais eram hábeis caçadores e conseguiam sobreviver nas condições perigosas da Idade do Gelo, fizeram pouca ou nenhuma tentativa de modificar o mundo onde viviam. Sua tecnologia, a qual herdaram do *Homo erectus* meio milhão de anos antes, era limitada a lentas modificações nas ferramentas básicas. Eles não tinham habilidade de conceitualizar visualmente e eram, ao que tudo indica, incapazes de se comunicar com uma fala completamente articulada. Entretanto, a natureza do neandertal não era a de um brutamontes; evidências indicam que eles eram um povo compassivo que cuidava de seus doentes e enterrava seus mortos.

Com o rápido aparecimento do *Homo sapiens* na Europa, o aspecto da população humana mudou de maneira radical. Esse novo povo era anatomicamente similar às modernas populações e foram os primeiros ancestrais da nossa linhagem moderna. Eram inteligentes, hábeis em termos tecnológicos e culturalmente sofisticados. Existia muita controvérsia sobre sua origem e se eles evoluíram em um local ou em diversas áreas.

Uma visão prevalecente entre os paleoantropólogos sustenta que todas as populações humanas modernas podem localizar suas origens em 1 milhão de anos atrás, quando nosso ancestral hominídeo *Homo erectus* deixou a África pela primeira vez e viajou para outras partes do mundo. Chamada de hipótese do Candelabro, essa teoria sugere que em cada lugar o *Homo erectus* aos poucos se tornou por completo o *Homo sapiens*, desenvolvendo-se independentemente em várias regiões diferentes, mais ou menos ao mesmo tempo. No entanto, muitos acadêmicos discordam dessa hipótese e defensores da chamada teoria da Arca de Noé argumentam que nossos ancestrais imediatos evoluíram apenas na África e se espalharam de lá para outras partes do mundo. De acordo com essa visão, a população anatomicamente moderna que apareceu na Europa no início do Paleolítico Superior não era descendente dos neandertais, nem se desenvolveu na Europa. O antropólogo Brian Fagan acredita que os neandertais europeus não estavam na linha direta de evolução para os humanos modernos. Na visão dele, os neandertais foram extintos, superados por um novo mundo da Idade da Pedra, que se desenvolvia rapidamente.[8]

Então, em 1987, uma nova e controversa teoria sobre nossas origens foi proposta por uma equipe de bioquímicos em Berkeley, Califórnia. Com base no índice de mutação genética na mitocôndria do DNA, a nova teoria concluiu que todas as pessoas da Terra hoje podem rastrear sua ancestralidade até uma única mulher, logo apelidada de Eva, que viveu na África por volta de 200 mil anos atrás. Portanto, de acordo com a hipótese Eva, nossos ancestrais diretos, que surgiram na Europa no início do Paleolítico Superior, eram descendentes dessa fêmea africana, a mãe de todos nós – o mais recente ancestral comum a toda humanidade atual.[9]

Essa nova população tornou-se cada vez mais numerosa em poucos séculos e os neandertais desapareceram por completo. O que separa a nossa linhagem dos neandertais é a nossa capacidade para a criatividade e a inventividade. De acordo com Randall White: "Desses povos, herdamos a aptidão para falar e compreender a linguagem simbólica, a capacidade de controlar e ajustar o comportamento de acordo com uma estrutura de normas e valores compartilhados, a habilidade de imaginar coisas que nunca foram vistas e a habilidade de externar dotes físicos em forma de instrumentos".[10]

As várias glaciações ocorreram pela última vez durante o Paleolítico Superior. No decorrer desse período a população humana expandiu-se para a maior parte das áreas habitáveis do mundo, incluindo o que é agora a América do Norte, a América do Sul e a Austrália. Esses povos criaram uma vasta gama de inovações tecnológicas. Muitas invenções importantes apareceram nessa época, inclusive agulha e linha, roupas de pele, ferramentas de pedra e osso com empunhadura, o arpão, o atirador de lanças e equipamentos de pesca. Escavações arqueológicas mostram, pelo menos a partir de 27000 a.e.c., a existência de habitações humanas que consistiam em casas em covas subterrâneas e cabanas feitas de peles, ossos de mamute, madeira, barro e pedra como abrigo contra o vento e a neve.

As sociedades foram reorganizadas em grupos maiores e mais complexos, que viajavam com menos frequência e por distâncias mais curtas. Ocorreram mudanças no tipo de comida que as pessoas comiam e na forma como elas conseguiam seu alimento. De suma importância e interesse é o aparecimento súbito e abrangente de estatuetas, pinturas, esculturas, entalhes, instrumentos musicais, como apito e flauta de osso, bem como outros artefatos que refletem um desenvolvimento criativo da arte, da dança, da cerimônia e do ritual.[11]

Como não há registros escritos desses povos da Era do Gelo, as evidências das suas crenças permanecem nos artefatos encontrados nas ruínas dos seus locais de moradia em toda a Eurásia, desde os Pirineus na Europa Ocidental ao Lago Baikal, na Sibéria. Informações adicionais sobre seus valores são encontradas nas esculturas de rocha e nas inúmeras pinturas descobertas nas paredes de cavernas escondidas nas regiões de florestas e montanhas do nordeste da Espanha, sudoeste da França e sul da Alemanha e da Tchecoslováquia.[12]

As evidências arqueológicas indicam que os povos que apareceram subitamente no início do Paleolítico Superior demonstravam reverência pelo feminino. Centenas de pequenos amuletos e imagens femininas esculpidas, entalhadas e gravadas, datando de pelo menos 25000 a.e.c., foram descobertos em sítios por toda a Eurásia. Essas estatuetas, que se tornaram conhecidas como figuras de Vênus, enfatizam as partes do corpo feminino associadas à sexualidade e à fertilidade. Elas retratam imagens da deusa/de mulheres sem rosto, de seios fartos e corpos exuberantes.

Além disso, milhares de amuletos de seios, vulvas e nádegas que datam de uma época até anterior foram encontrados em camadas ocupacionais* das eras pré-históricas. A pesquisadora Marija Gimbutas mostra de que maneira esses artefatos, considerados em sua totalidade, representam o poder das mulheres como doadoras da vida, da fertilidade e do nascimento. A continuidade e a proliferação dessas imagens provam a persistência do culto à Deusa por quase 30 mil anos.[13]

De acordo com o nosso modelo de ciclo de lunação da Deusa, no início do Paleolítico Superior o princípio feminino em evolução deu vida a uma

---

* Camada ocupacional é a camada com restos deixados por uma única cultura e a partir dos quais a cultura pode ser datada ou identificada. (N. do T.)

perspectiva que iria desenrolar-se ao longo do curso de 40 mil anos de seu ciclo de vida. Essa perspectiva deveria ser realizada e expressa durante o desenvolvimento do *Homo sapiens*, que apareceu na Europa nessa época. O cerne dessa perspectiva inicial era uma reverência pelo mistério dos poderes doadores de vida do universo e uma intenção de decifrar os segredos de como a vida é criada, mantida e regenerada. Essa veneração pela vida incluía não apenas humanos, mas também plantas, animais, a terra sobre a qual todos eles viviam e os céus, que os ligavam ao universo.

Essa reverência pela força da vida levou a uma reverência pelas mulheres. Embora existam evidências de que os povos mais antigos compreendiam o papel dos homens na procriação, eram as mudanças no corpo feminino – que parecia criar e nutrir a vida – que exemplificavam o mistério. O feminino foi assim honrado por sua aparentemente milagrosa habilidade não apenas de parir uma nova vida da sua vulva, mas também de alimentá-la e nutri-la com leite produzido em seus seios. Além disso, as mulheres podiam sangrar sem terem sido feridas, curarem-se a cada lua e seu sangue menstrual continha o poder de regenerá-las e aos outros.

Com os mistérios do nascimento e da vida, que eram celebrados com reverência pelos nossos primeiros ancestrais, os da morte e da ressureição eram venerados. Seus costumes funerários apontavam para sua crença na vida após a morte. Eles enterravam seus mortos cerimonialmente, em geral sob o solo de seus locais de moradia, cercavam os corpos com búzios em formato de vagina e os adornavam com ocre vermelho para simbolizar as vívidas qualidades do sangue. Desse modo, o povo do Paleolítico esperava que eles pudessem trazer de volta a força vital para os mortos e levá-los ao renascimento.

O corpo da terra também era visto como feminino, com pares de montanhas representando seus seios, os vales como sua vulva, as cavernas como sua vagina e os rios representando o caminho por onde passa seu sangue. Os santuários originais foram construídos nesses locais sagrados que prestavam homenagem aos poderes sexuais mantenedores da vida da Mãe Terra. E a lua que circulava pelos céus, marcando o ritmo dos ciclos menstruais das mulheres, era adorada como a Deusa exibindo os aspectos divinos do feminino.

Para os povos pré-históricos, a capacidade de garantir um suprimento estável de alimentos determinava se a vida poderia ser mantida ou não. E, por isso, parte da busca pelo princípio feminino evolutivo era a procura por meios pelos quais se pudesse manter a energia vital ativa e contínua. O corpo feminino continha o segredo para produzir o alimento para a criança pequena; qual era a chave para desvendar o mistério do organismo terrestre e produzir a mesma e relativamente previsível fonte segura de alimento a fim de sustentar seus filhos humanos adultos? Os avanços tecnológicos na primeira metade do Paleolítico eram focados em inventar e aperfeiçoar utensílios para melhor caçar, tirar a pele e preparar os animais, sua fonte primária de alimento.

A REALIZAÇÃO E A COLHEITA DA DEUSA EM EVOLUÇÃO: A DESCOBERTA DA AGRICULTURA A fase de realização do ciclo de lunação da Deusa ocorreu por volta de 11000 A.E.C. Naquela época, a descoberta do segredo da agricultura e a invenção da culinária, transformando a semente em grão e depois em pão, eram atribuídas às mulheres.[14] A capacidade de produzir comida em vez de somente caçar e colher foi o ápice do ciclo da Deusa. Essa conquista levou a um período de colheita durante a Era Neolítica, no qual a civilização poderia ser criada. Isso foi o clímax e a principal contribuição da cultura da Deusa para a evolução da humanidade – a agricultura, que erigiu uma fundação sobre a qual as civilizações futuras poderiam ser construídas.

A perspectiva que é registrada na arte e nas cerimônias dos povos do Paleolítico Superior é a de uma reverência pela criação da vida incorporada na natureza sagrada da terra, da lua e do feminino. A compreensão cíclica da realidade também incluía o mistério da morte e a promessa da renovação, em que o adubo em decomposição proporcionava o solo fértil onde a energia vital adormecida pode ser regenerada.

Essas crenças se tornaram a base para o culto à Grande Deusa durante a Era Neolítica. O período Neolítico, no qual os primeiros vilarejos estabelecidos que se transformaram em culturas florescentes e prósperas foram desenvolvidos, corresponde à fase da colheita do ciclo de lunação da Deusa. Os principais temas da toda-poderosa Deusa Tríplice Neolítica podem ser identificados nas primeiras imagens e nos símbolos do feminino esculpidos em osso, marfim e pedra, que apareceram pela primeira vez há 35 mil anos na aurora do Paleolítico Superior.[15]

O Ciclo de Lunação da Deusa

Agora que tivemos uma visão geral das fases do ciclo de lunação da Deusa, da nova ao quarto minguante, podemos investigar mais a fundo cada subera específica. Vamos ver como os estágios progressivos de desenvolvimento dos povos do Paleolítico Superior refletiam o desdobramento do ciclo das fases lunares.

FASES NOVA E CRESCENTE: O PERIGORDIANO INFERIOR Na Figura 3.6, podemos ver que a primeira subera do Paleolítico Superior, o Perigordiano Inferior (35000 – 28000 A.E.C.), aproxima-se das duas primeiras fases do ciclo de lunação. Ele corresponde às fases nova e crescente, quando a perspectiva da vida nova explode da cápsula da sua semente e emerge na superfície do solo. Os primeiros representantes das novas espécies foram chamados de homem de Combe Capelle e se assemelhavam às raças de ossos menores que habitam o Mediterrâneo no mundo de hoje. Essa subera é caracterizada pela invenção da lâmina de sílex ou pederneira e outras ferramentas específicas, assim como os primeiros instrumentos musicais, por exemplo, a flauta. Os objetos de arte mais antigos foram descobertos nos locais de habitação desse período. Eles incluíam dúzias de imagens gravadas e esculpidas de seios femininos, vulvas, nádegas e pequenas estatuetas da Deusa.

Uma das mais antigas dessas estatuetas, a "Vênus de Willendorf", datando de 33000 A.E.C., foi descoberta na Áustria. Ela está nua, com seios pendentes e uma barriga volumosa; e é marcada com traços de ocre vermelho simbolizando a doação de vida ou o sangue menstrual. Na arte paleolítica, a sexualidade retratada na imagética não é feita com propósitos eróticos ou obscenos, mas sim como um símbolo da força vital geradora. Nesse ponto do desenvolvimento da perspectiva inicial, a grande Deusa Mãe e suas representantes terrestres, as mulheres, eram compreendidas como a própria fonte dessa energia vital.

O Quarto Crescente e a Gibosa: o Aurinhacense e o Perigordiano Superior   Em nossa analogia, na fase do quarto crescente do processo cíclico a perspectiva cria raízes firmes, ancorando sua energia vital. A fase do quarto crescente do ciclo de lunação da Deusa teria começado por volta de 28000 A.E.C. Essa é, na verdade, a data determinada pelos estudiosos da pré-história para a segunda principal subera do Paleolítico Superior, o período Aurinhacense (28000 – 21000 A.E.C.); e a terceira subera, o Perigordiano Superior (21000 – 18000 A.E.C.), que abrange as próximas duas fases lunares, o quarto crescente e a crescente gibosa. Os homens de Cro-Magnon, altos, de ossos largos, poderosos e parecidos com os atuais norte-europeus, tornaram-se predominantes durante esse período. Eles desenvolveram a primeira faca de dorso reto e transformaram a lâmina de sílex em um cinzel chanfrado, que ajudou a criar toda uma nova série de ferramentas feitas de ossos e chifres de animais.

Os achados arqueológicos encontrados nesse período indicam a presença de muitos pedaços de osso, chifre, marfim e pedra entalhados, riscados e decorados. Alexander Marshack acredita que essas marcas são de notação e representam dispositivos de contagem de tempo. Em sua exaustiva pesquisa, Marshack explora a possibilidade de que esses objetos incisivos serviam para acompanhar o tempo usando um calendário de fase lunar. Ele depois especulou que eles também indicam uma estrutura para as estórias e mitologias dos seus rituais, que eram baseados nos ciclos lunar e sazonal.[16]

A "Mãe Terra de Laussel" (cerca de 25000 A.E.C.) é uma escultura em baixo-relevo da subera Aurinhacense esculpida em uma placa de calcário na entrada de um abrigo rochoso na Dordonha, França. Ela tem uma barriga volumosa, indicando que está grávida; sua mão esquerda aponta para sua vulva e na mão direita ela segura um chifre de bisão entalhado, que pode representar a lua crescente, símbolo de vida nova. As treze linhas talhadas no chifre podem indicar os treze meses do calendário lunar, bem como o registro lunar de uma gravidez mostrando que a concepção aconteceu no décimo quarto dia depois da época de lua de uma mulher.

TRANSIÇÃO DA CRESCENTE PARA A MINGUANTE Durante o quarto crescente do ciclo de lunação, que se desdobra da lua nova à lua cheia, a semente que é liberada como uma ideia desenvolve sua forma estrutural. Algo cresce de maneira espontânea e se desenvolve por existir uma necessidade orgânica daquilo que a semente pode potencialmente se tornar. A proliferação de imagens femininas dos povos aurinhacenses-perigordianos demonstra uma conscientização cada vez maior de como a nova vida emerge do corpo feminino e uma habilidade crescente em expressar seus conhecimentos em imagens simbólicas artísticas. As capacidades de parir, nutrir e renovar, inerentes ao princípio feminino em evolução, eram celebradas e exaltadas.

Durante a segunda metade minguante do ciclo de lunação, que vai da lua cheia e de volta à lua negra, o sentido é infundido na forma e a perspectiva se concretiza. As duas últimas suberas do Paleolítico Superior, a Solutrense (18000 – 14000 A.E.C.) e a Magdalenense (14000 – 10000 A.E.C.), correspondem aproximadamente à escala de tempo entre as fases da lua cheia e da lua disseminadora (lua balsâmica). Essas fases refletem os estágios em que a perspectiva inicial floresce e frutifica. A cultura magdalenense tem sido descrita por arqueólogos como a Era de Ouro do Paleolítico, um "auge da verdadeira cultura na história da humanidade".[17] (Em outros sistemas de datação, o período magdalenense começa por volta de 18000 A.E.C.)

AS FASES DA LUA CHEIA E DA LUA DISSEMINADORA: O SOLUTRENSE E O MAGDALENENSE O clima da cultura solutrense era intensamente frio, e a vida estável dos habitantes anteriores nas temperaturas mais quentes da Era Aurinhacense-Perigordiana deu lugar a caçadores nômades que seguiam os rebanhos migratórios. Existem alguns indícios de que esse período era dominado por caçadores de cavalos do norte que invadiram a Europa pelas pradarias abertas e que tais povos eram uma raça guerreira. Essa época é conhecida pelos mais finos exemplares de artesanato em pedra do Paleolítico da Europa Ocidental, como as ponteiras em forma de folha de louro.

105

No período Solutrense, de lua cheia, a analogia com as fases de lunação inicialmente se torna delicada porque existem poucas evidências de estatuetas da deusa datadas dessa época. Na verdade, exemplos de arte em todo o período Solutrense são raros; eles consistem basicamente em incisões em baixo-relevo em placas de pedra. Entretanto, o que começou a proliferar foram as pinturas em cavernas profundas que retratavam animais com casco e chifres, como o bisão, o touro e o búfalo. Os vários animais representam o princípio masculino de vitalidade e eles eram desenhados com formas belas e movimentos fluidos e graciosos. Pesquisas recentes sugerem que alguns desses animais retratados nas pinturas das cavernas estavam prenhes e calendários entalhados em ossos registravam os ciclos da gravidez desses grandes animais.

No processo cíclico, a fase da lua cheia corresponde à união com o outro. Nos ciclos menstruais das mulheres, ela é análoga à ovulação, quando há as condições perfeitas para a fertilização. De modo similar, é necessário polinizar a flor desabrochando para que ela dê frutos. Eu apresento a hipótese de que o princípio feminino em evolução no modo de pensar dos povos aurinhacenses-perigordianos, que tinham exaltado os símbolos da sexualidade feminina na criação de milhares de estatuetas da deusa, estivesse agora, na lua cheia do estágio solutrense, fertilizado e impregnado pelo princípio masculino representado pelo simbolismo dos animais na arte das cavernas. Dentre as imagens mais antigas estão a de mulheres grávidas dançando com os animais, e alguns deles estão prenhes também. Gravada sobre um pequeno pedaço de osso de rena há uma cena mostrando as patas traseiras e o falo de uma rena sobre uma mulher grávida nua, deitada de costas.

A última cultura do Paleolítico Superior, a magdalenense, corresponde à fase de frutificação do ciclo de lunação. A magdalenense é conhecida como uma era dourada, a riqueza e a diversidade de notáveis formas de arte atestam esse pináculo no desenvolvimento da arte pré-histórica. A característica mais marcante dos magdalenenses era a magnífica arte de caverna na qual os grandes animais – o bisão, o cavalo, a rena, o mamute, o boi-almiscarado, a cabra-montês e o cervo – eram exaltados em pinturas, gravuras e esculturas.

Os pesquisadores ainda não penetraram por completo no significado e no propósito da arte das cavernas, mas especula-se que as cavernas fossem seus templos religiosos, não seus locais de moradia. Muitas das pinturas foram feitas em lugares remotos, quase inacessíveis, como bordas de penhascos e recôncavos em esconderijos. Apenas próximo ao fim desse período a arte da caverna emergiu para fora das entradas e dos interiores de abrigos rochosos, lugares iluminados pela luz do dia.

Andre Leroi-Gourhan, uma autoridade em arte das cavernas e símbolos da Europa da Idade do Gelo, sugere que as pinturas nas cavernas eram organizadas de acordo com algum plano preconcebido. Elas transmitiam crenças e contavam uma estória cujo significado era claro tanto para os criadores quanto para os que viam a arte. Ele ainda sugere que existia uma estrutura sexual subjacente que dividia os vários sinais e animais em grupos masculinos e femininos. Os símbolos masculinos incluíam setas, traços curtos, pontos e o cavalo, a cabra, o cervo e a rena; os símbolos femininos incluíam o triângulo, o retângulo e formas ovais, como as vulvas, o bisão, o boi e o mamute.

Certos animais/sinais foram associados de maneira consistente com outros animais/sinais. Por exemplo, o cavalo era quase sempre acompanhado pelo bisão. Os sinais e animais masculinos apareciam nas entradas, nos corredores e nos recôncavos das cavernas, enquanto os pares macho/fêmea dominavam as grandes câmaras centrais. Leroi-Gourham propõe que essa estrutura indica que o povo magdalenense tinha uma visão filosófica e religiosa do mundo dividido em dois princípios opostos complementares, e essa visão se tornaria o fundamento para muitas das grandes religiões baseadas em princípios similares de dualidade.[18]

Na cosmologia da Terra como mãe viva e sagrada, as cavernas eram vistas como sua vagina, que unia o útero interno ao mundo externo. Acreditava-se que elas eram passagens entre o reino dos mortos e não nascidos e o mundo dos vivos. No fundo de suas reentrâncias, o óvulo feminino e o esperma masculino foram fundidos e a vida foi concebida. Por isso as cavernas eram os locais perfeitos para os ritos iniciáticos que revelavam os grandes segredos do nascimento e da morte.

Alguns pesquisadores acreditam que os sinais e símbolos abstratos que acompanham a arte das cavernas são inscrições em uma linguagem escrita antiga, o que implica que os magdalenenses eram um povo letrado.[19] No meio do período, foram descobertos um rico e espetacular conjunto de pequenos objetos portáteis e elaboradas ferramentas especializadas de osso e chifre. Oitenta por cento de toda a arte conhecida do Paleolítico Superior data do período Magdalenense e diversas imagens femininas ressurgiram nessa época.

Muitos pesquisadores da pré-história, conceitualizando fora da mentalidade patriarcal, veem os povos pré-históricos como agressivos, primitivos e bárbaros, dando-lhes rótulos como "o homem caçador", "o homem ferramenteiro" e "o macaco assassino". São esses historiadores que também negam a arte paleolítica como totemismo e magia simpática. Eles sugerem que as estatuetas e os amuletos femininos eram simplesmente fetiches erótico-pornográficos de um culto à fertilidade e que as pinturas de animais nas cavernas eram um auxílio nas caçadas. Esses pontos de vista são irreais, já que os animais são retratados em atitudes pacíficas, sem nenhum sinal de ferimento ou armas mortais. As incisões em ossos e marfim que antes foram descritas como lanças, arpões e flechas de espinhos agora são interpretadas como plantas, não como armas.[20]

Descobertas arqueológicas recentes, quando vistas de uma perspectiva feminina, cíclica, sugerem que as figuras de Vênus e as pinturas das cavernas dos povos do Paleolítico Superior eram parte de sua arte sagrada. Essas imagens desempenhavam um papel intrínseco nos seus rituais e cerimônias que honravam os princípios feminino e masculino como manifestados na humanidade, a terra, os animais e as plantas, o sol e a lua e toda a vida senciente que participava do grande mistério.

Por volta do fim do Paleolítico Superior, a Idade da Pedra Lascada, a humanidade tinha inventado a maioria dos seus artefatos fundamentais; eles aprenderam a criar abrigo e roupas quentes, tinham armas finamente trabalhadas e estavam bem equipados para caçar os animais mais poderosos. Na sua cosmologia, os símbolos-chave que carregavam um significado subjacente da religião da Deusa, já estavam explicitados na arte e no ritual da

Idade do Gelo. O referencial do mito da fêmea sagrada que evolui para a Grande Deusa da cultura neolítica já estava em vigor.[21]

TRANSIÇÃO: O MESOLÍTICO   Um curto período de transição, chamado Mesolítico (10000 – 8000 A.E.C.), fez a ponte entre a Antiga (Paleolítico) e a Nova (Neolítico) Idades da Pedra. As habilidades, o folclore e a tradição trazidos pelo Paleolítico Superior (que incluía o conhecimento sobre o acasalamento, a migração, o parto, a germinação e a frutificação), bem como o uso notacional e simbólico e a narrativa de estórias, iriam se desenvolver drasticamente em poucos milhares de anos nas verdadeiras escrita, astronomia, pecuária, agricultura, aritmética e em uma religião comparada e uma mitologia altamente organizadas.[22] Foi durante esse período transicional que o ciclo de lunação da Deusa alcançou seu ápice e a semente deu seus frutos.

No fim da última Idade do Gelo, por volta de 10000 A.E.C., as geleiras diminuíram e o clima esquentou. As manadas de cavalos e renas seguiram o gelo em direção ao norte e muitos magdalenenses foram atrás. Existe alguma especulação de que esses povos magdalenenses, ao darem continuidade à sua cultura nos climas mais frios, foram os ancestrais das "hordas do norte", liderando as invasões patriarcais para o sul da Europa, a Ásia Menor e a Índia nos terceiro e quarto milênios A.E.C. No décimo milênio A.E.C., a cultura dos magdalenenses na Europa declinou. Aqueles que ficaram para trás tornaram-se conhecidos por outros nomes e essas culturas deram início ao Mesolítico – a Média Idade da Pedra, que se estendeu pelos próximos dois milênios (10000 – 8000 A.E.C.). O clima mais ameno e úmido permitiu que uma flora e uma fauna abundantes se desenvolvessem nas florestas, nos mares e oceanos; e esse novo meio ambiente preparou o cenário para mudanças radicais no estilo de vida da humanidade.

Cercado por um suprimento de comida maior e mais facilmente acessível, os povos mesolíticos fizeram enormes melhorias nas técnicas de caça e coleta de alimentos. Eles estabeleceram os primeiros assentamentos de um ano de duração; aprenderam como secar os excedentes de peixes e carnes e a estocar outros alimentos, como sementes, nozes, frutas silvestres e frutas que apareciam sazonalmente em certas localidades.

Nesse momento, como o povo mesolítico tornou-se cada vez mais envolvido no ciclo vegetativo dos alimentos selvagens, seu entendimento aumentou. Foi um pulo para a mais decisiva conquista na história humana – a descoberta da agricultura. Eles perceberam que poderiam plantar as sementes de gramíneas silvestres e cultivar aquelas sementes até se tornarem planta, que eles poderiam, então, colher e estocar. Essas são sugestões de agricultura simples que começou a ser praticada de forma primitiva. Em um antigo sítio de caverna dessa era, arqueólogos encontraram os restos de 10 mil miniaturas de facas cobertas com resina de ervas que eram usadas para cortar a relva. Almofarizes e pilões usados para moer grãos foram descobertos por perto, assim como restos carbonizados de fogueiras nas quais pão era assado.[23]

A *descoberta da agricultura é o fruto da semente da perspectiva que foi germinada no começo do Paleolítico Superior*. Vinte e oito mil anos depois, o princípio feminino em evolução iniciou um novo ciclo de crescimento, a reverência pelos poderes da Grande Deusa de dar à luz e de nutrir a vida gerou o segredo de uma fonte de alimento estável e previsível vindo do corpo da própria Mãe Terra.

A Fase do Quarto Minguante: a Revolução Neolítica A fase do Quarto Minguante do processo cíclico corresponde à colheita da safra. No ciclo de lunação da Deusa, ele data de 8000 a.e.c. Esse é o espaço de tempo que os historiadores citam como os primórdios do Neolítico, a Nova Idade da Pedra. As culturas neolíticas desenvolveram e refinaram a arte da agricultura e começaram a domesticar os animais de criação. Livres da existência imprevisível e seminômade de ter que caçar e coletar o alimento para sobreviver, os povos neolíticos estavam aptos a permanecer fixos em uma localidade e a produzir e estocar sua comida. Uma vida mais estabelecida e um suprimento estável de comida proporcionou às pessoas tempo livre para engajar-se em outras atividades – religião, política, negócios, ciência e artes; resumindo, para criar a civilização. Esse momento decisivo na história da humanidade é conhecido como a Revolução Neolítica.

Riane Eisler escreve que todos os lugares onde os primeiros grandes avanços em tecnologia material e social foram feitos têm uma coisa em comum: o culto à Deusa.[24] No entanto, a Deusa e as mulheres desempenhavam um papel muito maior do que apenas o de mãe e fonte de alimento. As primeiras descrições de deusas, que vão desde a Grã-Bretanha celta a Grécia, Roma, Oriente Médio e Índia, descrevem-nas como as portadoras da civilização.

Os especialistas em pré-história estão agora começando a dar crédito às mulheres pela descoberta da agricultura e pela invenção da culinária. Eram as mulheres que plantavam a semente; cuidavam, colhiam, descascavam e trituravam o grão; e o assavam, transformando-o em pão. Sementes de inúmeras plantas foram cultivadas; e foram as mulheres que aprenderam a fiar as fibras de linho e algodão, acrescentando pelos e lã dos seus animais domésticos, e a tecer as tramas produzindo os tecidos. Elas também aprenderam a tornar a cerâmica durável assando-a em fornos.

A tecelagem e a cerâmica eram consideradas dádivas da Deusa e se tornaram veículos para o desenvolvimento de novas formas artísticas. Oficinas que incluíam teares e fornos foram descobertas em santuários da Deusa. Os templos da Deusa eram os depósitos originais para grãos e mel, as recompensas pelas oferendas da humanidade à Mãe Terra. As sacerdotisas desses templos desenvolveram um sistema de notação e matemática para registrar a distribuição dos alimentos aos membros da comunidade. E como elas resolviam disputas, as sacerdotisas da Deusa também lançaram as bases para a lei e a justiça.

Na virada do ciclo de lunação da Deusa, podemos ver que essa Deusa neolítica que prosperou durante as mudanças revolucionárias anunciadas pela descoberta da agricultura foi a culminação de uma crescente conscientização refletida nas primeiras estatuetas femininas da arte paleolítica. Trabalhando com um sistema contextual diferente, Alexander Marshack chega a uma conclusão parecida. Ele pergunta: "Será que as origens da 'deusa mãe' agricultora, em vários níveis determinante do tempo, aparecem no Paleolítico Superior, milhares de anos antes da agricultura? Poderia o folclore do tempo determinado e os ritos da 'deusa' serem uma das linhas cognitivas e intelectuais que prepararam o caminho e levaram à agricultura?".²⁵

Ele prossegue dizendo:

> Então é possível [...] que a deusa com chifre ["Mãe Terra de Laussel"] seja uma precursora das versões agrícolas posteriores do Neolítico. Ela era a deusa chamada "Amante dos Animais", tinha uma mitologia lunar e era associada aos seus sinais, símbolos e atributos, incluindo o crescente lunar, o crescente de chifres de touro, o peixe, intercessões de águas, a vulva, o seio nu, a planta, a flor, o pássaro, a árvore e a cobra. Essa deusa posterior foi associada em uma estória com um consorte ou um parceiro que também era parte da mitologia sazonal e do calendário, um caçador de touro e leão, cervos e cabras, assim como de animais míticos estando em labirinto, profundezas ou no céu. Na estória ele era, em geral, o "sol" para a deusa "lua". Essas culturas posteriores também retratavam imagens de homens e mulheres em atitudes de reverência, com os braços erguidos em direção a deus, ao céu ou a imagens de animais. Elas também apresentam imagens de caçadores ocupados em caçadas, matanças ou combates mitológicos e cerimoniais.²⁶

Uma perspectiva inicial do princípio feminino como a fonte, a mantenedora e regeneradora da vida liberada na fase de lua nova no início do Paleolítico Superior, agora na fase de colheita do quarto minguante do Neolítico, desenvolveu-se em um complexo conjunto de crenças religiosas. Três quartos ao redor da extensão do ciclo de lunação da Deusa, as pessoas podiam agora ver a conexão vital entre o mistério da vida, o papel das mulheres como parideiras, nutridoras e renovadoras; e a terra e a lua como o feminino sagrado. Os povos neolíticos assimilaram essas crenças sobre a natureza da realidade e as expressaram por meio da criação da sua arte, cultura, civilização e religião, que venerava a Deusa, mulheres, a terra e a lua como manifestações simultâneas da Mãe toda-poderosa.

Nas ruínas dos primeiros assentamentos do Neolítico, como Jericó (9500 A.E.C.), Çatal Hüyük (6500 A.E.C.), Halicar (5600 A.E.C.) e o sudeste da Europa (7000 A.E.C.), são encontrados numerosos testemunhos do culto à Deusa. A arquitetura dos lugares, não fortificados e construídos em formas femininas, os inúmeros santuários, as estatuetas votivas, a arte e os artefatos – tudo indica que o povo neolítico tinha uma relação profunda e decisiva com a Deusa. Como a fonte criativa, o princípio feminino se expressava não apenas como a que dá à luz e sustenta os filhos e seu alimento, mas também como a que dá à luz os filhos mentais e criativos. A reverência a ela inspirou uma onda de pinturas, esculturas, cerâmica, tecelagem, música, dança, canto, poesia e estórias que cantavam louvores a ela. A tremenda demonstração de criatividade que arqueólogos como Marija Gimbutas documentaram em estatuetas e artefatos encontrados na Velha Europa entre 9000 e 4000 A.E.C. atestam o exuberante e próspero período de colheita do ciclo de lunação da Deusa.[27]

Como as atividades e manifestações da Deusa se tornaram numerosas e diversas, ela começou a ser conceitualizada em uma forma tripla, refletindo as três fases da lua e os três mundos – céu, terra e submundo. Multifacetada, ela presidia toda uma miríade de mostras da sua essência criativa. Aclamada como Senhora das Coisas Selvagens, ela era muitas vezes retratada como amante dos animais, rodeada por selvagens leões, lobos, cervos, serpentes, pássaros e ursos que lembravam a Deusa com animais das pinturas das cavernas no período Magdalenense. A íntima relação da Deusa do Paleolítico com os animais machos evoluiu na Era Neolítica para o jovem deus de casco e chifres, Rei dos Cervos, que se tornou seu filho, amante e consorte.

Embora o princípio feminino fosse o principal, a importância do princípio masculino também era reconhecida. A fusão das energias masculina e feminina, ressonante nos ritmos cíclicos de nascimento, morte e renovação, foi incorporada a um conjunto de cerimônias e rituais que eram celebrados nas principais transições nos calendários lunar e sazonal. Uma religião se desenvolveu, simbolizada na Roda do Ano que descreve o ciclo solar anual, no qual o jovem deus que morre e ressuscita, sendo conhecido em várias culturas como Tammuz, Adônis, Dumuzi, Baal e Dionísio, também acompanhava o ciclo vegetativo da Deusa.

Nessa tradição, a Roda do Ano simboliza a estória do nascimento do Filho da Grande Mãe Lua no solstício de inverno, o surgimento da Deusa desperta como filha no Candlemas [ou Imbolc/Imbolg ou Candelária, em 2 de fevereiro no Hemisfério Norte e em 1º de agosto no Hemisfério Sul] e o crescimento deles juntos atravessando o equinócio da primavera, fazendo o mundo renascer. No Beltane [ou Bealtaine, em 1º de maio no Hemisfério Norte e em 31 de outubro no Hemisfério Sul], os amantes celebram os rituais do Casamento Sagrado e consumam sua união na fertilidade da terra no solstício de verão. No Lammas [ou Lughnasadh, em 1º ou 2 de agosto no Hemisfério Norte e em 2 de fevereiro no Hemisfério Sul], o deus maduro morre e vai para dentro do grão que é colhido no equinócio de outono. No Hallowmas [ou Samhain ou Halloween, em 31 de outubro no Hemisfério Norte e em 1º de maio no Hemisfério Sul], a fase negra do ciclo solar, a Deusa da Lua chora o sacrifício do Deus e envelhece, mas novamente ela engravida dele. O Deus renasce com o renascimento da luz do sol no solstício de inverno, o Yule [em 23 de dezembro no Hemisfério Norte e em 21 de junho no Hemisfério Sul, aproximadamente].*

As culturas neolíticas honravam os princípios masculino e feminino como cocriadores do mistério da renovação da vida. A pesquisa de Riane Eisler documenta as inúmeras sociedades nas quais pessoas de ambos os sexos coexistiam pacificamente nessa época. Quando toda a vida e todos os habitantes são valorizados, não há necessidade de qualquer pessoa, nação ou cultura impor e manter uma postura de superioridade e dominação.

Em todos os achados arqueológicos da Era Neolítica, não há evidência de guerra, violência ou crueldade em nenhuma cidade antiga. Não existem imagens de guerreiros, nenhuma cena de batalha, nenhuma arma mortal como lanças e espadas e nenhuma representação de prisioneiros ou escravos. Não há fortalezas militares. Então podemos supor que esses povos, que

---

* Entre colchetes estão as minhas notas explicativas sobre as datas dos Sabbaths Maiores. (N. do T.)

por 35 mil anos reverenciaram a Deusa ciclicamente renovável, eram pacíficos e igualitários.

Tudo isso começou a mudar com o advento da fase final do ciclo de lunação, a fase negra, que começa por volta de 300 A.E.C. Esse período de tempo é referido pelos historiadores como o início da Idade do Bronze. No Oriente Médio, as pessoas descobriram que poderiam fazer uma liga de estanho e cobre, um novo metal que produzia excelentes armas. A Idade do Bronze, no começo da fase negra do ciclo de lunação da Deusa, demarca a transição entre a queda das deusas e a ascensão dos deuses. Isso ocorreu quando os nômades patriarcais invadiram pela primeira vez as terras da Deusa neolítica.

A Fase de Lua Negra: a Morte da Deusa

No Capítulo 2, narramos os fatos que levaram à futura abolição e à morte da Deusa, a supressão das mulheres e a desvalorização da natureza e do feminino. Aqui, veremos como o ciclo de lunação da Deusa explica por que, no terceiro milênio A.E.C., o princípio feminino deixou de ser a principal influência cultural e, em seguida, o princípio masculino tornou-se a força de governo predominante na religião e na sociedade.

Como mencionado antes, a conclusão óbvia é que as culturas matriarcais que cultuavam a Deusa desde o Paleolítico Superior foram conquistadas e destruídas pelas raças guerreiras patriarcais que tinham armas melhores. A natureza dos povos que seguiam os deuses solares era inerentemente violenta, destrutiva e implacável contra os adoradores das deusas da lua? Ou é possível que haja forças maiores operando em níveis cósmicos que podem dar uma perspectiva mais ampla às monumentais mudanças que transformaram a face da Terra naquele tempo?

Partindo da nossa análise do ciclo de lunação da Deusa, propomos que o declínio da Deusa foi um fator natural de redução e retirada de energias, aspecto inerente à fase de lua negra do processo cíclico. O princípio feminino em evolução personificado no simbolismo da Deusa que tinha começado um novo ciclo de crescimento no início do Paleolítico Superior atualizou, no fim

Movimento Precessional e as Eras Mundiais

Além dos movimentos mais óbvios da Terra, chamados de rotação e translação, existe um terceiro movimento que é detectável apenas em longos períodos de tempo. Esse movimento, chamado precessão, requer 26 mil anos para completar um ciclo, é um movimento lento e oscilante do eixo de rotação da Terra. Esse movimento cambaleante, giroscópico, muito parecido com o de um pião de brinquedo, ocorre em razão de forças gravitacionais que o sol e a lua exercem sobre a matéria protuberante no equador da Terra.

Devido à precessão, o eixo da Terra, ao longo de um período de 26 mil anos, descreve um círculo no céu apontando para diferentes estrelas polares. Embora agora a nossa orientação pela estrela polar do norte celestial esteja se aproximando da estrela Polaris, na constelação de Ursa Minor, a Ursa Menor, esse nem sempre foi o caso. Em 14000 A.E.C., a estrela polar era a Alpha Cephei; em 8500 A.E.C., era a Vega; e em 3000 A.E.C., era a Alpha Draconis. No futuro, nosso eixo voltará a essas posições (Alpha Cephei em 7500, Vega em 14000, Alpha Draconis em 21500 e Polaris novamente em 28000).

A mudança de localização do Polo Norte celestial não é apenas resultado da precessão. Esse ciclo também governa a precessão dos equinócios através das doze constelações zodiacais que determinam a era mundial em que vivemos. Embora muitas pessoas tenham alguma noção das eras mundiais, cientes de que estamos entrando agora na Era de Aquário, a maioria não é familiarizada com o fundamento astronômico desse fenômeno das "mudanças de eras devido à precessão dos equinócios".

O zodíaco é um grupo de doze constelações (muitas das quais representam animais) que circundam a Terra. Elas são chamadas Áries, o Carneiro; Touro; Gêmeos, os irmãos Gêmeos; Câncer, o Caranguejo; Leão; Virgem, a Virgem; Libra, a Balança; Escorpião; Sagitário, o Centauro; Capricórnio, o Bode Montanhês; Aquário, o Portador da Água, e Peixes.

Ainda que essas doze constelações constituam apenas um pequeno segmento da abóbada de estrelas que nos envolve, elas sobressaíam com grande proeminência para os antigos astrônomos. Conforme vistas da Terra, era ao longo desse caminho das constelações do zodíaco que o Sol parecia viajar em sua jornada anual ao redor da Terra.

Esse caminho é chamado de eclíptica. Os planetas e a Lua também se movem pelas laterais da eclíptica em uma

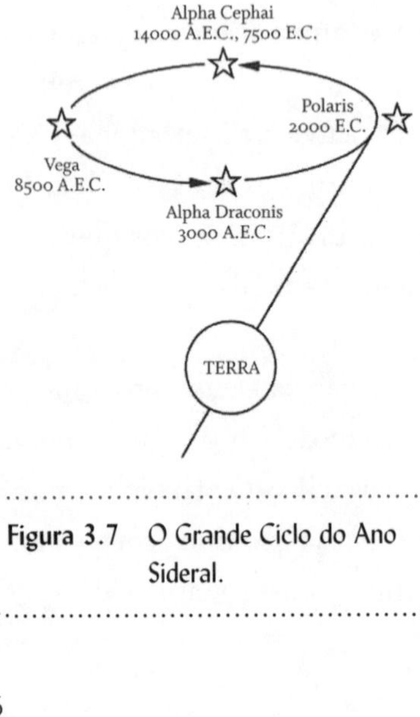

Figura 3.7 O Grande Ciclo do Ano Sideral.

faixa de aproximadamente 20 graus de largura. O povo antigo que tentava decifrar os mistérios do universo observara que a maioria dos movimentos dos corpos planetários em nosso sistema solar ocorriam no contexto das constelações zodiacais.

Para especificar a localização de um planeta ou uma estrela em particular, era necessário definir um ponto de partida para o sistema de medição.

Esse ponto de partida, chamado de equinócio vernal, é o ponto em que a eclíptica, ou o caminho do Sol, cruza o equador celeste (uma extensão do equador da Terra). Essa é a posição na qual o sol fica no primeiro dia da primavera, 21 de março [no Hemisfério Sul; 21 de setembro, no Hemisfério Norte]. O ponto do equinócio vernal é visto no cenário das constelações. Devido ao movimento precessional, o ponto do equinócio vernal também se move para o oeste no céu por todo o círculo das constelações zodiacais à velocidade de aproximadamente 50 segundos do arco por ano.

A constelação na qual vemos o equinócio vernal determina a era mundial em que vivemos. Uma vez que um ciclo completo do movimento precessional requer aproximadamente 26 mil anos, o equinócio vernal passa mais ou menos 2300 anos em cada um dos doze signos do zodíaco. O equinócio vernal tem passado pela constelação de Peixes desde a Era Cristã. Devido ao seu movimento para o oeste, o equinócio vernal vai se mover para a constelação de Aquário no início do século XXI, inaugurando nessa época a "Era de Aquário".

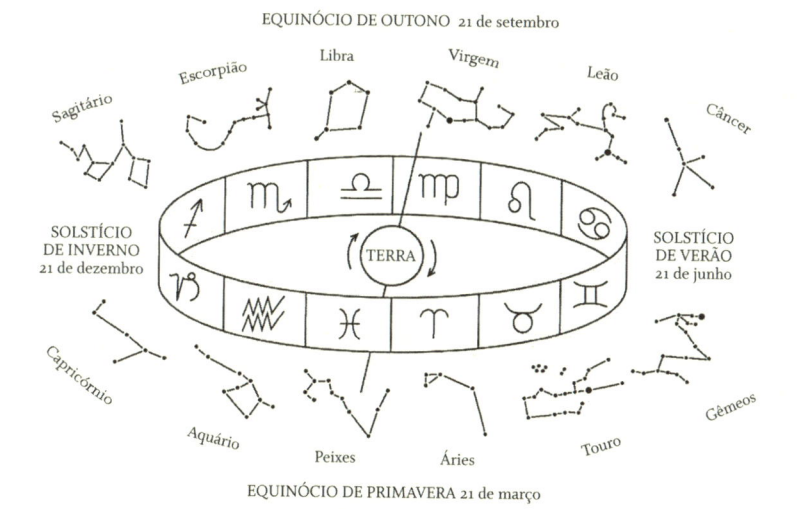

Figura 3.8 As Doze Constelações do Zodíaco como Aparecem da Terra.*

* Os doze "signos tropicais" do zodíaco, nos quais o ciclo sazonal se baseia, não devem ser confundidos com as doze "constelações siderais" do zodíaco. Uma vez que, por volta de 600 A.E.C., os signos e as constelações se alinharam. Desde então, devido ao movimento precessional, esses dois grupos ficaram separados por aproximadamente 23 graus. Isso significa que o primeiro grau do signo tropical de Áries está agora alinhado a 23 graus da constelação sideral de Peixes.

do Neolítico, a perspectiva inicial. O mistério da vida foi decodificado na relação entre as energias masculina e feminina, preparando o caminho para a descoberta da agricultura e a criação da civilização – isto é, política, comércio, as artes, lei e ciência.

Conforme visto no Capítulo 1, quando a forma atende o propósito do ciclo, é necessário deixar a velha forma ir embora. A Deusa, fiel ao seu terceiro aspecto de Deusa da Morte, encarnou seus misteriosos ensinamentos de que a destruição precede a regeneração. E então ela entrou na sua fase de lua negra, em que se retraiu e desapareceu para curar, transformar e renovar a si mesma para outra rodada de crescimento.

O terceiro milênio A.E.C. foi o período de transição crítico entre as culturas matriarcal e patriarcal. Ele marcou não apenas a fase de lua negra do ciclo de lunação de 40 mil anos da Deusa, como também coincidiu com uma mudança principal em outro ciclo de larga escala de 26 mil anos, o ciclo precessional de era. Aqui, a Era de Touro deu lugar à Era de Áries. É a justaposição de pontos de mutação em ambos os ciclos cósmicos de longo prazo que dá essa plena compreensão do que aconteceu na morte da Deusa. Esse acontecimento pode ser compreendido por meio de dois processos cíclicos – o ciclo de lunação da Deusa e o ciclo precessional de era. Antes de continuarmos a investigar o desdobramento da fase negra do ciclo de lunação, vamos divagar um pouco vendo como o declínio do feminino também pode ser explicado por outro ciclo cósmico planetário que estava acontecendo naquele momento.

O Declínio do Feminino Explicado pelo Ciclo de Era Precessional O ciclo de era precessional é derivado do lento e oscilante movimento do eixo da Terra, fazendo com que ele trace um círculo no céu que leva aproximadamente 26 mil anos para se completar. Quando ele faz isso, o eixo da Terra aponta para diferentes estrelas polares e esse movimento precessional nos proporciona as doze eras mundiais. Esse fenômeno astronômico é explicado no quadro "Movimento Precessional e as Eras Mundiais" e recorrer a ele vai ajudar o leitor a entender melhor o texto a seguir. Vamos agora examinar como o ciclo de era precessional lança luz sobre as mais importantes mudanças nas culturas dominantes na Terra, começando no terceiro milênio A.E.C.

Embora a Polaris seja atualmente nossa estrela polar do norte celestial, esse não foi sempre o caso. Em 2750 A.E.C., nosso período de tempo crítico, o eixo da Terra apontava para a estrela Alpha Draconis, também chamada Thuban, na constelação de Draco, o Dragão. Para as pessoas que viviam naquela época, essa estrela parecia ser fixa no céu enquanto a Terra parecia mover-se ao seu redor. Isso deve ter dado ao Dragão um significado sobrenatural, pois ele olhava para a Terra do alto. No Antigo Egito, Thuban era usada para determinar a orientação das pirâmides para a face norte e sua luz resplandecia diretamente nas passagens das entradas.

O Dragão é um derivado da velha Mãe Serpente. Acreditava-se que a serpente incorporava os mistérios de morte e renovação da Deusa. No antigo folclore estelar, Thuban era associada com o dragão/serpente Ladon, que protegia as maçãs douradas da imortalidade no Jardim das Hespérides. Os árabes chamavam Thuban de "A Sutil", o que a relaciona com a sutil serpente que foi a tentadora de Eva no Jardim do Éden, insistindo para que ela comesse a maçã proibida da Árvore do Conhecimento. Thuban era também conhecida como o dragão Tiamat, a antiga Deusa Mãe da Suméria (Babilônia), que foi assassinada pelo Deus Sol Izhdubar ou Marduk.

Durante a transição patriarcal, serpentes e dragões, animais que simbolizavam os mistérios da Deusa, eram considerados monstros. As histórias mitológicas dos deuses solares e heróis derrotando monstros registram as violentas batalhas e transições entre a velha ordem das deusas e a nova ordem dos deuses. Os gregos falam sobre Thuban como o dragão Tífon nascido da Mãe Terra Gaia, um feroz cuspidor de fogo e protetor das deusas antigas.

Uma lenda conta que os deuses patriarcais do Olimpo tiveram que fugir para o Egito tentando escapar da perseguição de Tífon, o flagelo da raça humana. Quando Tífon subitamente os encontrou, eles assumiram a forma de todos os tipos de animais para salvar suas vidas. Zeus se transformou em um carneiro, que Tífon ignorou completamente. Zeus, então, imortalizou o carneiro na constelação de Áries, o signo do patriarcado conquistador.

Outra estória descreve a batalha pela supremacia do universo entre os antigos deuses Titãs e a nova geração de deuses olímpicos. Afirmava-se que Minerva, filha de Zeus, enquanto lutava pelos Olímpicos, agarrou o dragão pela cauda e o arremessou para o céu. Como o dragão partiu para a cúpula das estrelas, ele ficou retorcido, emaranhado e congelou ao chegar perto do gélido Polo Norte celestial.

O Dragão/Serpente, que representa os mistérios da Deusa, circundava o fixo Polo Norte celestial durante o reinado das sociedades matriarcais dos tempos neolíticos. As narrativas míticas do período de transição descrevem como a serpente foi denunciada, derrotada e expulsa ao final das longas e violentas guerras que abrangeram a morte das deusas e a vitória dos deuses triunfantes.

ERA DE TOURO Durante o período em que a constelação celestial da Serpente/Dragão circulava no céu noturno, o ponto do equinócio vernal estava passando pela constelação de Taurus, o Touro. Esse período marcou o ápice da Era Neolítica, quando a Deusa reinava suprema. Depois de 2700 A.E.C., a orientação polar da Terra passou a oscilar para longe de Thuban e começou sua aproximação gradual de Polaris, na constelação da Ursa Menor. Em 2300 A.E.C., o ponto do equinócio vernal já tinha deixado Taurus e

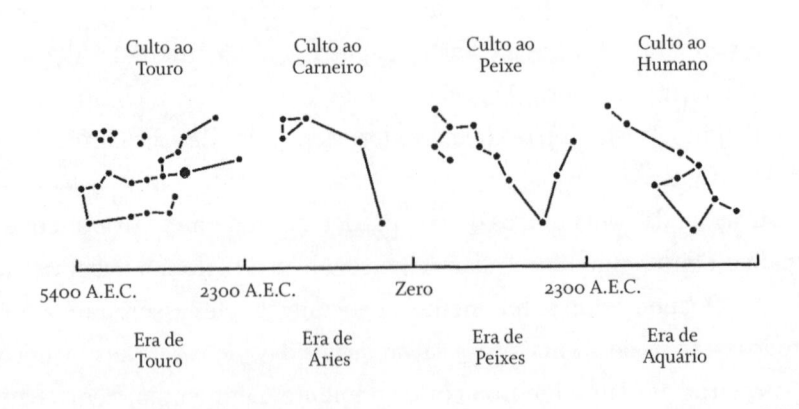

Figura 3.9 Eras Precessionais.

entrou em uma nova constelação, Áries, o Carneiro, o animal símbolo dos invasores patriarcais.

Na antiga ciência da astrologia, o signo de Touro é tido como feminino em polaridade e é o local de exaltação da lua. O signo de Áries é masculino em polaridade, é onde o sol é exaltado (isto é, quando ele alcança sua plena expressão). Além disso, Touro é regido pelo planeta Vênus, princípio de paz e harmonia, enquanto Áries é regido por Marte, princípio da guerra e da conquista.

Quando o ponto do equinócio vernal passa por cada signo zodiacal, o simbolismo daquele signo é refletido nas imagens culturais e religiosas da correspondente era mundial. Esotéricos e astrólogos explicam esse fenômeno por meio da crença de que existe um padrão inteligente no universo e os grupos de várias constelações simbolizam diferentes constructos mentais ou formas-pensamento. Quando a Terra é sintonizada com uma constelação em particular, esses constructos atuam como um filtro por meio do qual nós recebemos e interpretamos as energias universais do cosmos.

Durante a era precessional de Taurus, o Touro (cerca de 4200–2300 a.e.c.), a humanidade em todo o mundo reverenciava a Vaca Sagrada, o Bezerro de Ouro e a Novilha. Krishna apareceu na Índia difundindo o culto à vaca; os semitas adoravam o deus touro El; e em Creta era Europa, que como uma vaca dava à luz o Rei Touro Minos. Os egípcios acreditavam que o seu deus Ptah, criador de tudo, encarnou na Terra no corpo de um touro em especial, Apis. A Grande Deusa Hera era reverenciada como a rainha com olhos de vaca; Hathor, como uma vaca celestial; e por todas as ilhas mediterrâneas, Chipre, Malta e Sardenha, os povos praticavam o culto à vaca e ao touro.

Em relação aos quatro elementos (Fogo, Ar, Terra e Água), Touro está conectado ao elemento Terra. A Terra, na Era de Touro, correspondeu aos avanços na agropecuária por meio da domesticação dos bois e do crescimento das sociedades baseadas na agricultura. Os chifres do touro eram vistos como reflexos da lua crescente. Como a lua é exaltada no signo de Touro, o culto à Deusa Lua do Neolítico permeou a Terra durante essa era mundial.

ERA DE ÁRIES   O ponto do equinócio vernal começou a se mover para a constelação de Áries, o Carneiro, em meados do terceiro milênio A.E.C. Esse evento é representado no Velho Testamento quando Moisés subiu ao topo da montanha e viu a revelação de Deus na sarça ardente. Ele, então, desceu e proclamou a mudança nas eras mundiais soprando o chifre de carneiro e avisando o povo de que eles não poderiam mais cultuar o Bezerro de Ouro, mas, em vez disso, deveriam oferecer o cordeiro sacrificial para honrar os deuses.

Os egípcios instituíram o culto ao deus solar com cabeça de cordeiro, Amon-Rá; e os israelitas, ao cordeiro da Páscoa. Os gregos partiram na barca solar em busca do Velocino de Ouro e eles tinham que desafiar seus guardiães anteriores, a serpente que nunca dormia e os touros com hálito de fogo. Palas Atena, a mais elevada deusa no panteão olímpico patriarcal, vestia a armadura de um soldado com um capacete de chifre de carneiro. Mitra, o Deus Sol da Pérsia, que costumava ser chamado de Touro Sagrado, tornou-se o matador de touro. Apolo, Deus Sol na Grécia, era agora o patrono dos pastores e rebanhos.

Áries está relacionado com o elemento Fogo e com o sol ardente. Durante a Era de Áries, os cultos religiosos mudaram das deusas mães lunares para aqueles dos deuses pais solares. Áries é regido por Marte, Deus da Guerra, e esse período viu a ascensão dos reis-sacerdotes como pastores e senhores da guerra. As sociedades nômades dominantes moviam-se para destruir, conquistar e converter à força os povos indígenas agrários.

Vinte e três mil anos depois, quando o equinócio vernal entrou na constelação de Peixes, o Cristo foi o Messias que inaugurou a próxima era mundial. Ele reuniu seus discípulos pescadores e realizou seus milagres com os pães e os peixes.[28] Peixes é um signo de polaridade feminina na qual o planeta Vênus, associado com a Deusa do Amor, é exaltado. Entretanto, embora a mensagem do Cristo de amor, compaixão e rendição (todos temas piscianos) fosse propagada durante esse tempo, ela não foi completamente compreendida pelos povos da Terra. Isso aconteceu devido, em parte, ao fato de que o princípio feminino continuava a estar adormecido na fase de lua negra por toda a maior parte da Era de Peixes, enquanto a energia masculina continuava a ascender irrestritamente.

Os anos finais de uma era mundial são análogos à fase de lua negra dessa era. O período de transição entre duas eras mundiais, com muitos milhares de anos de duração, é chamado "cúspide das eras". O período por volta da morte das culturas da Deusa foi uma época de cúspide entre as eras mundiais de Touro e de Áries. Períodos de cúspide são sempre tempos de intensas mudanças, em que o velho morre para dar à luz ao novo.

A transformação também ocorre em larga escala nos níveis coletivos em que a humanidade como um todo vivencia o processo de morte e renascimento. Boa parte da morte que permeia a realidade individual e coletiva durante a cúspide das eras é sucedida pelo rápido aparecimento de formas radicalmente novas de atuar no mundo. Esse período de tempo presente, no fim do segundo milênio E.C., também é identificado como a cúspide da Era de Aquário. Estamos vivendo atualmente um período de muitas transformações globais.

Podemos ver agora a aparente morte da Deusa em um contexto do ciclo precessional das eras. O eixo da Terra apontado para a estrela na constelação da velha Mãe Serpente, sinalizando o momento para a periódica troca de sua pele e a renovação de si mesma. Então, assim como as eras mundiais mudaram do feminino Touro para o masculino Áries, as cosmologias religiosas da humanidade mudaram do apogeu do culto às deusas lunares baseadas na fertilidade da terra como mãe para a ascensão dos deuses solares, venerados como pai, que vieram do alto dos céus.

No âmbito da política, as culturas matriarcais pacíficas e agrárias deram espaço às culturas patriarcais nômades guerreiras. Como o princípio feminino se retraiu para sua fase negra final, o princípio masculino expandia-se para dar forma aos conceitos de crença da humanidade; deuses masculinos e homens elevaram-se a posições de poder em assuntos espirituais e mundanos. E na evolução do cérebro humano, a predominância da polaridade feminina, processos circulares do cérebro direito foram substituídos pela crescente ativação da polaridade masculina e das funções lineares do cérebro esquerdo. Em uma nova visão de mundo linear, a renovação cíclica era negada e a escuridão da morte se tornou temida.

Com base nessa perspectiva mais ampla de mudança precessional das eras mundiais, o declínio da Deusa no terceiro milênio A.E.C. pode ser visto como parte dos ritmos de alternância e mudança inerentes aos ciclos planetários cósmicos e, sem dúvida, a todos os processos cíclicos. Agora, vamos voltar nossa atenção para a fase de lua negra do ciclo de lunação da Deusa.

Reavaliando a Fase de Lua Negra da Deusa

Se pudermos considerar a possibilidade de que o desaparecimento da Deusa não foi apenas devido a uma destruição consciente e intencional pelo patriarcado, mas que tenha sido mais um fator do ciclo natural dela, de fases crescentes e minguantes, então muitas revelações profundas podem surgir dessa visão alternativa que prova as razões para o seu declínio. Antes de qualquer coisa, podemos entender que a destruição da cultura da Deusa foi um prelúdio necessário para a sua subsequente regeneração e esse processo foi construído dentro da sua cosmologia de morte e renascimento. Segundo, porque o conhecimento da renovação cíclica diminuiu ao longo dos anos, a violência, a brutalidade e o caos que de fato ocorreram foram a reação das pessoas em pânico ao passarem por uma fase de lua negra do ciclo feminino. E terceiro, para todas nós que carregamos o princípio feminino podermos nos libertar de nossas atitudes de vitimismo que reforçam nossa sensação de impotência.

Ao desenvolvermos esses temas, devemos ter em mente nossa compreensão do processo cíclico e dos ciclos cósmicos de longa duração. Também precisamos relembrar como é o nosso medo da escuridão que cria a dor e o sofrimento associados com nossos períodos de fase de lua negra e nossa negação que cria a sombra. Essa visão ampla pode nos ajudar a alterar nossas percepções e conclusões a respeito da morte da Deusa e a desenvolver nosso perdão e nossa compaixão à medida que participamos da perspectiva de seu renascimento.

Acadêmicas feministas estão descobrindo agora a história inicial da Deusa e tirando camadas de supressão patriarcal que negam a sua existência. Essas revelações exercem um grande impacto na consciência das mulheres e nos movimentos feministas, englobando muitas áreas de expressão, dentre elas, política, ecologia, economia, profissionalismo, educação, espiritualidade, psicologia, cura e artes. Entretanto, algumas das conclusões a que chegamos nos prendeu ao próprio sistema conceitual dualista patriarcal do qual estamos lutando para nos libertar.

Muitas pessoas concluíram que a cultura da Deusa foi destruída e que os conquistadores patriarcais forçosamente usurparam o poder e a posição das mulheres. Esse foi um ato maléfico, negativo e intencional, e a supressão dos valores da Deusa conduziu a um declínio na qualidade de vida na Terra e em nossa crise atual. Como um resultado desse desempoderamento, agora se propõe que as mulheres devem reclamar seu poder perdido e recapturar seu direito inato em todas as esferas da vida.

Na medida em que essa percepção é alimentada por raiva, vingança e retaliação, nós mantemos a tensão entre um opressor e uma vítima. A distinção entre "nós" e "eles" como separados é a causa principal de *samsara*, o termo budista para o sofrimento e a miséria que permeiam a humanidade. As forças gêmeas, de apego à autoproteção e à aversão a qualquer coisa que ameace a si, levam à criação de uma realidade hostil na qual a maioria das pessoas se sente com medo e segregada. Esse é o resultado inevitável do modo de pensar masculino e dualista do cérebro esquerdo, que nos percebe e ao nosso grupo como diferentes e melhores do que o outro com a consequente necessidade de se proteger.

Aqui, devemos reconhecer que, em um nível externo, a violência que foi injustamente infligida sobre povos pacíficos foi real, e as mulheres e o feminino de fato sofreram enormemente durante o período da supremacia patriarcal. É nossa responsabilidade para conosco, com os outros e com o bem-estar do planeta que asseguremos liberdade, justiça, igualdade e proteção às mulheres. É importante para elas virem a participar inteiramente da sociedade dominante; ter igual acesso às áreas de emprego, educação, cidadania, serviço público e vida familiar; e entrar em ação para reestabelecer os valores femininos no mundo.

No entanto, para nos reconectarmos de fato com os valores igualitários e sintetizadores da Deusa, devemos fazer uma mudança fundamental em nosso ponto de vista conceitual. As mulheres devem abandonar seus conceitos de "nós" como boas e vítimas desafortunadas e "eles" como opressores maléficos e começar a avançar no sentido de ver a unidade em toda a humanidade e vida senciente. No coração da Deusa, todos os seres são igualmente amados, aceitos, compreendidos e perdoados no grande colo da compaixão da Mãe.

Ao reivindicarmos os ensinamentos sobre o mistério da Deusa e reavaliarmos a distorção patriarcal da escuridão, aceitamos que a dissolução e a queda são estágios essenciais e necessários que preparam o caminho para a renovação. E, então, o desaparecimento e a morte da Deusa foram unos com os seus ritmos de fluxo e refluxo. Acatando o sinal da estrela na constelação da serpente, ela magneticamente retirou-se para dentro da recessiva fase de lua negra do seu ciclo.

Nos contos míticos, os gregos diziam que a Deusa da Lua, Hera, Rainha dos Céus, corria de tempos em tempos e se escondia durante o negror da lua. Ela se enrolava em roupas de luto e conduzia seus mais secretos rituais de renovação de sua virgindade. Com a lua nova, ela emergia como Anandos – a Deusa erguida que retornava para o seu povo e seu marido como virgem e noiva.

Durante a fase final de um ciclo de 40 mil anos, o princípio feminino evolutivo como a Deusa entrou em um profundo e incubatório sono. Aqui ela foi para a escuridão a fim de destilar a sabedoria do ciclo em uma nova semente. O adubo decomposto de sua cultura em desintegração proporcionou o solo fértil para nutrir as possibilidades ilimitadas do embrião em desenvolvimento. Os antigos Mistérios Eleusinos nos contam que a Criança Divina é concebida no submundo. Essa alegoria alude ao fato de que a concepção da perspectiva-a-ser-realizada no ciclo futuro ocorre na fase de lua negra do ciclo anterior.

Durante os últimos 5 mil anos desde o seu desaparecimento, a Deusa estava se preparando para o seu renascimento, regenerando seu corpo e sua mente, revitalizando suas emanações. E agora ela completou o círculo com seu recente renascimento.

A aceitação da natureza cíclica do desenvolvimento da Deusa ao longo do tempo e do espaço nos libera do julgamento de que o que ocorreu foi um erro, algo ruim e de que alguém seja culpado.

Abandonar nossas atitudes de julgamento e acusação em relação às demais pessoas pode nos ajudar a transcender a realidade dualista que nos mantém oprimidos. A solução para a paz entre indivíduos e entre nações não é política, mas espiritual. Ela envolve reconhecer que os outros não estão separados de si mesmos.[29] O passo seguinte em nosso processo é ver se podemos desenvolver quaisquer sentimentos de compaixão e perdão por aqueles que proclamaram a brutalidade e a violência que irrompeu durante a transição.

Na medida em que resistimos em deixar o velho ir e aceitar a mudança que é inevitável, nosso eu inconsciente cria uma força oposta ainda mais poderosa para nos livrar de nosso apego e nos libertar. Vamos abordar mais amplamente esse conceito no Capítulo 9. Em um contexto cíclico, a luta pela sobrevivência necessita ser equilibrada pela compreensão da impermanência de todas as coisas e uma consciência do potencial regenerativo da destruição e da morte.

Quando a Deusa se retirou, as pessoas reagiram com todo o medo e o pânico que acompanham nossos períodos de fases de lua negra, quando tudo o que nós vemos é perda e destruição das nossas estruturas de vida e identidade e não nos lembramos de que a morte do velho é a precursora do renascimento do novo. As pessoas, não mais sintonizadas com os caminhos cíclicos da Deusa, encararam seu desaparecimento como deserção e se sentiram abandonadas pela Grande Mãe. Elas não tinham a visão da mudança das eras mundiais coincidindo com a fase negra do ciclo de lunação da Deusa. Nem compreendiam totalmente que as mudanças de polaridade em seu cérebro afetavam o modo como percebiam a realidade. Elas podem ter sentido que a Deusa que as apoiava não estava mais lá. Suas sacerdotisas, apesar das preces e oferendas, não podiam invocar o oráculo da Deusa para lhes dar conselhos sadios e úteis. Seus governantes não podiam mais prover uma estrutura de segurança e proteção, nem protegê-las do brutal ataque dos invasores. Os velhos caminhos e crenças não as amparavam mais e o mundo como elas conheciam estava desmoronando.

Riane Eisler expressa de forma contundente a confusão, o medo e o horror dessa época, quando o povo estava em meio a um imenso massacre, à destruição, à supressão e à exploração.

> Em todo o mundo antigo, populações são lançadas contra populações, enquanto homens são lançados contra mulheres e outros homens. Vagando pela extensão e amplitude desse mundo em desintegração, massas de refugiados de toda parte fugiam de suas terras natais desesperados à procura de refúgio – um lugar seguro para ir. Mas esse lugar não mais existia neste novo mundo. Pois agora este é um mundo onde, tendo tirado violentamente todo o poder da Deusa e da metade feminina da humanidade, deuses e homens guerreiros passam a governar.[30]

O que poderia ter causado essa fúria direcionada contra o feminino? Talvez seja a mesma fúria que brota em uma criança que se sente abandonada ou rejeitada por sua mãe. Tudo o que sabemos é que os subprodutos venenosos de ódio moldaram uma imagem distorcida do terceiro e escuro aspecto da Deusa Lua como Mãe da Morte, uma fêmea destruidora terrível. E os povos dos novos deuses ficaram obcecados por obliterar a memória de uma mãe que os abandonou e por punir suas representantes terrenas, as mulheres, pelo ato da Deusa de os deixar.

Como as pessoas negaram e suprimiram tudo que era associado com a Deusa, esse material reprimido apodreceu no inconsciente coletivo. Ele, então, irrompeu como a sombra demoníaca, disfarçada como o grande monstro da morte, e desencadeou um reinado de assassinato e terror sobre as vidas humanas. As pessoas ficaram presas na loucura frenética que emerge quando a realidade delas está sendo destroçada e destruída, e elas passaram a lutar contra os demônios de suas projeções inconscientes.

Apanhados em uma realidade dualista, do cérebro esquerdo, os indivíduos se veem como que separados do outro, polarizados em macho contra fêmea. Os opressores brutalizaram as vítimas, cada um projetando a essência de seus próprios medos mais terríveis sobre o outro. Nossas memórias do inconsciente coletivo do horror desse tempo continuam a afetar o modo como homens e mulheres (bem como o macho e a fêmea dentro de cada pessoa, definidos pelos junguianos como *animus* e *anima*) reagem um ao outro hoje. Essa é a ferida que está procurando ser curada na próxima virada do ciclo da Deusa. Assim como a Bela tem que primeiro amar a Fera para redimi-lo, o modo de dissolver a natureza maléfica do demônio é amá-lo.

Na filosofia chinesa, a saúde de um organismo depende da integração e do equilíbrio entre *yin* e *yang*, as polaridades feminina e masculina. O princípio feminino em evolução, em 3000 A.E.C., tinha completado sua fase de desenvolvimento como entidade autossuficiente. Ela interagia com o masculino principalmente como um meio de criar e continuar o fluxo de vida. A noção de construir um relacionamento primordial com o masculino, baseada em igualdade mental, emocional e espiritual, não era uma prioridade desse ciclo de evolução do princípio feminino. Com a vinda dos deuses solares, a masculina energia *yang* (re)entrou na biosfera planetária como uma força no seu direito, estabelecendo sua presença e sua função em um todo maior. Nessa época, se tornou imperativo para o feminino se relacionar com o masculino de uma nova maneira, a fim de desenvolver formas de relacionamento interativo, cooperativo e amoroso. Isso, então, se tornou parte do cerne da semente a ser nutrida durante a fase negra e parida com o ressurgimento da Deusa.

Durante a Idade Média, a sabedoria mitológica dos antigos foi codificada nos contos de fada. A princesa humana Psiquê deve entrar em um transe parecido com a morte antes de ser transformada em uma deusa e noiva celestial de Eros. A Bela Adormecida e Branca de Neve passam pelo mesmo sono de incubação antes de serem reavivadas e trazidas de volta à vida pelo beijo do príncipe. Quando o princípio feminino em evolução entrava na sua fase de lua negra, uma das suas intenções era transformar, sensibilizar e fortalecer os canais etéricos femininos para que ela pudesse receber a força poderosa do masculino sem ser oprimida e destruída.

Os mitos repetidamente advertem que se um mortal olhar diretamente a face de uma deidade ele será queimado pelo brilho de sua luz. O conto de Eros e Psiquê fala da transformação de uma mortal, Psiquê, em uma deidade depois de ela ter atravessado o submundo e sua subsequente união em um casamento divino. Durante sua fase negra de transformação e renovação, o princípio feminino criou um novo corpo energético que permitirá a fusão e a integração com a força masculina. Nesse novo ciclo, o relacionamento consciente com o outro será um caminho para o desenvolvimento espiritual e evolutivo.

A cura das feridas que existem entre homens e mulheres está contida dentro da perspectiva inicial da Deusa Lua Nova. Essa cura também implica equilibrar a polarização entre os princípios masculino e feminino dentro de cada pessoa que busca a inteireza dentro dela ou dele mesmo. Isso também se aplica a essas polaridades ao atuar em relacionamentos *gays* e lésbicos. É importante que transformemos a mentalidade de disputa pelo poder que define nossos valores. À medida que cada indivíduo homem ou mulher, cada pessoa e o inimigo dele ou dela reconcilia as diferenças e cura as feridas, essa cura se estende para fora a fim de reconciliar as forças opostas e antagônicas que surgem de uma percepção dualista. Nesse sentido a Deusa pode restaurar o equilíbrio, a integridade e o bem-estar para a Terra e seus habitantes.

O Renascimento da Deusa

Uma antiga maldição chinesa diz: "Que você renasça em épocas interessantes". Aqueles de nós vivendo no fim do século XX,[*] sem dúvida, nasceram em um momento de uma conjuntura crítica em dois grandes ciclos cósmicos. Estamos em um ponto que fica entre o início de um novo ciclo de 40 mil anos de lunação da Deusa e o fim da era mundial pisciana de 2.300 anos; e, talvez, o fechamento de um ciclo precessional inteiro de 26 mil anos. Seguindo os passos do renascimento da Deusa, haverá o amanhecer da Nova

---

[*] Este livro foi publicado originalmente em 1992. (N. do T.)

Era – a Era de Aquário, que, segundo alguns estudiosos da astrologia, será o início de outro grande ciclo precessional.

De acordo com o astrólogo Daniel Giamario, a principal pista sugerindo o início de outra grande era precessional é baseada na crença mantida por muitas tradições de medicina e calendário que os pontos do solstício de inverno marcam fins e começos de calendários. Em 1998-1999, pela única vez em um ciclo de 26 mil anos, o ponto do solstício de inverno realizará uma precessão para se alinhar exatamente com a interseção da Via Láctea (nossa galáxia) e o Zodíaco (nosso sistema solar). (Em tradições ocultas, dizia-se que o centro galáctico era um dos portais por onde as almas partem ao deixar a encarnação.) Outro fator na sabedoria estelar que afirma determinar quando um ciclo termina e começa é a data na qual está uma Estrela do Norte específica. Em 2100, a Polaris estará tão próxima ao ponto norte quanto é possível para qualquer estrela ser precisamente o norte.[31]

Lembrando que os ensinamentos de mistério da Deusa são a respeito de morte e renascimento, e é mais provável que o seu renascimento no início de um novo ciclo de lunação coincida com um tempo em que nós enfrentaremos morte e destruição massivas – um sinal de que a fase negra final do ciclo precessional de era está, de fato, ocorrendo. Os estágios atuais desses dois ciclos contribuem para os sentimentos aparentemente contraditórios que envolvem muitas pessoas agora. Uma corrente de sentimento é a esperança e o otimismo pelo renascimento do espírito feminino e as possibilidades da Nova Era. Outra corrente é o desespero imenso e a falta de esperança do nosso planeta e povos moribundos. Na discussão a seguir, vamos direcionar ambos os temas e pedir à Deusa Lua para acender em nós um senso de compreensão.

Branca de Neve e A Bela Adormecida um dia acordam do seu longo sono e assumem seus papéis de direito como rainhas. Os antigos devotos da Deusa, durante o século atual, estão participando de seu reavivamento, atuando como parteiras no seu renascimento. O retorno da Deusa é evidenciado na descoberta da "herstória" e no reavivamento do seu culto. A espiritualidade feminina é o sistema de crença cosmológico por trás do movimento global das mulheres que busca justiça econômica, política e sexual para elas. É também a fonte do movimento atual de cura e recuperação, uma afirmação da vida e do movimento ecológico (ecofeminismo) que reconhece a terra como o corpo da Grande Mãe que sustenta nossa existência.

Na astrologia esotérica, a observação de novos planetas no sistema solar corresponde a uma ativação de um novo centro de consciência. Mais especificamente, os arquétipos mitológicos que compartilham os mesmos nomes dos corpos planetários se tornam forças ativas na cultura e na psique. Em 1801, o primeiro de muitos asteroides (localizado entre Marte e Júpiter) foi descoberto e nomeado Ceres (Deméter), a Grande Mãe greco-romana. Nos anos seguintes, Palas Atena, Vesta (Héstia) e Juno (Hera), todas grandes deusas da Antiguidade, foram vistas, identificadas e despertadas na psique humana.[32]

No início do século XIX, Ceres, Palas Atena, Juno e Vesta lideraram a procissão da energia feminina despertada, significando o começo de um novo ciclo de lunação. A primeira onda do feminismo foi marcada pela convenção pelos direitos das mulheres, em 1848, em Seneca Falls, Nova York, abordando questões sobre a igualdade das mulheres, o patriarcado e a espiritualidade feminina. As estórias atemporais dessas deusas falam aos problemas psicológicos mais prementes de nossos tempos que buscam cura no nosso movimento em direção ao resgate. Esses problemas incluem transtornos alimentares, codependência, abuso sexual, disfunções familiares, dependência química, vício em amor, evolução das relações, profissionalização das mulheres, violência doméstica, liberdade sexual, busca por trabalho significativo e novas orientações espirituais.

Esses problemas psicológicos são sintomas de uma sociedade disfuncional que está presa no dualismo, a grande separação entre o eu e o outro que também leva à separação da mente, do corpo e do espírito em cada indivíduo. Com o renascimento da Deusa, as pessoas estão agora abordando problemas sociais relativos à guerra, ao estupro, à fome, à falta de moradia, aos direitos dos animais, ao bem-estar do planeta, ao sexismo e ao racismo.

A Deusa emergiu purificada e regenerada. Tendo renovado sua virgindade na fase negra, como uma jovem donzela, ela mais uma vez se apresenta – vibrante e esperançosa com as visões para um futuro repleto de possibilidades. Olhe à sua volta. Veja as imagens dela. Ouça suas canções. Dance nos seus círculos. As mulheres estão se unindo umas com as outras em grandes conferências e festivais nacionais, assim como em círculos e grupos locais. Elas estão reempoderando umas às outras, reafirmando a força e a beleza do feminino e tentando viver os valores da Deusa para criar um mundo melhor. O fluxo da energia criativa feminina está mais uma vez jorrando através de mulheres artistas, escritoras, musicistas e curandeiras que estão relembrando os caminhos de expressão de sua beleza, sua sabedoria e seus poderes de cura.

Essa energia feminina desperta provoca um impacto igualmente profundo na vida dos homens. A ascensão do patriarcado não ofuscou apenas o feminino, mas, com sua ênfase na dominação e na destruição, também obliterou as qualidades de afirmar a vida do masculino natural que cultivou a terra e domesticou os animais. O patriarcado não deve ser entendido como sinônimo de homens, mas mais propriamente como um lado distorcido do masculino. Na tradição celta, o lado positivo do masculino foi simbolizado pelo mito do homem verde que era a contraparte da Mãe Natureza. O renascimento da Deusa anuncia também o ressurgimento das qualidades afirmadoras de vida inerentes ao princípio masculino que foram igualmente suprimidas durante a fase de lua negra.

Com a crescente conscientização e a pressão para que eles expressem seus sentimentos e intuições, os homens estão se confrontando não apenas com as mulheres se modificando, mas também com a relação deles com suas próprias psiques. Grupos de conscientização masculina, a participação deles no parto, pais solteiros, papéis domésticos invertidos e muitas áreas nas quais, em uma sociedade em rápida mudança, o despertar feminino está transformando suas vidas. Com o aumento da consciência de ambos, homens e mulheres, a cura de todos os nossos vários relacionamentos se tornou tema principal no movimento de resgate.

A energia feminina recém-ativada, que está ligada ao funcionamento do lado direito do cérebro, contribui para o crescimento de muitos movimentos de expansão da consciência. A saúde e a educação holísticas, a consciência espiritual e mediúnica bem como a visão para cocriar a nossa realidade são algumas das expressões atuais do aumento dos processos do cérebro direito.

E ainda com todos os sinais positivos e possibilidades promissoras que a Deusa da Lua Nova traz com sua reaparição, ela renasceu em um tempo no qual a humanidade enfrenta, como nunca antes, maciças ameaças de total aniquilação. A morte paira por toda parte – nos depósitos de arsenais nucleares, nas mortais partículas radioativas contaminando o solo, as águas e a atmosfera, nos poluentes tóxicos ambientais, no grave terremoto, no buraco da camada de ozônio e nas previsões do aquecimento global, na extinção das florestas tropicais, na fome e na explosão demográfica e nas doenças degenerativas e autoimunes que estão aumentando em proporções epidêmicas.

O pragmatismo pessimista em nós imagina como a humanidade pode sobreviver a esse cenário projetado de destruição e holocausto, cujos relógios estão marcando cada vez mais perto da meia-noite. Não é absurdo presumir que os seres humanos podem não sobreviver. Nos 6 bilhões de anos de história do planeta, muitas espécies apareceram. Aquelas que não puderam se adaptar às condições de mudanças ambientais foram extintas. Os seres humanos são muito diferentes de quaisquer outras espécies de vida senciente que tenham habitado a Terra?

De acordo com o budismo é apenas dentro do corpo humano que a iluminação é possível e é por essa razão que a vida humana é tão preciosa. Segundo os esotéricos, toda evolução é precedida pela mutação causada por radiação. Nesse contexto, mutação não se refere a algo defeituoso, mas a uma transformação essencial e irreversível do velho em algo totalmente novo. De acordo com a recente hipótese científica de Eva, foi uma mutação genética dessas que produziu o moderno *Homo sapiens*. E transformação é a proposta-chave da fase de lua negra do processo cíclico.

Esperamos que, durante o longo sono da Deusa, ela tenha efetuado uma transformação no nível mais profundo da energia feminina que nos permita passar pela destruição da velha ordem e, como uma fênix, ressurgir das cinzas para voar. Diz-se que a barata tem a capacidade de sobreviver à radiação nuclear. Se ao menos uma forma de vida desenvolveu essa capacidade, então o registro existe como uma possibilidade para outras formas de vida. E pode muito bem acontecer de a radiação que nós tanto tememos ser de fato o agente principal da nossa mutação e nossa possibilidade de evolução. A transformação só pode ocorrer na escuridão. Na próxima escuridão do fim de era precessional, nós podemos esperar que a humanidade atinja algum tipo de mutação essencial que permitirá à nossa espécie continuar vivendo no que talvez seja um meio ambiente radicalmente diferente.

Para aqueles que não estão conscientes do processo cíclico, pode parecer contraditório que um espectro da morte, negador da vida, coexista simultaneamente com a promessa de renovação anunciada pelo renascimento da Deusa e o amanhecer de uma nova era, a Era de Aquário. Entretanto, de uma perspectiva cíclica, sabemos que a morte sucede o nascimento. Ao darmos à luz a Nova Era, precisamos nos lembrar que antes de qualquer renascimento o velho deve primeiro morrer. Essa é a lei do ciclo. Ainda que olhemos com pessimismo para o mundo como o conhecemos, pode não ser totalmente apropriado para nós tentarmos deter as forças de destruição. Tendo fé no ciclo da Deusa Lua, talvez devêssemos acolher a morte da velha ordem e abraçar a escuridão que a Deusa Lua oferece como passagem para a renovação.

Isso não implica que devamos desistir de nossas preocupações e esforços pela saúde e pelo bem-estar contínuo do planeta. Os crescentes movimentos ecológicos e ambientais que estão tentando salvar a Terra, em face de uma tarefa que parece sem esperança e sem conserto, não são em vão. Eles podem ser parte da perspectiva inicial que está sendo inculcada durante a fase de lua negra da Era de Peixes. Esperamos que, com a aurora de uma nova era precessional, uma reverência e um cuidado pelo corpo da Terra sejam impressos na consciência de toda a humanidade.

Embora a fase de lua negra termine oficialmente na conjunção com a lua nova, ainda existe uma noite e meia de escuridão antes de a fina fatia crescente aparecer no céu noturno. No renascimento da Deusa, é importante não se desencorajar pela confusão, pela falta de unidade e de visão clara que caracterizam as lutas de um movimento feminino incipiente emergindo para a consciência convencional. Assim como a criança engatinha e tropeça antes de andar e correr, a Deusa Virgem da Lua Nova, em toda a sua atividade dinâmica e exuberante, é ainda jovem em seus sábios caminhos. No entanto, precisamos testemunhar com convicção o seu retorno. Olhar para o ciclo lunar e ter fé, sem julgamento ou preconceito, no seu desdobramento gradual.

Saiba, também, que a Deusa não é uma vítima. Ela não perdeu seu poder nem renunciou a ele. Mulheres não são vítimas e não têm que guerrear para reclamar seu poder. Elas sempre tiveram seu poder e agora ele está, uma vez mais, totalmente disponível, recarregado e revitalizado por elas para expressá-lo no mundo externo. Precisamos reconhecer na nova face da jovem Deusa as feições da velha como nós nos lembramos por último, antes de ela entrar na sua fase de lua negra.

Mas, agora que ela está realmente de volta, sua sabedoria ilumina nossa vida. Ver a destruição e a morte do velho e graciosamente abraçá-la como um sinal da iminente renovação é a consciência nua da Deusa Negra. O trabalho da nossa psique necessita que limpemos e purifiquemos nossas imagens distorcidas da Deusa Negra e da morte. Por intermédio da cultura patriarcal, essas imagens errôneas afetaram nosso corpo, nossa mente e nosso meio ambiente e prejudicaram nossas relações com o outro. Conforme reavaliamos nosso entendimento da escuridão, parte de nossas tarefas da alma é nos tornarmos artistas habilidosos que imaginam e moldam essa nova energia criativa feminina.

Agora nossa jornada se volta para evocar, honrar e reivindicar a Deusa Negra e integrá-la à inteireza do nosso ser.

Perguntas do Diário

1. Se eu estou ciente da "herstória", penso que as mulheres são vítimas inocentes da agressão brutal do patriarcado? Penso que as mulheres deveriam sentir raiva e protestar contra essa injustiça e reivindicar o que foi forçosamente tirado delas? Perpetuo a tensão entre a vítima e o opressor em minhas atitudes para me proteger da potencial ameaça daqueles que são mais poderosos?

2. Depois de ler este capítulo, posso considerar a possibilidade de que o desaparecimento da Deusa tenha sido ofuscado pelos ciclos planetários cósmicos e seja parte de um processo natural de renovação que ocorre na escuridão? O que se apresenta para mim e de que maneira isso desafia minhas crenças anteriores?

3. Tenho esperança nas possibilidades da Nova Era? Eu me desespero com o meio ambiente do planeta morrendo ou vejo isso como uma tarefa sem esperança? Eu me sinto movida a tentar salvar a Terra? Consigo ver a morte do velho como a precursora do nascimento do novo?

Notas

1. Merlin Stone, *When God Was a Woman* (Nova York: Harcourt Brace Jovanovich, 1976), p. xiii.
2. Dane Rudhyar, *The Lunation Cycle* (Santa Fé: Aurora Press, 1986), e *Astrological Aspects* (Santa Fé: Aurora Press, 1980). [*O Ciclo de Lunação*. São Paulo: Pensamento, 1985. *Os Aspectos Astrológicos*. São Paulo: Pensamento, 1987 (ambos fora de catálogo).]
3. Diane Stein, *Casting the Circle*: A Woman's Book of Ritual (Freedom: The Crossing Press, 1990), p. 93.
4. Editores da Time-Life, *The Epic of Man* (Nova York: Time-Life Inc., 1961).
5. Randall White, *Dark Caves, Bright Visions*: *Life in Ice Age Europe* (Nova York: American Museum of Natural History, 1986), p. 30. Châtelperroniano, 35000–30000 A.E.C.; Aurignaciano, 34000–30000 A.E.C.; Gravetiano, 30000–22000 A.E.C.; Solutreano, 22000–18000 A.E.C.; Magdaleniano, 18000–11000 A.E.C.; Aziliano, 11000–9000 A.E.C. As datas são aproximadas e variam de região para região.
6. Randall White, *Dark Caves, Bright Visions*: *Life in Ice Age Europe* (Nova York: American Museum of Natural History, 1986), p. 13.
7. *Ibid.*, p. 10.
8. Brian Fagan, *The Journey from Eden*: *the Peopling of Our World* (Londres: Thames & Hudson, 1990), p. 89.
9. James Shreeve, "Argument Over a Woman: Science Searches for the Mother of Us All", *Discover* 11, nº 8 (agosto de 1990), pp. 52-9.
10. Randall White, *Dark Caves, Bright Visions*: *Life in Ice Age Europe* (Nova York: American Museum of Natural History, 1986), p. 14.

11. Robert J. Wenke, *Patterns of History: Humankind's First Three Million Years* (Nova York: Oxford University Press, 1984), p. 117.
12. Elinor Gadon, *The Once and Future Goddess* (San Francisco: Harper & Row, 1989), p. 4.
13. Marija Gimbutas, *Goddesses and Gods of Old Europe: Myth and Cult Images* (Berkeley: University of California Press, 1982), Prefácio.
14. Elinor Gadon, *The Once and Future Goddess* (San Francisco: Harper & Row, 1989), p. 22.
15. Marija Gimbutas, *The Language of the Goddess* (San Francisco: Harper & Row, 1989), p. xix.
16. Alexander Marshack, *The Roots of Civilization: The Cognitive Beginnings of Man's First Art, Symbols and Notation* (Nova York: McGrawHill, 1972).
17. D. de Sonneville-Bordes, "The Upper Paleolithic: 33,000 BC–10,000 BC", em *France Before the Romans*, organizado por S. Piggot (Londres, 1973), pp. 30-60.
18. Andre Leroi-Gourhan, *Treasures of Prehistoric Art*, traduzido por Norbert Guterman (Nova York: Harry N. Abrams, 1967).
19. A. Forbes, Jr., e T. R. Crowder, "The Problem of Franco-Cantabian Abstract Signs: Agenda for a New Approach", *World Archaeology* 10 (1979), pp. 360-66.
20. Alexander Marshack, *The Roots of Civilization: The Cognitive Beginnings of Man's First Art, Symbols and Notation* (Nova York: McGrawHill, 1972), p. 173.
21. Elinor Gadon, *The Once and Future Goddess* (San Francisco: Harper & Row, 1989), p. 20.
22. Alexander Marshack, *The Roots of Civilization: The Cognitive Beginnings of Man's First Art, Symbols and Notation* (Nova York: McGrawHill, 1972), p. 342.
23. Evan Hadingham, *Secrets of the Ice Age* (Nova York: Walker, 1979).
24. Riane Eisler, *The Chalice and the Blade* (San Francisco: Harper & Row, 1987), p. 9.
25. Alexander Marshack, *The Roots of Civilization: The Cognitive Beginnings of Man's First Art, Symbols and Notation* (Nova York: McGrawHill, 1972), p. 314.
26. *Ibid.*, p. 335.
27. Para uma descrição completa das culturas neolíticas, ver Elinor Gadon, *The Once and Future Goddess* (San Francisco: Harper & Row, 1989), e Marija Gimbutas, *The Language of the Goddess* (San Francisco: Harper & Row, 1989).
28. Para mais informações sobre as eras precessionais, ver Alan Oken, *The Complete Astrologer* (Nova York: Bantam, 1980).
29. Chagdud Tulku Rinpoche, em uma palestra intitulada "Peace in Personal and Interpersonal Relationships", ministrada em Eugene, Oregon, outubro de 1990.
30. Riane Eisler, *The Chalice and the Blade* (San Francisco: Harper & Row, 1987), p. 58.
31. Daniel Giamario, comunicação pessoal, setembro de 1991.
32. Demetra George, *Asteroid Goddesses: The Mythology, Psychology and Astrology of the Reemerging Feminine* (San Diego: ACS Publications, 1986).

Parte II

Deusas da Lua Negra

Para a Magia, o Mistério e o Poder
de Cura da Deusa Negra

Os Guardiães do Inconsciente

Na Parte II, vamos voltar nossa atenção para os contos mitológicos das deusas que são associadas com o escuro da lua e que expressam o arquétipo da lua negra. Vamos explorar as biografias míticas de Nix, Mãe da Noite, e suas filhas, as Moiras, as Fúrias, as Hespérides e Nêmesis. A isso se seguirão algumas considerações sobre outras três deusas, Hécate, Lilith e Medusa. No processo, vamos tentar ver como suas estórias atemporais são relevantes para os tipos de problemas, operando principalmente no inconsciente, que continuam a confrontar homens e mulheres hoje.

Escolhi essas deusas da lua negra em particular pelo fato de vários corpos planetários no cinturão de asteroides terem seus nomes. Em meu trabalho como mitologista e astróloga, tenho visto repetidas vezes que, quando um corpo celeste está proeminente no céu no momento em que uma pessoa nasce, a história mitológica do deus ou da deusa que compartilha do mesmo nome do planeta se torna um tema principal na vida do indivíduo. Tenho tido a oportunidade de estudar como os princípios arquetípicos carregados por essas deusas negras são sentidos na vida dos indivíduos.

Antes de começarmos nossa pesquisa mitológica sobre essas deusas negras, vamos considerar brevemente nossas crenças sobre a palavra "mito". Em nossa sociedade, a palavra mito passou a significar algo que não é verdade. Entretanto, para os antigos, os mitos eram os depositários de suas tradições e sabedoria. Em um nível externo, os mitos são as lendas orais que transmitem as estórias da criação deles e a história da humanidade. Essa tradição oral, preservada pelos bardos e contadores de estórias, era o principal veículo de comunicação em um tempo anterior, antes de a leitura, a escrita e os livros serem acessíveis para a maioria das pessoas.

Em um nível interior, os mitos descreviam a psicologia da condição humana. As estórias dos deuses e das deusas representavam os roteiros e personagens arquetípicos básicos que eram acessíveis para os indivíduos e por meio dos quais eles podiam viver o sentido de suas vidas. Essas estórias continham a inspiração divina que poderia ajudar as pessoas em sua busca por autoconhecimento, cura e crescimento. Nos antigos templos de cura de Asclépio, parte da cura de uma pessoa envolvia assistir a uma apresentação dramática no Teatro de Dionísio. As diferentes peças, nas quais os deuses e as deusas tinham papéis principais, tratavam de problemas psicológicos por trás da enfermidade física de uma pessoa.

Carl Jung chamou os mitos de "os padrões eternos em nossa alma" que continuam a viver em nossos sonhos, fantasias, símbolos e nas interações da nossa vida cotidiana. Os psicólogos estão começando a descobrir que o mito é a linguagem natural do inconsciente coletivo. Joseph Campbell acrescentou que "todos os deuses e deusas vivem dentro de nós" como as forças da nossa personalidade, e suas estórias representam as temáticas míticas que moldam a nossa vida. Nossa visão das deidades evoluiu ao longo dos milênios de deuses e deusas personificados para propriedades da psique. As imagens variáveis nas transformações dos mitos ao longo do tempo se comparam ao desenvolvimento emocional e mental do arquétipo correspondente na psique da humanidade.

A Deusa Negra e o Inconsciente

Nas cosmologias antigas, toda a geografia mítica passou a ser projetada nos planos celestes, o Sol, a Lua, a Via Láctea. De acordo com esse sistema, a Lua era descrita como a Terra dos Mortos ou como o receptáculo regenerativo das almas.[1] Todas as deusas da lua negra são associadas com a morte e a regeneração. De um ponto de vista psicológico moderno, o submundo é a metáfora para o inconsciente e essas deidades residem na esfera inconsciente de nossa psique.

Entretanto, os antigos não tinham noções sobre a psique, os reinos internos da consciência ou o inconsciente. Essa ideia não era nem mesmo cogitada até o fim do século XIX, quando Sigmund Freud desenvolveu sua teoria do inconsciente. Os antigos expressavam seu conhecimento das esferas consciente e inconsciente da realidade, que era conhecida e desconhecida e da interface entre elas nas três lendas fundamentais da criação na cosmologia grega. Cada lenda começa com uma Grande Mãe diferente que deu à luz o mundo.[2]

Em uma lenda, os contos homéricos sinalizam que a Deusa do Mar Tétis é a Mãe do Mundo.

Em uma segunda lenda, Hesíodo confere esse papel a Gaia, a Grande Mãe Terra.

E, em uma terceira lenda, os órficos contam que foi Nix, Deusa da Noite Escura, que pôs o Ovo Cósmico do qual o mundo nasceu. O estudioso do hermetismo Adam McLean vê essas três versões da criação como as três facetas da Deusa Tríplice, cada uma correspondendo a um dos três aspectos da consciência na mente humana.

As deidades que surgiram de Gaia, a Mãe Terra, eram associadas àqueles aspectos da psique que operam mais nas dimensões bem iluminadas da consciência. Nossa mente consciente nos dá informação por meio de nossos cinco sentidos, os quais nos permitem perceber o mundo sólido, tangível e terreno. As crianças nascidas de Nix, Rainha da Noite, nos levam para baixo, para o escuro inconsciente. O reino sem forma, não físico, é a fonte de nossos tesouros e inimigos ocultos. Os deuses e as deusas que vieram de Tétis, Dama do Mar, ligam as profundezas subterrâneas do oceano com as ondas da superfície, sobre as quais a luz pode brincar. Eles são os mediadores que se movem para trás e para a frente, entre o acima e o abaixo, entre a esfera iluminada da consciência e a esfera escura do inconsciente em nossa psique.[3]

Os antigos não imaginavam o inconsciente como uma parte oculta de nossa própria mente, mas como algo externo a eles mesmos. Seu conhecimento sobre uma região desconhecida e misteriosa era imaginado como as aterrorizantes e ocultas profundezas do submundo, o lugar onde todas as coisas espirituais habitam. O submundo era um local geográfico real para onde eles poderiam viajar.[4] E eram as deusas da lua negra que presidiam esse submundo como rainhas.

Essas incríveis rainhas exerciam o poder da morte, destruindo tudo o que havia sido criado em suas atividades no mundo superior; e elas também controlavam os poderes de renascimento e imortalidade, da vida que se levantava da morte. A deusa negra de muitos nomes era profetisa e guardiã dos mistérios. Ela concedia sonhos, visões e conhecimento mágico por meio dos quais a pessoa poderia compreender os mistérios do desconhecido, e essa compreensão das coisas secretas e ocultas trazia poder em si mesma.

Para os antigos, uma relação segura e benéfica com os poderes do submundo seria obtida por meio de uma correta aproximação com a Deusa Negra.[5] A psicologia contemporânea reestrutura essa sabedoria antiga ao sugerir que uma relação segura e benéfica com os poderes do inconsciente será obtida por meio de uma aproximação correta com a sombra. Nix, a Deusa da Noite, é a mãe fundamental de todas as várias deusas negras da lua escura que abriga as forças na esfera inconsciente de nossa mente.

A antiga Deusa Negra que havia sido rejeitada aparece, na psicologia moderna, para simbolizar a sombra feminina. Devido ao fato de as filhas da Noite habitarem os locais escuros em nossa psique, é difícil ter acesso a elas com os olhos despertos ou com a mente consciente. Embora não estejamos, em um senso contínuo, conscientes da presença delas, ou mesmo reconheçamos sua existência, elas vivem em nós como bases dentro de nossa inconsciência.[6]

Se reconhecermos e respeitarmos as forças negras em nosso inconsciente, nossas deusas negras interiores estarão bem-dispostas em nos ajudar, e proverão *insight*, cura e renovação. É quando menosprezamos e exilamos a escuridão que suas filhas (como o *self* sombra quando rejeitado e negado) vão, durante nossos mais frágeis momentos, inesperadamente irromper em nossa realidade consciente. Quando as deidades negras da sombra feminina assumem uma autonomia vingativa, elas trazem terror, destruição e loucura para a nossa vida.

À medida que o arquétipo da Deusa Negra se desenvolveu por meio da cultura patriarcal, ela se tornou um alvo de medo e perseguição. Ao longo do curso da história masculina [*his-story*], a sabedoria profética e curativa da Deusa Negra foi distorcida como feitiçaria e sua imagem foi demonizada na bruxa feia que traz morte ou na feiticeira, consorte do diabo. Como perdemos nosso conhecimento dos seus dons de renovação e sexualidade extática, nosso medo dos seus caminhos diminuiu nossa capacidade de nos regenerarmos e envenenou nossos relacionamentos com os seres amados. Para nos curar e aos nossos relacionamentos, devemos entrar na escuridão do nosso inconsciente e desenvolver uma relação honrável, respeitosa e amorosa com as deusas negras no meio de nós.

Vamos iniciar agora o processo de esclarecer a distorção mitológica das muitas deusas da lua negra. Descobriremos como o arquétipo do feminino sombrio que expôs a maldade, destruiu a falsidade e exigiu a verdade foi imbuído com o mal e se tornou o medo secreto da morte e da não existência. Nossa invocação e nosso louvor às deusas negras que foram banidas para os cantos negligenciados da nossa psique começa com Nix, a primeva Mãe Noite, e suas filhas, Nêmesis, as Fúrias, as Hespérides, as Moiras e Hécate.

Notas

1. J. E. Cirlot, *Dictionary of Symbols* (Nova York: Philosophical Library, 1971), p. 214.
2. Adam McLean, *The Triple Goddess* (Edimburgo: Hermetic Research Series, 1983), p. 9. [*A Deusa Tríplice*. 2. ed. São Paulo: Cultrix, 2020.]
3. *Ibid.*, p. 10.
4. Esther Harding, *Woman's Mysteries* (Nova York: Harper & Row/Colophon, 1976), p. 163.
5. Idem.
6. Adam McLean, *The Triple Goddess* (Edimburgo: Hermetic Research Series, 1983), p. 13.

CAPÍTULO 4

Nix, Deusa da Noite, e as Filhas da Noite

> [...] A noite de asas negras
> Colocou um ovo sem germe no seio das profundezas
> infinitas de Érebo; e ao mudarem as estações
> Nasceu o Amor, o almejado, resplandecente, com asas de ouro.
> — A**RISTÓFANES**[1]

Muito antes da criação e do aparecimento das deidades, dos humanos e da natureza, os antigos acreditavam que existia apenas o vazio sem forma do caos – negro, vazio, silencioso e infinitamente enorme até o infinito. De acordo com os Mistérios Órficos, desse caos primevo surgiu a primeira deidade, Nix, Mãe Noite, na forma de um grande espírito de asas negras voando sobre um vasto mar de escuridão. A Antiga Noite concebeu pelo Vento e pôs seu Ovo de prata no gigantesco colo da Escuridão.[2]

A parte superior desse enorme Ovo formou a abóbada celeste, e a parte inferior deu origem à Terra. Do Ovo nasceu o filho do Vento impetuoso – um deus com asas de ouro chamado Eros, o espírito do amor. O mais bonito de todos os deuses imortais emergiu para criar a Terra. O primogênito da Mãe Noite também é conhecido como Fanes, "o Revelador", relacionado com a palavra grega para luz. Um hino órfico o louva, "Inefável, descendente brilhante e oculto, cujo movimento é um sussurro, você dispersou a névoa escura que estava diante de seus olhos e, batendo suas asas, rodopiou e para todo este mundo você trouxe a pura luz...".[3]

Nix, cujo nome literalmente significa "noite", foi reverenciada por seus poderes oraculares. Ela podia ver além da noite do presente e suas visões eram divulgadas a partir de uma caverna que ela dividia com seu filho, Fanes. Lá Nix apresentou-se em uma forma tripla como Noite, Ordem e Justiça e regeu o universo até seu poder passar para Urano com a chegada dos deuses patriarcais.

Marija Gimbutas sugere que os primórdios desse mito repousam na Era Paleolítica. Dos primeiros aurinhacenses e pelo período Magdalenense, muitas imagens gravadas e esculpidas de nádegas com contornos em forma de ovo apresentando cabeça de pássaro e seios grandes foram encontradas na Europa Central e Ocidental.[4]

Nix, invocada como a noturna, veio do primeiro substrato da mitologia e no período clássico ela teve pouco ou nenhum culto de adoração. Homero, que considerava Nix como uma das maiores deusas, diante de quem até Zeus ficou maravilhado, conta na *Teogonia* outra versão da mãe primal no início da criação. Terra de Seios Fartos; Eros, o espírito do amor; Érebo, a personificação da escuridão, e Nix, a noite primordial, foram todos formados a partir do vazio. Então, de uma união de Érebo e Nix, nasceram Éter (Ar Superior/Céu Claro) e Hemera (Dia).

Dizia-se que a Deusa da Noite vivia no Tártaro (o submundo) juntamente com Dia. Quando sua filha Hemera entrou no palácio, Nix cavalgou em uma carruagem puxada por dois cavalos negros. Acompanhada pelas estrelas, ela cruzou os céus até o dia clarear, quando então voltou para o

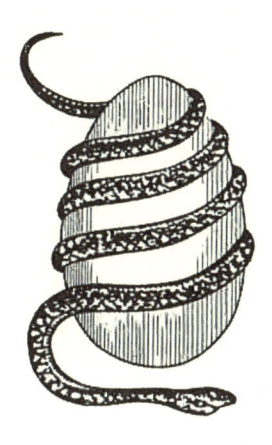

Figura 4.1   O Ovo Órfico da Criação.

palácio. Nix era retratada como uma deusa de asas negras envolta em uma veste igualmente negra. Usava um véu preto com brilhos na cabeça e segurava uma tocha invertida e apagada. Algumas vezes ela era retratada carregando duas crianças em seus braços – uma delas era branca e personificava o Sono, a outra era negra e simbolizava a Morte.

Érebo (Escuridão) e Nix (Noite) foram logo privados do poder por Éter (Luz) e Hemera (Dia) e o cetro, então, passou para Urano (Céu) e Gaia (Terra) com o advento dos novos deuses.

Nas mitologias mais antigas, à noite era dada precedência sobre o dia; e à lua, sobre o sol. Com a transição para os novos deuses solares, o sol ganhou proeminência sobre a lua; e o dia, sobre a noite. No culto de adoração, a misteriosa Deusa da Noite foi diminuída, negligenciada e, consequentemente, temida. Genealogias posteriores tornaram Nix a mãe de uma sinistra prole de crianças, apenas algumas delas eram deidades. Todas as coisas inexplicáveis e temíveis que se abateram sobre a humanidade era personificado e descrito como seus descendentes.

De Nix nasceram algumas das mais poderosas e portentosas forças personificadas: Queres, Moros e Tanatos como Morte; Hipnos como Sono e Sonhos; Momo como a Zombaria; Oizus como Dor e Aflição; Apáte como Fraude; Gera como Velhice Grisalha; Eris como Discórdia; e Nêmesis como Vingança. Para a consciência solar patriarcal do mundo antigo, a Noite era uma fonte do mal; enquanto para a consciência mística dos órficos, a Noite era a profundidade do amor (Eros) e da luz (Fanes).[5]

Nix, a Deusa da Noite, simboliza a base do princípio feminino sombrio que é a fonte criativa de tudo o que existe. De acordo com a tradição órfica, Nix nasceu como um grande espírito de asas negras do caos primevo. Sua estória contém os elementos-chave da escuridão, do caos e do vazio que descrevem o significado essencial do negror. Esses elementos têm sido distorcidos ao longo do tempo e agora passaram a simbolizar nossos medos do escuro. Vamos olhar mais de perto esse conto dos Mistérios Órficos, um sistema metafísico influenciado por uma doutrina de amor preservada nos escritos sagrados de Orfeu, e ver se podemos descobrir os ensinamentos secretos da Deusa da Noite a respeito da natureza da nossa origem e do fundamento do nosso ser.

Os órficos ensinaram que o primeiro princípio foi Cronos, ou Tempo. Dele veio o Caos, simbolizando o infinito, e o Éter, simbolizando o finito. O Caos era cercado pela Noite, que formava a cobertura sob a qual, pela ação criativa do Éter, a matéria cósmica lentamente se organizava. Esta, por fim, assumiu a forma de um ovo, do qual a Noite formou a concha.[6] Hesíodo relatou que a Escuridão veio primeiro e dela nasceu o Caos; e, então, a Noite nasceu da união entre a Escuridão e o Caos.

Caos e Noite são representados pelos poetas antigos como exercendo um domínio incontrolável desde o início. Entretanto, em imitação dos antigos, Milton diz:

> Noite e Caos mais velhos,
> ancestrais da natureza, guardam
> A Eterna anarquia.
> – *Paraíso Perdido*, livro II, p. 894

E Spenser escreve:

> Ó voz mais antiga Avó de todos,
> Mais velha que Jove [Júpiter].
> – *A Rainha das Fadas*, livro I, canto 5, estrofe 22

Mitos da criação por todo o mundo começam com o caos, mas o significado original da palavra "caos" não implica confusão e tumulto. Ela apenas significa o infinito vazio. E vazio, que nós agora pensamos como preto, um nada vazio, referiu-se à natureza da matéria primal que existiu antes da criação. Os físicos modernos nos informam que a matéria não pode ser criada ou destruída, mas apenas transformada na forma, alternando-se entre um estado sólido e um estado de energia. Na filosofia budista, o princípio é expresso como a doutrina da forma e do vazio. A matéria primal do vazio, personificada como Mãe Noite, refere-se à condição de unidade e potencialidade ilimitada de tudo o que existe antes de a diferenciação e a concretização começarem o processo de formação.

Na filosofia oriental, o preto é usado para representar o estado sem forma da matéria, como energia pura, que é chamado de vácuo. Devoções à Mãe Negra nas tradições orientais envolvem meditações que afastam a ilusão do dualismo, que é a causa raiz de todo o sofrimento – a crença equivocada que vê um eu que se ergue independentemente como separado dos outros. A sabedoria repousa na compreensão de que tudo o que existe é unificado como parte da mesma matéria primal e não existe diferença entre o eu e os outros. A vida é um constante estado de fluxo, emergindo de si mesma com infinitos números de formas e recuando para si mesma como o vazio, a energia sem forma. O preto, o vazio completo é o fundamento primordial de todas as formas manifestas, a base de potencialidade para tudo o que existe.

Essa verdade é transmitida pelos antigos gregos na história da Mãe Noite, que se ergue do caos para o parto de Eros/Fanes, Luz de Amor, que coordenou os elementos e levou os seres a se unirem a fim de colocar o universo em movimento. A grega Nix é relacionada com a egípcia Nut, Nuit,

Neith, Deusa da Noite Escura, que existia antes de o céu e a terra serem diferenciados. Do seu útero aquoso nasceu o sol pela primeira vez na criação e de volta para as suas insondáveis profundezas todas as coisas retornam.

A sabedoria da Mãe Noite Preta, presente nas tradições grega, oriental e egípcia, é de que a natureza preexistente de toda a vida é uma universalmente conectada matriz de energia viva cuja primeira expressão é o amor. Quando ignoramos sua verdade, sentimos um medo do vazio e ficamos envolvidas em atividades externas para escapar da vacuidade que nos aterroriza. Vemos esse medo naquelas que não podem suportar ter um tempo livre ou espaço em suas vidas ou que têm medo de ficar sozinhas.

E então, antes de tudo, evocamos Nix para recuperar a consciência de que nossa natureza essencial original emerge da potencialidade sem forma incorporada pela noite.

Perguntas do Diário

1. De que forma associo as palavras preto ao vazio, caos à confusão e vácuo ao nada? Como essas associações moldaram meus conceitos sobre a escuridão?

2. Eu reconheço o valor positivo de estar sozinha, ou de ter espaço na minha agenda para a minha vida, ou ter um ambiente espaçoso organizado? Consigo utilizar essas situações para ficar aberta, receptiva e tranquila; ou eu as entendo como sentir-me sozinha, entediada ou empobrecida?

As Filhas da Noite

A descrição de que Nix pôs um ovo prateado é um outro modo de dizer que a Mãe Noite pariu a lua, a prata sendo o metal lunar. Da Mãe Noite primordial também emergiram três grupos de filhas, cada um deles era uma manifestação da tripla natureza da lua – as Moiras, as Erínias e as Hespérides; e uma quarta filha, Nêmesis. As filhas de Nix surgiram da primeira camada de deidades no início da criação e foram representativas da Deusa Tríplice da Lua em seu aspecto de morte.[7] Cada uma dessas filhas da Noite reflete aspectos do lado negro da deusa.

Em seu aspecto tríplice, Nix se mostrava como Noite, Ordem e Justiça. As tarefas de suas filhas eram assegurar que as leis naturais do universo fossem executadas e mantidas. Essas irmãs também se encarregavam da punição daqueles que transgrediam esses limites.

Nêmesis era a Deusa da Vingança, que mantinha o equilíbrio da condição humana. As Erínias (as Fúrias) protegiam a continuidade da linhagem materna vingando assassinatos de membros da família. As Moiras (as Parcas) falavam sobre a questão do destino, da sorte e dos padrões kármicos da alma. E as Hespérides eram guardiãs da imortalidade e do conhecimento sobre o passado. Em nossa alma, essas irmãs negras representam os elementos primordiais no lado negro e inconsciente do nosso ser que protestam contra a violação da lei natural.

O primeiro conceito grego de justiça e lei natural evoluiu da visão de um universo ordenadamente interconectado. A natureza procedia de acordo com padrões que não eram desordenados nem aleatórios e isso implicava a existência de algum tipo de inteligência fundamental na intricada complexidade das engrenagens do universo. Os seres humanos também compartilhavam a padronização orgânica do universo; mas, quando eles agiam de formas que não estavam de acordo com essa ordem natural ou a feriam, o universo reagia. As filhas da Noite eram encarregadas de equilibrar ou vingar as transgressões dos indivíduos quando eles infringiam as leis do desenvolvimento natural ou os limites estabelecidos pela necessidade.

Nêmesis

Nêmesis, filha da Mãe Noite primordial, era mais amplamente conhecida como Deusa da Vingança. Enquanto o patriarcado a encarava como uma figura monstruosa de vingança e raiva, sua natureza anterior era mais como uma força abstrata de justiça em vez daquela de retaliação. Ela era uma personificação da reverência à lei e procurava restaurar o equilíbrio quando a ordem era perturbada. Seus esforços para preservar um equilíbrio nas atitudes das pessoas umas com as outras eram reconhecidos como oriundos de um amor profundamente arraigado.

Nêmesis era descrita como uma figura gentil e majestosa, radiante com uma certa beleza de Afrodite. Ela usava uma coroa de prata adornada com chifres de cervo, carregava uma roda da fortuna em uma das mãos e um ramo de macieira na outra, com um açoite pendurado na sua cinta. A roda indica que ela pode descender de Kala-Nemi, a Mãe do Karma e da roda do tempo.[8] O ramo de macieira mostra seu relacionamento com suas irmãs, as Hespérides, que protegiam as maçãs douradas da imortalidade.

O primeiro santuário de Nêmesis foi em Ramnunte, na Ática. Lá, alada e vestida de branco, ela era cultuada com Adios (Vergonha) como assistentes de Têmis, a Deusa da Lei. Dizia-se que, caso Têmis fosse ignorada, então Nêmesis estaria lá. Quando indivíduos quebravam as regras sociais que Têmis representava, Nêmesis, poderosa em sua justa ira, atormentava aqueles que violavam essa ordem, especialmente as leis e normas da natureza.

Figura 4.2 Nêmesis.

Nêmesis era conhecida por exercer um controle sobre Tique, a Deusa da Fortuna, que empilhava presentes indiscriminadamente sobre algumas pessoas, privando outras de tudo o que elas tinham e, ao fazer isso, exemplificava a incerteza das oportunidades. Mas, se uma pessoa que tivesse sido agraciada com abundante boa sorte não oferecesse uma parte aos deuses ou à caridade, a antiga deusa Nêmesis intervinha para humilhar a ele ou a ela.[9] Ela era conhecida também como Adastria, a Inescapável, que incorporava a ira dos deuses sobre aqueles que cometiam o crime da arrogância, do orgulho e da insolência perante os deuses. Ovídio a chamou de "deusa que detesta falas prepotentes", porque, no fim, ela levava todos os reis e heróis à destruição, independentemente de quão arrogantes eles tivessem se tornado.

Nêmesis, ao longo do desenvolvimento da cultura patriarcal, cresceu e se tornou um conceito filosófico da vingança divina sobre os mortais arrogantes.[10] Como uma força moral impessoal, Nêmesis parecia superar qualquer injustiça. Ela era celebrada com respeito e temor, considerada um poder misterioso que moldava o comportamento dos indivíduos em seus tempos de prosperidade, punindo o crime e os malfeitos, tirando a sorte dos que não a mereciam, rastreando cada erro até quem o cometeu e mantendo a sociedade em equilíbrio.[11] Nêmesis também personificava o ressentimento despertado nas pessoas quando os outros que cometiam crimes não eram punidos ou em relação àqueles que tinham boa sorte excessiva ou não merecida.

De acordo com o épico perdido *Cípria* e várias obras posteriores, Zeus se apaixonou por Nêmesis; mas ela não quis copular com o Rei dos Deuses e fugiu dos seus avanços. Por duas vezes, ela modificou sua forma para evitá-lo. Na terceira vez, ela se transformou em um ganso. Zeus tomou a forma de um cisne e a estuprou. Nêmesis, no devido tempo, pôs o esperado ovo, que foi levado ou por um pastor ou por Hermes para Leda, esposa do rei Tíndaro de Esparta. Leda cuidou do ovo, do qual nasceu Helena – a mais bela das mulheres, que precipitou a Guerra de Troia.

Robert Graves ressaltou que a Nêmesis que Zeus perseguiu não era o conceito filosófico da vingança divina, mas sim a deusa ninfa original na antiga forma do mito da caçada amorosa. A roda de Nêmesis representava o ano solar e ela assegurava o "devido ato" do drama da morte anual. No mito pré-helênico, a deusa persegue o sagrado rei; e, à medida que ele passava por suas transformações sazonais como vários animais, ela combatia um de cada vez e o devorou no solstício de verão. Com a vitória do sistema patriarcal, a caçada é invertida e a deusa agora foge de Zeus.[12]

Nêmesis, filha da Noite, existiu como uma das primeiras forças a garantir que a humanidade respeitasse as leis naturais que mantinham a ordem do universo. Quando prestamos homenagem a essa deusa e vivemos em harmonia com tais leis, Nêmesis reside em nós como uma influência sábia e gentil, sempre a nos guiar rumo à ação correta. O estupro de Zeus a Nêmesis é uma expressão alegórica de que ele tomou a lei em suas mãos, decidindo o que era certo e errado. Quando o poder passou para os deuses patriarcais, Nêmesis foi banida e a nova ordem ignorou sua jurisdição sobre os códigos de conduta corretos. Então, assim como a sombra que se desenvolve no exílio e assume a forma demoníaca de nossas ideias e ações negativas, Nêmesis passou a ser personificada pelo patriarcado como a vingança divina e o castigo, furiosamente reivindicando seus direitos.

Ao continuarmos negando a essa deusa sua posição de honra, ela opera na nossa mente inconsciente, via projeção, como as forças iradas em nosso mundo que não nos permitirão escapar impunes da transgressão. Quando tentamos escapar com as ações erradas e evitar nossas responsabilidades, vivemos aterrorizados de que a fúria de Nêmesis um dia vai nos alcançar e infligir sua punição, uma punição que estranhamente se adéqua ao crime.

Nix, a Deusa da Noite, nos ensina que, em nosso nível mais fundamental, somos parte do mesmo todo. Sua filha Nêmesis, então, nos guia em direção a respeitar os outros como extensões de nós mesmas por meio de nossa ação correta de acordo com as leis naturais de um universo ordenado.

Perguntas do Diário

1. Possuo um conceito de certo e errado e tenho um sistema de valores para determinar a diferença? Existe alguma força dentro de mim que me previne contra seguir um curso de ação errada? Acredito em uma força

divina irada e punitiva que opera fora do meu controle? Ou tenho uma noção de que talvez sejam minhas próprias ações e atitudes que levam à minha punição, mais cedo ou mais tarde?

2. Tento "escapar" das coisas? Sou desonesta quando é vantajoso para mim? Se eu tenho boa sorte, compartilho a minha fartura com as outras pessoas? Quando estou errada, eu admito? Vejo a lei e as figuras de autoridade como forças hostis e poderosas que estão lá fora para me pegar?

As Erínias

As Erínias, conhecidas como as Fúrias pelos romanos, eram espíritos femininos de ira e vingança e suas funções se sobrepunham àquelas de Nêmesis. Todas as filhas de Nix defendiam a correção de coisas dentro de uma ordem estabelecida e elas puniam aqueles que transgrediam as leis naturais. Enquanto Nêmesis aparecia quando Têmis (Lei) era, de alguma forma, ofendida, as Erínias tinham uma função mais limitada. Elas exercem a vingança sempre que o sangue de família era derramado, especialmente o sangue de uma mãe, e contra aqueles que quebravam juramentos.[13]

As Erínias eram conhecidas entre as deusas mais antigas, anteriores a Zeus e a todos os outros Olímpicos. Sua antiguidade é demonstrada pelo fato de que, originalmente, elas eram invocadas sobretudo contra aqueles que matavam parentes (membros da família) relacionados por linhagem materna. Assim, elas representavam a força que mantinha o mundo matriarcal coeso, em uma época na qual todas as genealogias eram consideradas por meio das mulheres. Protetoras dos direitos da consanguinidade matriarcal, as Erínias efetuavam a vingança contra qualquer um que, por assassinato, interrompesse a continuidade da linhagem feminina de gerações.

Elas eram chamadas de Crianças da Noite por Ésquilo; e de Filhas da Terra e da Escuridão por Sófocles. Hesíodo as assimilou nas cosmologias posteriores dizendo que as Erínias nasceram quando o sangue de Urano castrado se derramou sobre a Mãe Terra, Gaia. E, quando esse mesmo sangue pingou sobre o oceano, a espuma resultante tomou a forma de sua irmã

Figura 4.3   As Erínias.

Afrodite; é por isso que Afrodite algumas vezes é referida como a mais velha das Erínias. Robert Graves comenta que as três Erínias que nasceram do sangue de Urano são a própria Deusa Tríplice; ou seja, durante o sacrifício do rei, destinado a frutificar os milharais e pomares.[14]

Na sua forma tripla, as Erínias apareceram como Alecto, "a Interminável"; Megera, que significa "ira invejosa"; e Tisífone, contendo a palavra *tisis*, "retaliação". Elas eram retratadas como três donzelas negras, algumas vezes aladas, com serpentes trançadas em seus cabelos e portando tochas e chicotes. Eram descritas como tendo uma face austera, mas bonita; e, conforme a ocasião, eram mostradas com sangue envenenado gotejando de seus olhos. Ésquilo retratou as Erínias como assustadoras e horrendas; e elas vieram a representar o medo secreto masculino da mulher como a Mãe que Repreende.

Ovídio descreveu os atributos de Tisífone da seguinte forma:

Então caiu Tisífone, com Raiva foi picada,
E, da sua Boca, serpentes pendem desenroladas,
Acinturada em um vestido sangrento, uma Tocha ela agita,
E enrolando seu Pescoço, os fios manchados das Grinaldas de Cobras.

Parte de suas Tranças sibila alto, e parte
Espalha Veneno lançando suas Línguas bifurcadas,
Depois, das suas Mechas do meio, duas cobras ela sacou,
Cujo Mérito da superior Maldade aumentou.
– *Metamorfose*, livro IV

Sempre que uma mãe era insultada, ferida ou morta, as Erínias saíam do Hades; e imitando a forma de cabeça de cão de sua irmã Hécate, a aproximação delas era anunciada pelo som dos latidos. Quando enfurecidas, eram consumidas pela raiva alojada no fundo de seus corações. Em um nocivo enxame, elas desceriam sobre o criminoso, picando como abelhas e mordendo como moscas. Elas perseguiriam o agressor de terra em terra com fúria incansável, deixando-o desesperado e levando-o à loucura; e então, causando sua morte em tormento. As Erínias, intratáveis a qualquer argumento, não estavam interessadas em retribuição, apenas em vingança. Sua punição era a loucura e a morte.

Os sacrifícios às Erínias ocorriam com muita frequência à noite, em um lugar de natureza selvagem, e os animais oferecidos a elas eram pretos. Na Grécia, muitos templos e bosques solenes eram dedicados às Erínias, como Colono perto de Atenas, o local da morte de Édipo. Os santuários dessas deusas eram cercados por bosques de árvores fúnebres – o amieiro, o álamo e o teixo. Elas eram adoradas no santuário aos pés do Monte Areópago, em Atenas.

Com o passar do tempo as Erínias, as deusas dos mortos, também eram invocadas para vingar crimes cometidos contra ambos os pais e qualquer violação ao parentesco sanguíneo. Suas funções se estenderam para a punição de desobediência dos filhos, irreverência contra os mais velhos, traição a hóspedes, crueldade contra mendigos, perjúrio e todos os assassinatos. Também chamadas de Dira, elas eram as executoras das maldições invocadas por uma pessoa que tinha sido enganada por outra.

No entanto, as temíveis Erínias, as furiosas, nos primeiros tempos, não eram consideradas como injustas ou sequer malignas. Seus castigos eram imparciais e impessoais. Seu trabalho de vingar crimes protegia aqueles que eram injuriados por membros de sua própria família e satisfaziam a alma dos mortos que eles representavam. Essa função era essencial para o funcionamento ordenado da sociedade. Com o avanço da cultura patriarcal e a violenta destruição do matriarcado, as Erínias foram percebidas pela nova ordem como cruéis e sedentas de sangue ao perseguirem furiosamente sua vingança contra o número cada vez maior de agressores.

Em *Eumênides*, a terceira peça em *Oréstia*, Ésquilo trouxe essa situação à tona. Aqui, as Erínias estavam perseguindo e atormentando Orestes pelo crime de assassinar sua mãe, Clitemnestra, o que ele fez em represália por ela ter matado seu pai, Agamenon. A defesa de Apolo a Orestes sustentou que o matricídio, o assassinato de uma mãe pelo seu filho, não era crime algum porque a mãe não é a verdadeira genitora da criança. Atena, nascida da cabeça de seu pai, Zeus, interveio pela absolvição de Orestes e, desse modo, efetuou a transição final da lei dos direitos maternos para a dos direitos paternos e a vitória dos Olímpicos sobre o ctônico mundo do matriarcado.

As Erínias protestaram amargamente contra o julgamento e o veredicto: se um assassino confesso da mãe fosse ser solto, elas perderiam toda a autoridade como deidades vingadoras. Convulsionadas pela raiva do escárnio contra as antigas leis por parte dos deuses da nova geração, elas ameaçaram retaliação por meio da devastação da terra, causando fome e esterilidade na humanidade. Atena as consolou com oferendas de honra e sacrifícios. A sujeição final dos seus antigos poderes pela nova ordem ocorreu quando as Erínias, as Fúrias, foram renomeadas como as Eumênides, as Benévolas.

Para os gregos antigos, as Erínias eram a força que protegia a santidade da linhagem materna e elas defendiam a continuidade do que pode ser passado adiante por meio das gerações. O maior tabu era o assassinato da mãe de uma pessoa e, depois, de qualquer outro parente consanguíneo. Entretanto, essa proibição deixava os gregos em um difícil dilema. Se era proibido matar uma pessoa com quem você fosse relacionado por meio do sangue materno e se um familiar violasse ou assassinasse um membro da sua família, então que recurso você tinha para justiça, se ao vingar o crime você cometeria a mesma transgressão?

Nix e suas filhas representavam as leis naturais do universo, que mantinham ordenado o funcionamento do mundo. Quando a humanidade causava um distúrbio ao violar essas leis, o universo reagia para restaurar o equilíbrio. Essa crença no mecanismo divino de justiça retributiva era personificada pelas filhas da noite. As Erínias representavam uma força cósmica que garantia a punição dos infratores por crimes de sangue. Se uma pessoa tentava vingar um tal crime cometido por um membro do clã, ele ou ela seriam, então, culpados pelo mesmo crime. As Erínias livravam os membros do clã de ter responsabilidade direta pela justiça retributiva.

Quando a lei do patriarcado triunfou sobre a jurisdição mantida pelas Erínias como deidades vingadoras, essas deusas foram banidas da sua honrosa posição na sociedade. Estórias terríveis circulavam sobre ser insensato até mesmo mencioná-las pelo nome em conversas; para estar em uma posição segura, a pessoa deveria se referir a elas de forma eufemística como as "Benévolas" ou as "Damas adoráveis".

As Erínias, como antigos espíritos de ira e vingança, residem em nós hoje como forças psicológicas que operam em nosso inconsciente. Tendo em vista que as Erínias são uma emanação da Deusa Negra, as energias delas constituem uma parte da sombra no indivíduo e no coletivo. As Erínias, como a sombra, representam o ódio primitivo dentro de nós que tem fome de vingança. Se esse aspecto primitivo de nós mesmas é ativado, nos tornamos tão concentradas em focar nossas energias em busca de vingança que podemos ficar chocadas com os extremos aos quais podemos ir.[15]

Quando banimos as Erínias e não permitimos que elas exerçam seu poder de proteger o código de direito no relacionamento dos membros de nossa família, elas emergem em nossas próprias sombras como nossas piores inimigas. Quando as Erínias da sombra tomam posse de nossa vida, podemos descobrir a personalidade furiosa e irada dentro de nós, consumida por um desejo de vingança. Presas nas garras desse arquétipo, podemos cometer terríveis e horrorosos atos contra nossos parentes ou outras pessoas amadas que nós pensamos terem errado conosco ou com um membro de nossa família. Então as Erínias tomarão a forma de nossas consequentes dores na consciência. Elas nos atormentarão incansavelmente com remorso, culpa e medo de retaliação ou castigo. À medida que internalizarmos o papel dessas deidades vingadoras, nossa consciência torturada nos levará à loucura e, em alguns casos, até à morte. Um clássico exemplo disso pode ser visto no personagem principal de "O Coração Revelador", de Edgar Allan Poe.

Em nossa evocação das forças da Noite, depois de Nix e Nêmesis, nós honramos as Três Erínias, as quais nos ensinam que não é necessário cometermos crimes de vingança para "ficarmos quite". Existe um mecanismo na divina ordem do universo que assegura a punição dos criminosos e restaura o equilíbrio: "'Minha é a Vingança; Eu recompensarei', diz o Senhor" (Romanos 12:19).

Perguntas do Diário

1. Com que frequência eu sinto raiva ou até ódio cego por aqueles que penso terem errado comigo ou por aqueles que feriram ou violaram minha família ou entes queridos? Eu já me senti motivado para a vingança perfeita e depois sofri com a tortura da consciência?

2. Acredito que se eu não seguir pessoalmente os passos para garantir a retribuição, o criminoso vai se livrar do crime dele ou dela? Eu consigo levar em consideração a possibilidade de que o universo possa ter um mecanismo interno de justiça que vai ocorrer consequente e inevitavelmente sem a minha participação direta e deliberada?

As Hespérides

As Hespérides, como crianças da Mãe Noite, eram conhecidas como as filhas do Anoitecer. Viviam em um jardim do paraíso, onde protegiam as maçãs douradas da imortalidade. Dizia-se que esse jardim ficava depois do rio oceânico nos limites do extremo ocidente do mundo, nos quais os modernos viajantes localizaram a costa da África entre Tânger e Casablanca. Essas Ninfas do Oeste foram identificadas com o pôr do sol sobre as ondas ocidentais nas bordas da noite. Em sua forma tripla, tais deusas eram conhecidas como Héspera, a Crepuscular; Egle, a Radiante; e Erítia, a Esplendorosa.

Em algumas genealogias, as Hespérides são filhas de Fórcis e Ceto; e mitologias posteriores as fizeram filhas do gigante rei Atlas, que ficava acima da borda ocidental do mundo e sustentava os céus sobre seus ombros. Outros nomes dados às Hespérides são Lípara, "de suave radiância", Crisótemis, "dourada lei e ordem", e Astérope, "estrela brilhante".

No casamento de Zeus e Hera, Gaia, a Mãe Terra, presenteou Hera com uma linda árvore que dava maçãs de ouro. Essa árvore crescia em um pomar, lendário por ser o local de nascimento de Hera, no sopé do Monte Atlas. Hera colocou a árvore sob a guarda das Três Hespérides, que eram as organizadoras dos objetos mágicos. As três irmãs eram assistidas nessa tarefa por Ladão, a serpente de três cabeças (ou, alternativamente, a de cem cabeças), filha de Tífon e Equidna. As maçãs são um símbolo de vida eterna crescendo no Jardim da Imortalidade, que é o templo do útero regenerativo de Hera.[16]

As Hespérides eram conhecidas por suas doces vozes de cantoras e por apreciarem belas canções. Isso era mencionado com frequência nos contos,

Figura 4.4 A Árvore das Hespérides

assim como a habilidade da serpente Ladão, que era dotada do poder da fala humana, em conversar em diversos idiomas. Quando alguém ouvia as suaves músicas das Hespérides no crepúsculo, dizia-se que era um atrativo para os ritos secretos. Os segredos dessas cerimônias podiam ser, às vezes, assustadores para os não iniciados.

O Oeste simbolizado no portal para a morte e as Hespérides eram um aspecto da Deusa Morte da Lua Negra. Robert Graves sugere que o jardim era localizado no oeste distante porque o rei sagrado, como representante do Sol, encontrou sua morte ao pôr do sol.[17] As Hespérides, com suas doces canções de amor, chamaram o rei para a sua morte; e, ao pôr do sol, Héspera, a Estrela do Entardecer, apareceu. Dizia-se que Hera, algumas vezes, assumia a forma de Héspera, a estrela sagrada de Afrodite. As maçãs de ouro eram dadas ao rei no final de seu reinado como o seu passaporte para a imortalidade.

Essa lenda das Hespérides, que contém o jardim, a maçã e a serpente, é a primeira precursora da estória bíblica do Jardim do Éden. As maçãs de ouro da imortalidade são um símbolo dos ciclos de renovação. No mito judaico da serpente, que já representava o princípio do mal, o réptil tentou a humanidade a partilhar do fruto proibido da Árvore do Conhecimento. Dessa forma, isso representa a longa perseguição do patriarcado por aprender a respeito dos mistérios da morte e da renovação da Deusa da Lua Negra e sua serpente.

Em certo nível, os Doze Trabalhos de Hércules podem ser lidos como a conquista da Deusa pelo herói. No décimo primeiro trabalho, Hércules deve roubar maçãs de ouro das Hespérides. Depois de muitas jornadas e investigações para descobrir onde estavam as maçãs de ouro, Hércules foi finalmente direcionado para o rei Atlas, que os Olímpicos tornaram o pai das Hespérides. Atlas construiu um muro ao redor do jardim para proteger seus tesouros, pois ele havia sido avisado por Têmis de que, um dia, um filho de Zeus iria cortar a sua árvore de ouro. Na versão clássica da estória, o rei Atlas, depois de ouvir tudo o que Hércules tinha a dizer, prometeu pegar as maçãs se o herói o aliviasse de seu fardo por uma hora de descanso e sustentasse os céus em seu lugar. No entanto, Atlas temia Ladão, então Hercules matou a serpente lançando uma flecha sobre o muro do jardim. Em seguida, Atlas entrou no jardim de suas filhas e colheu as maçãs de ouro.

Saboreando a sensação de liberdade, Atlas não queria reassumir o peso do mundo. Quando retornou ao local onde deixara Hércules, ele mesmo se ofereceu para carregar as maçãs para Euristeu. Hércules fingiu concordar, mas pediu a Atlas para primeiro segurar os céus por apenas um minuto enquanto ele colocava uma almofada em sua cabeça. Atlas, facilmente iludido, deitou as maçãs na grama e reassumiu o fardo do mundo. Hércules, então, apanhou as maçãs e simplesmente foi embora. Outras lendas contam que o próprio Hércules entrou no jardim, matou a serpente que vigiava as árvores e roubou a fruta de ouro. As maçãs foram depois devolvidas ao jardim por Atena, pois as frutas sagradas não duravam muito em nenhum outro lugar.

Pouco depois, as ninfas do Oeste foram visitadas por Jasão e os Argonautas. As Hespérides, assustadas depois de Hércules ter roubado seus tesouros, transformaram-se em árvores – Héspera em um álamo, Erítia em um olmo e Egle em um salgueiro. Quando perceberam que os argonautas à deriva não eram hostis, mostraram a eles uma fonte que Hércules havia criado no deserto para que pudessem matar sua sede.

As Hespérides e a serpente-dragão Ladão são as guardiãs das maçãs de ouro. A maçã, com as romãs, é o fruto do submundo e, de acordo com Alan Bleakly em *Fruits of the Moon Tree*, representa a frutificação da imaginação criativa. Ele prossegue dizendo que, quando meditamos, entramos em devaneio ou temos visões de espíritos, isso é geralmente sentido como uma corrente pela coluna acima, a elevação da energia *kundalini*, simbolizada pela cobra. A serpente da *kundalini* nasce na visão criativa, floresce no jardim da mente e amadurece como os frutos da imaginação.[18]

As maçãs de ouro são também o símbolo da imortalidade e, como tal, preservam o nosso conhecimento da renovação cíclica. Em nosso inconsciente, as maçãs de ouro representam a essência de nossas vidas passadas, nossas encarnações anteriores e a essência coletiva da parte eterna da nossa humanidade.[19] As Hespérides guardam o conhecimento de nosso passado para proteger nossa percepção consciente de ficar sobrecarregada por informações que talvez não tenhamos a sabedoria para compreender, nem a capacidade de integrar.

Em suas doces vozes de cantoras, as Hespérides nos dizem que existem algumas coisas que é melhor para nós não sabermos, a menos que sejamos "iniciados". Podemos usar essa informação de maneiras positivas e benéficas. Quando não honramos as Hespérides, nós sentimos o lado sombra rejeitado, às vezes, quando a revelação do passado destrói nossa paz mental e interfere em como a nossa vida costumava ser. Repentina e inesperadamente, nossos segredos do passado podem eclodir em perturbadores pesadelos, loucura, esquizofrenia, fofoca e escândalo. Quando nós temos a sabedoria e a compaixão para assimilar esse conhecimento do passado, então o fruto das Hespérides pode ser uma fonte de inspiração, ideias e criatividade.

As Hesperides nos ensinam que somos imortais e que temos um passado infinito. Elas permitem que esse material seja revelado apenas quando estamos aptas a usá-lo com sabedoria. Conhecer o passado e o seu impacto sobre o presente e o futuro está ligado com as questões do destino e da sorte, o domínio governado pelas Moiras – o terceiro e o mais poderoso grupo das filhas da Noite.

Perguntas do Diário

1. Acredito em renascimento ou em reencarnação? Em caso afirmativo, eu lembro ou tenho tentado explorar algumas de minhas vidas passadas? Penso que esse tipo de conhecimento do passado é interessante e valioso ou penso que essa informação não é necessária para viver bem o presente e o futuro? Acredito que haja algumas coisas que seja melhor não conhecer?

2. Acredito que em algum lugar em minha mente reside uma memória coletiva de tudo o que aconteceu antes de mim? Em caso afirmativo, eu acredito que possa acessar essa fonte de informação? Já tive uma sensação de *déjà-vu*, um *flashback* ou uma súbita consciência de estar lembrando de alguma coisa de muito tempo atrás? Vislumbres do passado me permitem acessar uma fonte de inspiradora sabedoria ou criatividade?

As Moiras

As Moiras, o conjunto final de três filhas da Noite, eram reverenciadas como deusas da sina. Para os gregos antigos, a sina era o destino inescapável que seguia todo ser humano e era personificado por essas três filhas de Nix. No singular, a Deusa do Destino era chamada de Moira, e sua tripla forma, as três irmãs, eram conhecidas como as Moiras – Cloto, a Fiandeira; Láquesis, a Mediadora; e Átropos, a Cortadora.

O nome Moira significa "parte", e isso se refere tanto às três partes da lua quanto ao conceito de parte atribuída a uma pessoa na vida. Como símbolo lunar as Moiras triplas correspondem às três fases da lua, às três estações do ano (primavera, verão e inverno) e aos três estágios da vida de uma pessoa. Como a quantidade de vida de uma pessoa, a Moira, no período micênico, significava a propriedade de terra familiar de uma dona mulher de acordo com o antigo sistema matriarcal. Portanto, a Moira era "um lote", que mais tarde se tornou "o Destino atribuído".[20]

Como as Fiandeiras do Destino, essas três deusas prolongavam os dias de nossa vida como um novelo e o teciam como uma tapeçaria. A extensão

Figura 4.5   As Moiras.

do fio era decidida inteiramente por elas. Cloto fiava a linha da vida com a sua roca e o passava adiante para Láquesis, a Dispensadora dos Lotes, que os media na sua roda e determinava o destino de cada pessoa. Átropos, a Inevitável – "aquela que não pode ser modificada" –, cortava a linha com sua tesoura na hora determinada para a morte. Uma vez que o destino de um indivíduo era tecido, ele era irrevogável e não poderia ser alterado. A extensão da vida e a hora da morte eram parte do padrão designado pelas Moiras. Nem mesmo Zeus, deus supremo dos Céus, podia ir contra os seus decretos.

As Moiras eram uma trindade mais velha que o tempo. Em Atenas, a grande deusa arcaica do Amor, Afrodite, era chamada de a mais velha das Moiras. Robert Graves assinalou que Afrodite Urânia era a Deusa Ninfa a quem o rei sagrado tinha, em tempos antigos, sido sacrificado no solstício de verão.[21] Os hinos fúnebres gregos, conhecidos como a *Moirologia*, invocações às moiras, entregavam os mortos aos cuidados de Afrodite.

Na poesia posterior, as Moiras eram retratadas como mulheres severas e inexoráveis, velhas e horrendas, vestidas em trajes pretos e, algumas vezes, sentadas em um banco perto de Hades. Entretanto, imagens anteriores as descrevem como habitando entre as esferas celestiais, onde, vestidas em robes ornados de estrelas e usando coroas na cabeça, elas se sentavam em tronos radiantes de luz. Orfeu cantou as Moiras em vestes brancas, vivendo no céu ao lado de uma piscina em uma caverna da qual jorra água branca. Essa clara imagem da luz do luar indica a natureza lunar delas.

A função das Moiras era cuidar para que a ordem natural das coisas fosse respeitada. Elas participavam de assembleias dos deuses e possuíam o dom da profecia. Eram cultuadas seriamente na Grécia e na Itália com sacrifícios de mel e flores e, às vezes, ovelhas lhes eram ofertadas. Em Roma e Esparta, as Parcas tinham templos e altares.

As Parcas eram seres divinos que determinavam o curso dos acontecimentos nas vidas humanas. Como a personificação da ideia de destino implacável, dizia-se que toda a vida de uma pessoa era assombrada pelas Moiras. Assim como a fase negra da lua, que significa a transição entre a morte e o nascimento, a grande tríade das Moiras era associada com os três momentos decisivos da vida – o começo e o fim, nascimento e morte, bem como o casamento como a terceira grande estação. Acompanhando Ilithyia, Deusa do Parto, elas chegavam até o berço de cada recém-nascido para estabelecer o destino da criança e atribuir a sua parcela de bem e mal. O folclore e os contos de fada falam sobre as oferendas feitas para as fadas madrinhas em nome da criança. Quando uma pessoa se casava, as três Parcas tinham que ser invocadas para que a união fosse feliz; e quando o fim da vida se aproximava, as Moiras apressavam-se para cortar a linha da vida.

Um indivíduo que tentasse desafiar o próprio destino era punido por tentar ultrapassar os limites estabelecidos pelas Moiras. Desprezar a sina ou cometer húbris (arrogância e orgulho excessivos diante dos deuses) era atrair a justa ira de Nêmesis, cuja punição se adequava precisamente à natureza do crime. Uma das poucas exceções foi quando Apolo, um deus mais jovem, deixou as Moiras bêbadas para salvar a vida de seu amigo Admeto. Na maioria das vezes, dizia-se que até Zeus estava maravilhado com as Parcas, que agiam com frequência contra a vontade dele. Zeus não tinha poder para detê-las e era limitado pelas decisões delas.

O poder das Moiras vinha de um tempo antes de Zeus. Ele era derivado da antiga existência delas como parte da própria ordem do universo em si mesmo. Poetas posteriores chamaram Zeus de Líder das Parcas quando ele aceitou a suprema soberania e assumiu a prerrogativa de mensurar a vida de uma pessoa, informando as Parcas da sua decisão e salvando os que o apraziam. Para que Zeus assimilasse o poder das Parcas, elas se tornaram suas filhas da união com Têmis, que era o princípio da lei, da ordem e da justiça no mundo. Outras versões dos mitos tratam as Moiras como assistentes nupciais que vieram para abençoar o casamento de Zeus e Têmis.

Muitas culturas diferentes partilhavam a noção de que a vida era um fio místico tecido por uma trindade de deusas, as tecelãs da sorte. Na literatura anglo-saxã, o destino era tecido. Em latim, *destino* significa aquilo que é tecido e fixado com cordas e linhas; o destino é "amarrado" para acontecer, assim como os feitiços das mulheres fadas eram vinculantes.[22] A trindade da sorte refletia a tríade virgem, mãe e anciã que regia o passado, o presente e o futuro, representando os aspectos criador, preservador e destruidor da Grande Deusa.

As cores das Parcas eram o branco, o vermelho e o preto. Os místicos indianos chamavam as linhas da vida de *gunas* ou tendências. O puro branco da Virgem era *sattva*, o vermelho real da Mãe era *rajas* e o preto fúnebre da Anciã era *tamas*. Essas cores simbolizavam o progresso da vida na natureza, da luz à escuridão.[23]

A Moira grega também era conhecida pelos romanos como Fortuna, pelos escandinavos como Nornes, pelos anglo-saxões como Wyrd e pelos celtas como Morrigan. Em Roma, a deusa Fortuna controlava o destino de todos os seres humanos e a sua mágica roda do tempo determinava os dias propícios. Isso mais tarde se degenerou na roda da fortuna das feiras e ela era invocada como Dona Sorte pelos apostadores. Na religião escandinava, três irmãs conhecidas como Nornes (Urd, Verdandi e Skuld) sentavam-se aos pés da Árvore do Mundo e eram elas que decidiam cada vida. As Nornes eram as mais poderosas de todas as deidades e nem mesmo os deuses podiam desfazer o que elas tivessem feito ou fazer o que elas não queriam.

As irmãs Wyrd são as três bruxas em *Macbeth*, de Shakespeare, cantando ao redor do caldeirão. Elas eram descendentes diretas da Deusa anglo-saxã do Destino, Wyrd, cuja palavra era lei imutável. Durante a Idade das Trevas, as irmãs Wyrd ou três fadas foram convidadas para a casa de um recém-nascido a fim de moldar um bom destino para a criança e foi-lhes oferecido um banquete com três facas expostas no aparelho de jantar. No conto de *A Bela Adormecida*, quando a terceira fada (ou, em algumas versões, a décima terceira fada) não foi convidada para a celebração do nascimento, ela lançou uma maldição sobre a jovem princesa de que ela iria se picar em uma roda de fiar (das Parcas) e o reino cairia em um sono profundo. A Morrigan celta (Ana, Babd e Macha) era conhecida como a Mãe Morte e sua derivada, Morgan Le Fay ou Fata Morgana, lançou uma maldição destruidora sobre todos os homens.

DESTINO, O INCONSCIENTE E O KARMA Durante as épocas de lua negra em nossa vida, quando parece que nossa conhecida segurança está sendo destruída, somos muitas vezes dominadas por sentimentos de desamparo. Somos incapazes de compreender por que coisas tão terríveis estão acontecendo conosco. Nós nos preocupamos com a noção de que a nossa vida possa ser marcada por um destino trágico.

Essa ideia de destino – que a vida de cada pessoa é preordenada e determinada por forças além do controle dela ou dele – é tão velha quanto a humanidade em si. E, logo após essa eterna questão, surge o assunto do livre-arbítrio. Temos alguma influência sobre o nosso destino? A resposta para essa pergunta não é algo do tipo ou isto ou aquilo, mas a compreensão sintética de que a cada momento nós, simultaneamente, ficamos sujeitas ao destino e ao livre-arbítrio.

As Moiras, como determinantes do destino, não são uma força externa, separada e mais poderosa do que nós; mas essas três irmãs, que viram a nossa sorte e encarnam o nosso destino, vivem dentro de nós nos reinos escuros e inconscientes de nossa psique. Assim como o eu sombra quando rejeitado e renegado, as Moiras, quando afastadas e desrespeitadas, podem subitamente se manifestar como as circunstâncias de nosso trágico azar.

É importante lembrar que, nos mitos, as três irmãs repartiam o bem e o mal para a criança recém-nascida. Se nós temos uma sensação de correntes positivas atuando em nossa alma, então as nossas Moiras interiores estão bem-dispostas em relação a nós. Isso pode liberar grandes forças de positividade e recursos de energia vital ficam disponíveis para nós. Mas, se passamos a sentir que nossas Moiras teceram para nós um futuro trágico ou vazio, ficamos deprimidas e sentindo-nos drenadas de energia vital.[24]

Nesses momentos, os aspectos negros de nossa personalidade são ativados como ódio e desespero em relação ao que percebemos ser a injustiça, sem qualquer razão ou causa aparente, de nossa situação. No entanto, o padrão de nosso destino não é imposto para nós por alguma força externa, mas vem das profundezas de nossa própria alma.

Liz Greene equipara as três Parcas ao arcano A Roda da Fortuna no Tarô. "Em um nível interno, as três Moiras que seguram a Roda da Fortuna apresentam a imagem de uma lei profunda e misteriosa atuando dentro do indivíduo, que é desconhecida e não vista até que pareça precipitar súbitas mudanças na sorte que subvertem o padrão estabelecido de vida."[25]

Que misteriosa lei é essa, mais antiga do que o próprio tempo, que as Parcas são incumbidas de cumprir e manter? Hoje, a maioria de nós rejeita um modelo fatalista do universo, porque a ideia de que nossa vida é totalmente predeterminada por uma força invisível, impessoal e randômica é um pensamento aterrador. Isso anula qualquer possibilidade de que possamos sonhar, aspirar e usar nossa vontade para moldar o curso de nossa vida. Essa concepção popular da sorte nos deixa indefesos e impotentes.

As Parcas, nascidas no início da criação, teciam os fios que mantinham a conexão da humanidade com a ordem natural do próprio universo. Para o grande poeta grego Hesíodo, a Parca era a guardiã da justiça e da lei natural. As Moiras, que estavam presentes tanto no nascimento quanto na morte de um indivíduo, giravam a roda da fortuna, que também é a roda do tempo. No processo cíclico, o fim do velho ciclo é também a base e o precursor do novo ciclo. A semente germina, floresce e volta a ser semente, apenas para germinar de novo. A semente da qual surge a nova planta contém a essência da sua predecessora.

Em algum momento na sucessão de nossa vida humana, colhemos a safra de todas as sementes que plantamos antes. Essa é a base da lei do karma, que postula a relação de causa e efeito entre nossas ações anteriores e as circunstâncias atuais. O karma é o fruto das nossas sementes ou o resultado de nossas ações, em um sentido tanto positivo quanto negativo. O karma é com frequência ligado ao conceito de reencarnação e propõe que nós não temos apenas uma, mas muitas vidas, uma logo depois da outra, aqui na terra. Esses dois princípios atuando juntos implicam que, por meio de incontáveis tempos de vida, colhemos os resultados de todas as nossas ações. Uma escritura bíblica resume a doutrina oriental do karma no verso: "Porque tudo o que o homem semear, isso também ceifará" (Gálatas 6:7).

Desse ponto de vista, o destino é o inevitável amadurecimento do nosso karma. Até este exato momento, tudo o que nos aconteceu foi predeterminado pelas nossas ações e nossos pensamentos anteriores, pessoais ou de grupo. Esse é o nosso destino. Ele não foi imposto a nós do exterior, mas é um produto da nossa própria criação interna. A possibilidade do livre-arbítrio existirá de acordo com a maneira como nós reagimos ao nosso destino. As intenções e motivações que são a base das escolhas que fazemos e das atitudes que tomamos no presente determinam nosso destino. Nosso livre-arbítrio existe como a escolha e a oportunidade de criar o futuro de acordo com o nosso nível de sabedoria e compaixão.

As Moiras operam a partir de um nível inconsciente de nosso ser. Devido à nossa visão limitada, somos muitas vezes incapazes de ver todas as implicações de como e mesmo quando nossos começos iniciam um processo que levará a uma conclusão inescapável. Por meio de nossas ações anteriores, tecemos os fios do nosso destino. Pela natureza de nossas respostas e ações diante da inevitabilidade de nossas circunstâncias presentes, tecemos o padrão de nosso destino futuro.

As Moiras dentro de nós são as "servas da justiça" que presidem os trabalhos ordenadamente misteriosos e invisíveis do cosmos. Elas nos guiam através de nossa dor e nosso sofrimento em direção à mudança e à renovação, e à sintonia para vivermos em harmonia com a alma do mundo. Honrando e respeitando as filhas da Noite como nossas próprias forças negras, inconscientes, podemos fazer as pazes com as Moiras.

No cortejo de deusas da Noite – Nix, Nêmesis, as Erínias –, as Hespérides são as Moiras. Essas irmãs nos ensinam que nada além de nossas próprias ações anteriores são as causas fundamentais da nossa má sorte, ou nosso destino ruim, tanto quanto da nossa boa sorte. Além disso, pelas nossas ações e atitudes presentes, somos aquelas que controlam e criam nosso destino futuro.

Perguntas do Diário

1. Penso que tudo seja fadado ou predeterminado? Eu me sinto impotente para mudar qualquer coisa? Sinto que o curso que a minha vida tomou é o resultado da ação de outras pessoas sobre mim ou apenas boa ou má sorte? Penso que tenho livre-arbítrio para moldar meu futuro?

2. Assumo alguma responsabilidade pessoal pela minha infelicidade? Acredito que vítimas são inocentes e impotentes espectadores que foram propositalmente abusados por opressores? Vejo alguma relação entre minhas próprias ações e as circunstâncias da minha vida?

Hécate, Rainha da Noite

Rainha da Noite, Hécate de tripla face é uma das mais antigas imagens de um estrato da mitologia pré-grega e uma encarnação original da grande Deusa Tríplice. Ela é muitas vezes vinculada com o escuro da lua e preside sobre a magia, o ritual, a visão profética, o parto, a morte, o submundo e os segredos da regeneração. Dama das encruzilhadas, essa deusa lunar vive em cavernas, caminha pelas estradas à noite, faz amor nos vastos mares e é a força que move a lua.

GENEALOGIA Hécate é uma figura primordial no mais antigo estrato de nosso inconsciente. Sua genealogia nos leva de volta ao seu nascimento, no início do tempo, como uma filha de Nix, a Antiga Noite. Em um nível interior, Hécate é uma figura guardiã das profundezas misteriosas de nosso inconsciente que acessa a memória coletiva do vazio primordial e das forças rodopiantes no início da criação.

Hécate pode ter sido originalmente derivada da deusa parteira egípcia Heket que, por sua vez, evoluiu para Heq ou a matriarca tribal do Egito pré-dinástico. Na Grécia, Hécate era uma deusa pré-olímpica, cujas origens geográficas a colocam como uma nativa da Trácia, no nordeste do país, o que a liga ao culto da deusa da velha Europa Central e da Ásia Menor, no terceiro e no quarto milênios. Ao contrário de muitas outras deidades primordiais, Hécate foi absorvida no panteão grego clássico.

Hesíodo, em *Teogonia*, nos dá o seguinte relato de sua ascendência. O casal de Titãs Febe e Céos tiveram duas filhas: Leto, a mãe de Apolo e Ártemis, e Astéria, uma deusa estrela. Astéria procriou com Perseu, ambos símbolos da luz brilhante, e ela deu à luz Hécate, "a mais adorável", um título da Lua. Hécate é, portanto, prima de Ártemis, com quem ela é em geral associada, e uma reaparição da grande deusa Febe, cujo nome os poetas deram à Lua. Hécate é retratada como uma Deusa da Lua que carrega uma tocha, usa um diadema brilhante de estrelas iluminando o caminho na escuridão do vasto passado de nossas origens e nas profundezas de nosso ser interior.

Figura 4.6 Hécate.

Os Olímpicos gregos tiveram dificuldade para adequá-la ao sistema de seus deuses. Os Titãs, com quem Hécate era associada, foram as divindades pré-olímpicas a quem Zeus havia deposto e degradado. Entretanto, os novos conquistadores curvaram-se à antiguidade de Hécate concedendo apenas a ela um poder compartilhado com Zeus – aquele de conceder ou recusar à humanidade qualquer coisa que ela quisesse. Embora Hécate nunca tenha se juntado à companhia dos Olímpicos, Zeus a honrou acima de todas as outras deidades dando a ela um lugar especial e concedendo-lhe domínio sobre o céu, a terra e o submundo. De acordo com Hesíodo, ela se tornou uma doadora de riqueza e de todas as bênçãos da vida diária e, na esfera humana, ela governava os três grandes mistérios do nascimento, da vida e da morte.

Tradições posteriores tornaram Hécate a filha de Zeus e Hera, reduzindo seu poder a apenas aquele do submundo e da lua minguante negra. A estória a seguir era contada para explicar sua descida para o submundo. Hécate provocou a ira de sua mãe, Hera, ao roubar um pote de *rouge* para dar a Europa, uma das amantes de Zeus. Ela, então, fugiu para a terra e o escondeu na casa de uma mulher que acabara de dar à luz. Mesmo Hécate sendo a patrona das parteiras, naqueles tempos o contato com o parto tornava a pessoa impura. Para lavar sua mácula, a Cabíria a mergulhou no Aqueronte, um rio do submundo, onde ela permaneceu.

Como Prytania, Invencível Rainha dos Mortos, Hécate se tornou uma agente e transportadora de almas para o submundo. Como Deusa da Magia e dos encantamentos, ela envia sonhos proféticos ou demoníacos para a humanidade. Sua presença era sentida nas tumbas e cenas de crimes, onde ela presidia as purificações e expiações. Da mesma forma que sua homônima Kali, na Índia, Hécate, como uma sacerdotisa fúnebre, conduzia seus ritos em casas mortuárias ou cemitérios, ajudando a liberar a alma dos recém-mortos.

Em razão do fato de sua natureza ser originalmente a de uma deidade misteriosa, mais proeminência foi dada depois às suas características sombrias e aterradoras. Os helenos enfatizaram os poderes destrutivos de Hécate à custa dos criativos, até que, no final, ela era invocada apenas como uma deusa do mundo inferior em ritos clandestinos de magia negra, sobretudo em locais onde três caminhos se encontravam na escuridão da noite.

O caráter profético de Hécate sobreviveu na Noruega e na Suécia como as velhas, encapuçadas, sábias "mulheres de conversa", que viajavam pelas fazendas e pelo interior predizendo o futuro. Elas eram bem recebidas, alimentadas e presenteadas. Mas, com o surgimento do domínio patriarcal, as deusas diminuíram em influência e grandeza. Os poderes médios da sábia anciã foram reprimidos e depois emergiram como as projeções deturpadas e torturantes, agora percebidas como bruxaria e feitiçaria perigosas.[26]

Nos tempos medievais, quando a visão de mundo dualista patriarcal via a alma humana como um campo de batalha para as forças do bem e do mal guerrearem, Hécate foi particularmente demonizada pelas autoridades católicas. A Igreja projetou sobre ela seus próprios medos internos e inseguranças espirituais, e distorceu sua figura na feia feiticeira Rainha das Bruxas. Hécate era agora responsável por incitar o povo pagão camponês – que estava simplesmente praticando seus antigos costumes populares de fertilidade – a realizar os supostos atos de estranho mal, inenarrável horror e ritos abomináveis. As pessoas mais perigosas para a Igreja eram precisamente aquelas que Hécate apadrinhava: parteiras, curandeiras e adivinhas. E 9 milhões de mulheres foram queimadas como bruxas, acusadas de serem possuídas por espíritos malignos como Hécate.

A TRIPLA NATUREZA DE HÉCATE Hécate é uma das mais antigas personificações da Grande Deusa Tríplice, conhecida como Hécate Triforme, que expressava seu domínio tríplice sobre muitos reinos. Porfírio escreveu: "A lua é Hécate... seu poder aparece em três formas". Estátuas dessa deusa em geral mostram-na como três figuras femininas ou coroada com um cocar trazendo uma torre tripla (ou três cabeças). Suas três faces refletem a tripla extensão de seus poderes sobre o céu, a terra e o submundo. Aqui, no reino da natureza, ela era honrada como Selene, a lua, no céu; Ártemis, a caçadora, na terra; e Hécate, a destruidora, no submundo. Nessa tríade, ela tinha controle sobre o nascimento, a vida e a morte.

Como a essência da lua, Hécate também presidia as três fases lunares nas vestes de Ártemis, a crescente lua nova; Selene, a luminosa lua cheia; e Hécate, a lua minguante. Ártemis/Diana representava o esplendor da luz da lua na noite, enquanto Hécate representava a sua escuridão e o seu terror reinando sobre o poder da lua negra.

As fases nova, cheia e negra da Deusa Tríplice da Lua também refletiam os três estágios da vida de uma mulher como Ártemis, a virgem; Perséfone, a ninfa, e Hécate, a anciã; e, alternativamente, tendo Perséfone como filha; Deméter, a mãe, e Hécate, a avó. Ela também fazia parte da trindade da Rainha do Céu e, como as três fases do relacionamento conjugal de uma mulher, consistia em Hebe, a donzela; Hera, a esposa, e Hécate, a viúva.

Hécate era adorada como uma deusa da fertilidade, cuja tocha era carregada por sobre os campos recém-semeados para simbolizar o poder fertilizador da luz da lua. Nos mistérios femininos da agricultura, a sua trindade tomou a forma de Core, o milho verde; Perséfone, a espiga madura, e Hécate, o milho colhido.

Hécate era também a figura-chave na reunião da mãe com a filha na estória do rapto de Perséfone por Hades para o submundo e seu periódico retorno para sua mãe, Deméter. Esse mito era a base para os ritos iniciáticos Eleusinos de nascimento, morte e renascimento, derivados dos mistérios do ciclo vegetativo. Deméter era uma expressão da força que sustenta o crescimento vegetativo na superfície do solo; enquanto Hécate, como a guardiã feminina do submundo, empurra a força vital das plantas de baixo para cima, enviando a abundância para a terra, as lavouras e os seres vivos. Perséfone, aqui, é a mediadora entre o mundo superior cheio de luz e o escuro submundo.

Todos os animais selvagens eram sagrados para Hécate e ela era, algumas vezes, mostrada com três cabeças de animais – o cão, a cobra e o leão, ou o cão, o cavalo e o urso. Esse aspecto se refere à sua regência sobre o antigo ano tripartite da primavera, do verão e do inverno. Mas sua forma animal principal e o seu familiar* era o cão. Ela era associada com o cão de três cabeças, Cérbero, que deriva do Cão Estelar Sirius, cuja ascensão helicoidal prenunciava as enchentes anuais do rio Nilo.

Em épocas posteriores, a Hécate Tripla tomou a forma de um pilar chamado Hecterion. Uma dessas estátuas a representa com três cabeças e seis braços, segurando três tochas e três símbolos sagrados – a Chave, a Corda e a Adaga. Com sua chave para o submundo, Hécate destrancava os segredos dos mistérios ocultos e o conhecimento sobre a vida após a morte. A corda, que é também um açoite ou cordão, simboliza o cordão umbilical do renascimento e da renovação. A adaga – mais tarde, o atame das bruxas – é relacionada com a faca curva que corta as ilusões e é um símbolo de poder ritualístico.

Hécate, invocada como "A Distante", era a protetora dos lugares distantes, das estradas e dos caminhos secretos. À noite, particularmente na lua negra, Hécate podia ser vista andando pelas ruas da Grécia antiga acompanhada por seus cães uivantes e tochas flamejantes. Como a Tripla Hécate das Encruzilhadas, sua natureza estava especialmente presente onde três ruas convergiam em uma das entradas para o submundo. Na Grécia, a

---

* Familiar é o animal auxiliar de uma bruxa, com o qual ela tem uma relação intrínseca. (N. do T.)

Górgona, como Ártemis-Hécate, era também a dama das ruas noturnas, da sina e do mundo dos mortos.[27]

Seus devotos mantinham sagrados os locais de seu culto erigindo a tripla figura Hectarea nesses lugares. Na calada da noite ou nas noites de lua cheia, eles deveriam deixar oferendas de alimentos rituais conhecidos como "Ceias de Hécate". Eles também a evocariam dessa forma nos dias de seus festivais ou em ritos de adivinhação, magia ou consulta aos mortos. Assim era honrada a Deusa Tríplice nos lugares onde se pudesse ver três caminhos ao mesmo tempo.

Os Companheiros de Hécate Dentre os companheiros de Hécate estavam os cachorros, as Erínias, Hermes e suas sacerdotisas, Circe e Medeia.

Hécate era intimamente conectada com o cão, seu animal sagrado, que era oferecido à ela em sacrifício. Algumas vezes, referiam-se a ela como uma "cadela preta", a cor preta ligada ao seu caráter ctônico. Ela era acompanhada com frequência por uma matilha de cães de caça ladrando ou por Cérbero, o cão de três cabeças. Cérbero, guardião dos portais do submundo, estava relacionado com Anúbis, o deus egípcio dotado de cabeça de cão que conduzia as almas para o submundo. O aparecimento de cães pretos uivando à noite significa a presença de Hécate e os latidos anunciam a sua aproximação.

Virgílio escreve:

Então a terra começou a berrar; árvores, a dançar
E cães uivantes em luz estonteante avançavam
Antes de Hécate chegar.
– *Eneida*, livro VI

Em eras passadas, a própria Hécate era o cão da lua. Em Cólofon e na Samotrácia, onde se dizia que essa deusa podia se transformar em um cachorro, os cães eram sacrificados a Hécate. O cão representa a Deusa da Morte porque há muito tempo ele foi associado ao transporte dos mortos para o submundo. Uma vez que os fantasmas e as aparições do plano astral parecem ser visíveis para os cachorros, acredita-se que o cão uivando para a lua seja um prenúncio de morte. Hécate e seus cães são descritos caminhando sobre as sepulturas dos mortos procurando pelas almas dos que partiram e levando-as para o refúgio no submundo.

Hécate era também acompanhada, às vezes, por suas irmãs, filhas da Mãe Noite, as Erínias, espíritos da justiça vingadora. Conhecidas também como as Fúrias, essas três deusas caçavam e puniam os criminosos que quebravam o tabu do insulto, da desobediência ou da violência contra a mãe.

As hermas, ou pilares de pedra, que eram dedicadas ao deus Hermes, ficavam nas principais encruzilhadas ao lado dos pilares Hecteria gravados com imagens de Hécate. Hermes e Hécate eram ligados como companheiros e, em algumas tradições, amantes que tiveram Circe como filha. Hermes, como psicopompo, liderava as almas para o submundo; era creditada a ele a transmissão da arte da previsão de Hécate durante os períodos helênicos posteriores.

Tanto Circe quanto Medeia em certas genealogias são filhas de Hécate, e algumas dizem que Circe é a tia de Medeia. Hécate ensinou a ambas, Circe e Medeia, as artes da magia e da adivinhação. Como sacerdotisas de Hécate, Circe e Medeia eram respeitadas e temidas como potentes feiticeiras bem versadas nas propriedades das ervas mágicas, dos encantamentos, da tradição das bruxas e da mudança de forma, que elas usavam para o bem e para a destruição. Jasão prometeu se casar com Medeia diante do altar de Hécate e chamou a deusa para testemunhar sua promessa. A vingança que Medeia lançou depois sobre Jasão por sua traição veio da linhagem de Hécate e das Erínias.

DONS DE HÉCATE: VISÃO, MAGIA E REGENERAÇÃO Hécate é todo o potencial da mulher como bruxa, vidente, médium, curandeira, que pode ser conectado diretamente com as energias bloqueadas da menstruação, e todo o contato do homem com essa energia, refletida como sua *anima*.[28] Hécate é a xamã arquetípica, visto que se move entre os mundos de uma maneira fluida e fácil. Ela faz a ponte entre a realidade visível e a invisível, aprofundando os conhecimentos nos reinos da magia com o principal propósito de efetivar a cura e a regeneração.

VISÃO   Hécate era versada nas artes da divinação e da previsão do futuro. Como olha para três caminhos ao mesmo tempo, ela nos dá uma visão expandida por meio da qual nós podemos ficar iluminados no presente e, simultaneamente, ver aviso ou promessa do futuro do Grande Superior ou rever o passado do Grande Abaixo. Ela nos concede sonhos e visões proféticas, sussurra segredos aos nossos ouvidos internos e nos permite conversar com os espíritos dos mortos e dos não nascidos. Hécate concede o poder da comunicação ancestral com o mundo psíquico.

Um instrumento chamado "círculo de Hécate" era usado para divinação. Uma esfera de ouro com uma safira oculta no seu centro era girada com uma correia de óxido como uma forma de procurar revelações sobre o futuro.

Hécate era tanto a doadora das visões quanto a emissária da loucura. Chamada de Antea, Emissária das Visões Noturnas, ela teve um filho, Museu – o homem Musa. O tipo de compreensão que essa Deusa da Lua Negra traz não é o pensamento racional, mas é mais como uma luz radiante carregada de visões inspiradoras que é derramada sobre artistas, sonhadores e visionários. Entretanto, sua luz pode trazer mais ideias do que uma pessoa pode suportar e resultar em caos, destruindo as ilusões da mente humana. Dizia-se que Hécate podia mandar demônios para a terra que atormentavam os homens por meio de seus sonhos. Como alucinógenos para a mente pouco desenvolvida, Hécate pode envenenar assim como intoxicar e transformar inspiração extática em loucura.

Hécate é também responsável por uma condição chamada lunática, que é geralmente encarada como um efeito particular da lua. Embora hoje o termo "lunático" tenha uma conotação negativa que implica uma pessoa selvagem, maluca, esse nem sempre foi o caso. Quando uma pessoa estava aluada, a condição enviada por Hécate, o manto de confusão que a envolvia em geral trazia um claro fluxo de loucura divina. Nas tradições iniciatórias de muitas culturas primitivas, um atributo que nos tempos modernos parece ser um desequilíbrio mental era especialmente cultivado pelos aspirantes. Acreditava-se que esse estado temporário de insanidade facilitava a descida da visão, o lampejo profético ou o trabalho mágico a ser realizado.

Magia   Rainha dos Fantasmas, Mãe das Bruxas, Dama da Magia, Hécate era invocada durante muitos rituais à meia-noite. Seus adoradores se reuniam em suas casas para comer as ceias de Hécate. Depois eles colocavam as sobras do lado de fora como oferendas a essa deusa e a seus cães de caça. Essa cerimônia era uma forma de ritual de purificação.

Para aqueles que a cultuassem com honra, Hécate concederia seu conhecimento mágico que era conectado com "amor, metamorfose e *pharmaka*". Ela guardava os segredos dos mecanismos dos feitiços mágicos, amuletos, encantamentos e o uso medicinal de potentes substâncias curativas e destrutivas. Sentia-se que o contato com o lado negro da Deusa Lua era o único instrumento confiável para os trabalhos de magia, e suas sacerdotisas diziam-se aptas a atrair a lua para baixo entoando encantamentos mágicos.

O nome de Hécate era a forma feminina para um título de seu primo Apolo, "o que arremessava longe". A essência da magia é operar a distância. Outra denominação de Hécate era "A Distante", e sua magia era conhecida por seu movimento aéreo de longo alcance e sua capacidade de atacar longe de casa.

As mulheres da Grécia clamavam por Hécate para proteger suas famílias das hostes de mortos. Sentia-se que essa deusa poderia deter as hordas espectrais contra os vivos se ela quisesse, então uma imagem dela era colocada do lado de fora das casas a fim de afastar o mal. Isso servia para dizer aos espíritos errantes que dentro daquela casa moravam amigos da sua rainha e que os habitantes não deveriam ser incomodados com barulhos e aparições assustadoras.

Todo ano, em 13 de agosto, era realizado um grande festival em honra a Hécate como a Deusa das Tempestades e da Fertilidade. Ela era invocada para evitar tempestades que poderiam prejudicar a próxima colheita. Ritos de mistério em seu nome também eram realizados todos os anos na ilha de Egina, no Golfo Sarônico. Outro dia sagrado na tradição Celta dedicado a Hécate era o Hallowmas, em 31 de outubro, quando se dizia que o véu entre o mundo dos vivos e o dos mortos ficava mais tênue. E no sul da Itália, ao lado do Lago de Averno, havia um bosque escuro e consagrado a Hécate, que ficava próximo à entrada de uma caverna profunda do reino de Hades. No culto privado a essa deusa, seus devotos ofereciam as ceias de Hécate. Em festivais públicos, mel, ovelhas negras e cães eram sacrificados à Rainha da Noite.

REGENERAÇÃO   Como Prytania, a Invencível Rainha dos Mortos, Hécate morava no submundo ao lado de Hades, Perséfone e outros filhos da antiga Noite – Tanatos (Morte), Hipnos (Sono) e Morfeu (Sonhos). Como Guardiã do Portão do Oeste que marcava o caminho para a mítica escuridão do submundo, Hécate era a agente e transportadora das almas. Ela governava o espírito daqueles que retornavam para a terra escura. Essa noturna Deusa da Lua conhecia seu caminho no reino dos espíritos e ficava nas encruzilhadas triplas no submundo. Segurando uma tocha acesa, ela encaminhava as almas em direção ao reino do seu julgamento – Campo de Asfódelos, Tártaro ou Campos Elísios.

Devido ao fato de Hécate morar no submundo ou mundo inferior, ela foi a única a ouvir os gritos de Perséfone durante seu rapto. Nos mitos Eleusinos, foi Hécate quem, após nove dias, revelou a Deméter o paradeiro de Perséfone. Na conclusão do conto, ela iluminou o caminho para Perséfone retornar ao mundo dos vivos e foi a guardiã da estadia de Perséfone no mundo dos mortos. Como Rainha da Morte, Hécate regia os poderes da regeneração. Ambas, Hécate e Perséfone, representavam a esperança pré-helênica da regeneração, enquanto Hades era um conceito helênico da invencibilidade da morte.[29] Era para Hécate que os antigos rezavam pedindo proteção, vida longa e renascimento afortunado, já que era ela quem controlava tanto o nascimento quanto a morte.

Nas lendas, Hécate havia sido descrita como o "anjo fosforescente" que brilha na escuridão do submundo. Essa fosforescência é o brilho da morte e da decadência. Essa é a luz hipnótica da transformação (transeformação), em que a natureza intrínseca das coisas é revelada por meio da decomposição e da renovação.[30] Hécate simboliza um tipo de consciência subterrânea da montagem e desmontagem, que nos permite predizer certas espécies de acontecimentos catastróficos por estarmos familiarizados com os sinais e estágios que precedem a desagregação da forma.

Os bosques sagrados dedicados às deusas do submundo, muitos dos quais depois se tornaram os locais dos cemitérios nos quintais das igrejas, eram plantados com povoamentos de árvores fúnebres – o amieiro, o álamo e o teixo. O álamo negro e a árvore do teixo eram sagradas para Hécate. Como Hécate ficava no portão entre a sombra e a luz, o submundo e o mundo superior, as folhas bicolores do álamo negro refletem suas qualidades fronteiriças. O verde-escuro sombreado do lado superior das folhas que se voltam para o céu fazem um contraste impressionante com o verde-claro, pálido do lado inferior das folhas que se voltam para a terra.

O teixo é considerado a árvore central da morte e está associado com a imortalidade porque demora mais do que as outras árvores, exceto o carvalho, para amadurecer. O caldeirão de Hécate contém "tiras de teixo" e dizia-se que a sua árvore sagrada tinha as raízes na boca dos mortos e liberava suas almas. Ela também absorve os odores da putrefação e a fosforescência dos corpos.[31]

Hécate é a deusa de todos os materiais compostáveis com o seu dom da fertilidade proveniente do submundo. Da morte e da decomposição vem a substância fértil que garante e vitaliza a nova vida. Na sua emanação de envelhecimento, mudança, deterioração, decadência e morte, ela encontra as sementes para a nova vida no monte de compostagem de formas em decomposição.

GUARDIÃ DO INCONSCIENTE Hécate de três faces fica nas encruzilhadas do nosso inconsciente. Ao observar nossa aproximação, ela pode ver tanto para trás quanto para a frente em nossa vida. Quando Hécate é honrada, ela concede os dons da inspiração, da visão, da magia e da regeneração. Entretanto, quando nós rejeitamos e negamos Hécate, o seu lado sombra se manifesta como loucura, estupor e estagnação. Sua atividade criativa ocorre no mundo interno. Como a Deusa da Lua Negra dos mortos, ela não apenas representa o lado destrutivo da vida, mas também as forças necessárias que tornam possíveis a criatividade, o crescimento e a cura.[32] A função paradoxal dessa deusa das encruzilhadas iluminadas pela lua é atravessar a escuridão.

Como a Rainha do Submundo, Hécate é uma personagem guardiã do inconsciente. Ela nos permite conversar com os espíritos e, dessa forma, é a senhora de tudo o que vive nas partes ocultas da psique. Essa Deusa da Lua Negra segura as chaves que abrem a porta para o caminho do mundo inferior, e ela carrega a tocha que ilumina ambos os tesouros e os terrores do inconsciente. Hécate nos guia através do escuro mundo dos espíritos onde podemos receber a revelação do significado. Ela, então, nos mostra que o caminho para a saída é conduzir uma onda de renovação.

Hécate pode nos inspirar com uma visão, ideia ou previsão profética, mas o caminho para sua sabedoria muitas vezes envolve uma descida ao submundo do nosso inconsciente. Quando Hécate vem sobre nós, podemos senti-la como um mergulho para dentro da escuridão. Em geral, ela está presente em nosso sono todas as noites e lança seu brilho para iluminar nossos sonhos. Ela também paira sobre nós quando estamos imobilizadas em um longo e semelhante sono ao estupor do vício, à depressão ou à energia criativa bloqueada. Em épocas de mudança drástica, quando enfrentamos a perda ou a morte daquilo que dava à nossa vida estrutura e propósito, Hécate está lá. E quando nós a encontramos pelos vastos reinos transpessoais do inconsciente coletivo, sua luz pode nos mostrar Deus/Deusa ou o Diabo quando ela nos preenche com inspiração divina ou loucura delirante. Hécate nos guia sempre que realizamos nosso trabalho interno, por meio tanto dos processos espirituais quanto dos processos psicológicos.

Shakespeare oferece o sonho para "os mistérios de Hécate e da noite" (*Rei Lear*, ato 1, cena 1, nota), como essa deusa tem sido há muito tempo associada com a interpretação dos sonhos. O psicólogo junguiano James Hillman salienta que tanto a visão mágica que considera os sonhos como previsões quanto a visão do século XIX que os caracteriza como produtos residuais das sensações psicológicas (lixo como as ceias de Hécate) mostram a influência de Hécate.[33] As imagens simbólicas encontradas em nossos sonhos são mensagens de Hécate. Eles nos mostram na forma visual o drama de nossas personalidades internas e as questões que vivem no inconsciente, assim como o molde do futuro e as ilusões de nossa mente. Era aqui que ela era temida nos tempos antigos como a Bruxa do Pesadelo que mandava demônios para torturar a mente dos homens.

Assim como o uivo dos cães pretos anunciava sua aproximação como uma emissária proveniente do submundo, também podemos nos encontrar com Hécate em épocas de mudanças drásticas que abalam nosso conhecido e previsível modo de vida seguro. Como a Deusa dos Mortos pairava sobre a alma dos recém-falecidos, ela nos arrebata naqueles momentos inesperados, quando uma velha estrutura de vida, relacionamento ou corpo físico chega ao fim.

Hécate, uma Deusa da Lua Negra prioritária, encarna o ciclo de morte e renovação. A morte sempre nos deixa cara a cara com nossos medos do desconhecido, que vêm à tona durante essas fases críticas de nossa vida. O processo de renovação necessita de mudança e sacrifício ou o abandono do que é velho. Quando nossas formas de vida começam a se deteriorar, a luz fosforescente da decadência começa a brilhar e a iluminar a paisagem de nossa escuridão interior.

Se não estivermos familiarizados com o terreno de nosso inconsciente, a intromissão repentina de Hécate em nosso mundo todo iluminado pode nos fazer mergulhar em águas escuras e agitadas, nos submergindo em confusão. Uma vez que a origem de Hécate a coloca junto ao início da criação, ela nos leva para além de nosso inconsciente pessoal, em uma camada mais profunda das forças primais que se movem no mar do inconsciente coletivo com suas memórias de todos os tempos.

Essa vasta dimensão transpessoal contém tanto energias positivas quanto negativas, que estão constantemente se modificando e se transformando, mais uma vez, uma na outra; e aqui nós podemos facilmente perder nosso senso de ser individual que possui uma identidade, um propósito e uma direção. Em razão de a forma das coisas continuar mudando nesses reinos mais fluidos e nós não compreendermos o que está acontecendo conosco, podemos ser tomados por medo, ansiedade e sentir como se fôssemos enlouquecer. Existe uma sensação de que estamos fora de controle, de que isso não pode estar realmente acontecendo conosco, tudo parece irreal. Essa sensação pode vir por meio de pesadelos enquanto dormimos ou de alucinações e fantasias paranoicas em nossos sonhos acordados. Uma descida àquilo que parece ser loucura muitas vezes envolve chegar a um acordo com essa antiga Deusa Tríplice.

Hécate também sugere o motivo da incubação à medida que descemos cada vez mais para as profundezas, rumo à escuridão do sono inconsciente como um passo necessário no ciclo de transformação e renovação. O silêncio, a quietude e a solidão caem sobre nós e nos envolvem em um casulo do que parece ser a não existência. Esse é um espaço de inatividade e desconhecimento, quando nada parece acontecer. Uma vez que a cultura ocidental enfatiza ação e produtividade, desvalorizando aqueles tempos de ociosidade e espera pelo que desconhecemos, nós às vezes rotulamos os períodos de incubação de Hécate como estar imobilizada, bloqueada, estar no limbo, desorientada, com depressão, desespero, sensação de torpor, vazio ou congelamento.

Esse tempo abrange o vazio sem forma no ciclo de transformação, quando o que era não é mais e o que será ainda não apareceu. Como a maré baixa, que é a pausa silenciosa entre as águas das marés vazante e cheia, esse estágio extremo geralmente ocorre antes da libertação criativa da energia vinculada.[34] A pausa silenciosa de não atividade é a contribuição de Hécate para a jornada do devir.

Teorias de recuperação contemporâneas propõem que o vício em drogas e álcool é uma busca mal orientada pela espiritualidade e um estado de unidade. Nos tempos antigos, drogas e entorpecentes eram usados de forma consciente em rituais religiosos para induzir o sono e a descida requeridos para o trabalho de magia, cura e visão profética. A papoula, sagrada para Hécate e para Deméter, é uma flor que proporciona esse sono profundo. Quando seu propósito é esquecido e suas qualidades são mal utilizadas, Hécate também está presente na escuridão e no estupor das dependências químicas.

O patriarcado nos ensinou a temer essa deusa, imaginada como uma distorcida bruxa velha; assim como a escuridão da lua, ela era considerada como negativa e até hostil aos homens. Dizia-se que ela ficava de tocaia nas encruzilhadas, à noite, com seus ferozes cães de caça do inferno, esperando para arrebatar transeuntes inocentes para sua terra dos mortos. Eles a retratavam como Deusa Lua dos fantasmas e dos mortos cercada por um bando de demônias. E, como Rainha dos Fantasmas, ela varria a noite, acompanhada por um terrível comboio de espíritos perseguidores e cães uivantes.

Temida como a Deusa das Tempestades, das destruição e dos terrores da noite, dizia-se que ela exigia que seus adoradores realizassem seus ritos de aplacamento nas horas mortas da noite para desviar a ira e o mal que ela causava com tanta frequência. Associada com a feitiçaria e com a magia negra, essa deusa temível recebeu depois o crédito de ser a mãe da Empusa comedora de homens e de Lâmia, que sugavam o sangue de homens jovens e devoravam sua carne. Ela dava às suas sacerdotisas o poder de encantar, de transformar homens em animais e de castigá-los com a loucura.

É importante reconhecer que as imagens chocantes e aterradoras associadas com essa deusa portadora da tocha que ilumina as passagens escuras não são nada além de registros históricos acumulados ao longo de milênios de medos inconscientes patriarcais do negror feminino. Embora esta não seja a natureza original de Hécate, as crenças distorcidas e deturpadas sobre ela são, entretanto, parte do condicionamento do inconsciente coletivo do qual cada uma de nós é herdeira.

Na medida em que nossas próprias imagens internas dela são incrustadas por camadas de repressão e equívoco, nossa vivência dessa Deusa da Lua Negra pode também ser como aparições assustadoras das suas hordas espectrais de demônios e fantasmas que ameaçam nossa sanidade. Nossos medos vêm como subprodutos tóxicos procedentes do nosso condicionamento da Deusa Negra como uma encarnação do mal feminino. Quando projetamos esses aspectos da nossa Hécate interior para fora sobre o nosso mundo exterior, podemos criar uma realidade paranoica na qual somos perseguidas por fúrias de injustiça, ódio e perseguição, o que subliminarmente nos recorda nossos medos da época medieval da queima às bruxas.

Para redimir as qualidades luminosas e regenerativas que Hécate representa dentro de nós, precisamos entender que essas imagens não possuem existência inerente a si mesmas. No processo de despojamento de nossas crenças errôneas, podemos gradualmente começar a enxergar a verdadeira face de Hécate e nos mover através de sua luminosidade para perceber as visões dos reinos arquetípicos transpessoais. Esses padrões, também contidos nas fluidas imagens do inconsciente coletivo, são as fontes de inspiração criativa que sintetiza a força motriz por trás dos grandes trabalhos de arte, literatura, filosofia e invenção científica.

E nesse domínio nós também podemos receber um *insight* de compreensão ou uma imagem de uma direção ou um propósito futuro. Com essa visão inspiradora vem a liberação da energia bloqueada, imobilizada, à espera. Nós somos, então, impulsionadas para o trabalho de parto de um nascimento de significado e renovação.

Hécate nos ensina que o caminho para a visão que inspira renovação é para ser encontrado movendo-se pela escuridão. Ao entrarmos nos reinos de Hécate, devemos confrontar e chegar a um acordo com o lado negro, inconsciente da nossa natureza interna. Se quisermos receber suas dádivas da visão e da renovação, devemos encarar essa Deusa Negra dentro de nós, honrá-la, louvá-la e fazer as pazes com ela. Entregando-lhe nossa confiança como guardiã de nosso inconsciente e nos rendendo ao seu processo, podemos nos permitir crescer em uma consciência do rico reino de nosso submundo pessoal.[35]

Nor Hall adverte: "A pessoa tem que dar alguma coisa para a mãe que lida com a morte, reconhecer sua presença, deixar uma vela nas suas encruzilhadas, admitir seu lado sombra para ver. Se você dá uma parte de si mesmo para a loucura, ela permitirá que você passe para o domínio da fase de lua negra e o deixe. De outra forma, ela vai detê-lo e o estupor e a escuridão se apossarão de você".[36]

Perguntas do Diário

1. Já tive premonições por meio de sonhos, visões, vozes ou ideias repentinas? Consigo honrar minha sabedoria extrassensorial ou fico assustada quando essas profecias se realizam? Se elas são ruins, temo que eu as cause por ter pensado nelas?

2. O que me ocorre naqueles momentos quando sinto como se estivesse "ficando maluca" – vendo coisas, imaginando vozes? Consigo seguir essas sugestões interiores, ou fico com medo e não sei por quê?

3. Houve momentos em que senti como se estivesse mergulhada na escuridão – sentindo-me perdida, confusa, deprimida, desanimada, inativa ou improdutiva? Já me senti como se não soubesse quem eu era ou para onde deveria ir? Nesses momentos fiquei vulnerável aos meus vícios, que ajudaram a entorpecer e bloquear minha consciência da realidade? Em retrospecto, posso ver algumas dessas fases "negras" antecedendo explosões criativas ou novos começos?

Notas

1. Aristófanes, *The Birds*.
2. Karl Kerényi, *The Gods of the Greeks*, traduzido por Norman Cameron (Nova York: Thames & Hudson, 1982), p. 16. [*Os Deuses Gregos*. São Paulo: Cultrix, 1993 (fora de catálogo).]
3. *The Orphic Hymns*, traduzido por Apostoios Athanassakis (Atlanta: Scholars Press, s.d.).
4. Marija Gimbutas, *Goddesses and Gods of Old Europe*: Myth and Cult Images (Berkeley: University of California Press, 1982), p. 102.
5. James Hillman, *The Dream and the Underworld* (Nova York: Harper & Row, 1979), p. 34.
6. Pierre Grimal, org., *Larousse World Mythology* (Nova York: G. P. Putnam's Sons, 1965), p. 90.
7. Robert Graves, *The Greek Myths*, vol. 1 (Nova York: Viking Penguin, 1985), p. 34.
8. Barbara G. Walker, *The Woman's Encyclopedia of Myths & Secrets* (San Francisco: Harper & Row, 1983), p. 721.
9. Robert Graves, *The Greek Myths*, vol. 1 (Nova York: Viking Penguin, 1985), p. 125.
10. *Ibid.*, p. 126.
11. Alexander S. Murray, *Manual of Mythology* (Nova York: Tudor Publishing Co., 1895), p. 213.
12. Robert Graves, *The Greek Myths*, vol. 1 (Nova York: Viking Penguin, 1985), p. 126.
13. Karl Kerényi, *The Gods of the Greeks*, traduzido por Norman Cameron (Nova York: Thames & Hudson, 1982), p. 106.

14. Robert Graves, *The Greek Myths*, vol. 1 (Nova York: Viking Penguin, 1985), p. 38.
15. Adam McLean, *The Triple Goddess* (Edimburgo: Hermetic Research Series, 1983), p. 13. [*A Deusa Tríplice*. 2. ed. São Paulo: Cultrix, 2020.]
16. Barbara G. Walker, *The Woman's Encyclopedia of Myths & Secrets*, p. 400.
17. Robert Graves, *The Greek Myths*, vol. 1 (Nova York: Viking Penguin, 1985), p. 151.
18. Alan Bleakley, *Fruits of the Moon Tree* (Bath: Gateway Books, 1988), p. 44.
19. Adam McLean, *The Triple Goddess* (Edimburgo: Hermetic Research Series, 1983), p. 13.
20. Barbara G. Walker, *The Woman's Encyclopedia of Myths & Secrets* (San Francisco: Harper & Row, 1983), p. 302.
21. Robert Graves, *The Greek Myths*, vol. 1 (Nova York: Viking Penguin, 1985), p. 49.
22. Barbara G. Walker, *The Woman's Encyclopedia of Myths & Secrets* (San Francisco: Harper & Row, 1983), p. 302.
23. Barbara G. Walker, *The Secrets of the Tarot* (San Francisco: Harper & Row, 1984), p. 167.
24. Adam McLean, *The Triple Goddess* (Edimburgo: Hermetic Research Series, 1983), p. 13.
25. Juliet Sharman-Burke e Liz Greene, *The Mythic Tarot* (Nova York: Simon & Schuster, 1986), p. 55.
26. Nor Hall, *The Moon and the Virgin* (Nova York: Harper & Row, 1980), p. 203.
27. Erich Neumann, *The Great Mother*, traduzido por Ralph Manheim (Princeton: Princeton University Press, 1974), p. 30. [*A Grande Mãe*. São Paulo: Cultrix, 1996 (fora de catálogo).]
28. Alan Bleakley, *Fruits of the Moon Tree* (Bath: Gateway Books, 1988), p. 60.
29. Robert Graves, *The Greek Myths*, vol. 1 (Nova York: Viking Penguin, 1985), p. 123.
30. Alan Bleakley, *Fruits of the Moon Tree* (Bath: Gateway Books, 1988), p. 61.
31. *Ibid.*, p. 111.
32. Fred Gustafson, *The Black Madonna* (Boston: Sigo Press, 1990), p. 96.
33. James Hillman, *The Dream and the Underworld* (Nova York: Harper & Row, 1979), p. 39.
34. Nor Hall, *The Moon and the Virgin* (Nova York: Harper & Row, 1980), p. 254.
35. Adam McLean, *The Triple Goddess* (Edimburgo: Hermetic Research Series, 1983), pp. 42-3.
36. Nor Hall, *The Moon and the Virgin* (Nova York: Harper & Row, 1980), p. 65.

CAPÍTULO 5

A Rainha Medusa com Cabelos de Serpentes

❦

Ainda não satisfeito, um senhor pergunta por que, sozinha de
irmãs, o cabelo de Medusa é de cobras?
– Ovídio[1]

A Deusa Negra, em sua aparência externa como Medusa, era mais conhecida como a terceira irmã Górgona, cujo cabelo bonito e abundante se tornou uma coroa de serpentes sibilantes, enquanto o olhar de seu olho do mal transformava homens em pedra. Mas Medusa foi uma vez conhecida por sua beleza. Há descrições que a retratam com graciosas asas douradas arqueadas sobre os ombros e indicando que ela tomou o Deus do Mar como seu amante.

Os órficos chamaram a face da lua de a Cabeça da Górgona. De acordo com Robert Graves, nos primeiros tempos do matriarcado, as irmãs Górgonas eram representações da Deusa Tríplice da Lua. Elas eram guardiãs mascaradas, as protetoras dos mistérios dessa deusa.[2] O fato de Medusa ser a única mortal das três irmãs e poder perecer sugere sua associação com uma deusa negra conectada com o aspecto negro de fechamento do ciclo lunar.

O medo do patriarcado em relação à Deusa Negra levou as pessoas a encarar Medusa como um monstro mítico demoníaco, que felizmente foi decapitada pelo herói Perseu. Mitógrafos a chamaram de uma visão de pesadelo – "uma face tão horrível que o sonhador é reduzido a um terror petrificante".[3] De acordo com Freud, a cabeça de Medusa representa os aterrorizantes genitais dentados da Grande Mãe. Erich Neumann escreve que "o olhar petrificante de Medusa pertence à província da Terrível Grande Deusa, pois estar rígido é estar morto", e que ela é o aspecto devorador da mãe.[4]

O Conto de Medusa

De que forma a Deusa do Mar com as mais lindas madeixas foi transformada em uma hedionda e letal demônia? A estória de Medusa está interligada com a da virgem fria e distante Atena, deusa olímpica da sabedoria e da guerra, que ostenta a cabeça da Górgona no centro de sua armadura. Medusa pode ser, de fato, a irmã negra de Atena, que personifica o lado sombra da sua poderosa feminilidade instintiva.[5] As origens históricas dessas duas deusas nos levam de volta ao Norte da África e à deusa egípcia Neith, que na Líbia era conhecida como Anata, enquanto para os gregos era Atena.

Neith surgiu das primeiras inundações e seu nome significa "Eu vim de mim mesma". A inscrição no seu templo em Saís diz: "Eu sou tudo o que foi, que será e nenhum mortal já esteve apto a erguer o véu que me cobre". Neith representava a Mãe Morte e era preciso estar morto para ver a sua face por trás do véu.[6]

Na Líbia, dizia-se que Neith, conhecida como Anata, havia surgido do Lago Tritonis, o Lago das Rainhas Triplas. Ela mostrava sua natureza tripla como Atena, Métis e Medusa, que correspondiam às fases nova, cheia e

Figura 5.1 Medusa.

negra da lua. Atena era a donzela guerreira da lua nova que inspirou a coragem, a força e o valor às mulheres das tribos das amazonas. A Deusa do Mar Métis, cujo nome significa "conselho sábio", era o aspecto da mãe lua cheia dessa trindade que, em contos míticos posteriores, concebeu Atena de Zeus. Medusa incorporava o terceiro e negro aspecto como destruidora/anciã e era reverenciada como a rainha das amazonas líbias, a Deusa Serpente da sabedoria feminina.

Originalmente Atena e Medusa eram dois aspectos da mesma deusa, Anata; e, como tal, faziam parte do mesmo arquétipo associado com uma força e uma sabedoria definidas pelo feminino. Vamos ver agora como, nos contos clássicos gregos, essas duas deusas foram separadas uma da outra e colocadas como rivais mortais.

Na *Teogonia*, Hesíodo explica as origens de Medusa como a seguir. Medusa era uma das três irmãs Górgonas, que nasceram das antigas divindades marítimas Fórcis e Ceto. Duas irmãs eram imortais e não envelheciam: Esteno, "A Poderosa", e Euríale, "A Peregrina". Medusa, "A Astuta", ou

"Rainha", era a única mortal. Elas viviam na estrada para as árvores dos pomos de ouro das Hespérides, no limite ocidental mais distante do mundo, na beira do oceano, perto das fronteiras da noite e da morte.

De acordo com os textos clássicos, as três irmãs Górgonas eram originariamente belas e douradas deusas do mar. A adorável donzela Medusa era perseguida por muitos pretendentes, mas ela não ficou com nenhum deles até deitar-se com o Deus do Mar Posêidon, dos cabelos negros, anteriormente conhecido como Hippios, a divindade-cavalo, na macia grama sob as flores da primavera. Posêidon, na forma de um cavalo, seduziu Medusa. Depois de Medusa fazer amor com Posêidon em um dos santuários de Atena e ter engravidado de gêmeos, ela sofreu a ira dessa divindade. Alguns dizem que a raiva de Atena foi provocada pelo fato de Medusa ter ousado comparar sua beleza com a da deusa. Atena pode ter se ressentido do encontro sexual de Medusa por ela mesma ter renunciado à própria sexualidade para manter sua posição elevada no Olimpo. Além disso, Posêidon era um antigo e grande rival de Atena e contestava o modo com ela governava Atenas.

Quer o ódio de Atena tenha vindo da profanação do seu templo, da inveja sexual ou da competição pela supremacia na Líbia, no fim ela transformou Medusa e suas irmãs em feias bruxas. Elas se tornaram monstros alados com olhos brilhantes, dentes enormes, língua protuberante, garras ostensivas e cabelos de serpentes. Medusa era a mais terrível das três e seu rosto tornou-se tão horrendo que um vislumbre dele transformaria homens em pedra. Lendas, ornadas com perigo, espalharam-se aos quatro ventos, relatando quanto os locais e as cavernas daqueles temíveis monstros marinhos estavam repletos de formas rígidas de homens e animais petrificados. As Górgonas eram temidas por seus poderes mortais. Por isso matar a Medusa se tornou uma jornada heroica valorosa para os heróis solares patriarcais.

A lenda de Perseu degolando Medusa é uma das mais antigas dentre todos os mitos gregos. A versão clássica pode ter sido, na verdade, baseada em um mito muito mais antigo, preservado pela tradição popular local, que remonta ao Período Micênico do segundo milênio A.E.C. Posteriormente, ele foi sobreposto com os elementos heroicos que eram tão populares entre os gregos da Era Histórica. Graves acredita que essa estória retrata eventos reais ocorridos durante o reinado do rei Perseu (por volta de 1290 A.E.C.), fundador de uma nova dinastia em Micenas. Durante esse período, os poderes das antigas deusas lunares no Norte da África foram usurpados pelos invasores da Grécia continental dominados pelo patriarcado. A lenda de Perseu decapitando Medusa significa que os helenos invadiram os principais santuários da Deusa, despiram as suas sacerdotisas de suas máscaras de Górgona e tomaram posse do cavalo sagrado.[7] A ruptura histórica e o trauma sociológico foram registrados no mito seguinte.[8]

Perseu, um filho de Zeus, foi concebido em um banho de chuva dourada que caiu sobre sua mãe, Dânae, princesa de Argos. O rei, avisado por um oráculo de que o único filho de sua filha o mataria, colocou Dânae e a criança em um grande baú e os lançou ao mar, onde ficaram à deriva. Zeus cuidou para que chegassem a salvo à ilha de Sérifos e fossem resgatados por um gentil pescador, Díctis. Perseu cresceu e se tornou um homem, seguindo a humilde profissão de pescador. No devido tempo, Polidécto, cruel e implacável líder local, cobiçou Dânae e procurou um jeito de se livrar do seu protetor e incômodo filho.

O plano de Polidécto foi criar um imposto sobre os cavalos dos habitantes da ilha (de acordo com outra versão, esses cavalos destinavam-se a ser um presente de noivado que ele pretendia oferecer pela mão de Hipodâmia). Por Perseu ser pobre, não havia como ele obter um cavalo, então ele foi levado a se comprometer a entregar para o rei a cabeça da Górgona com seu poder mortal. As narrativas mais antigas do mito de Medusa relatam que ela foi uma égua com a qual Posêidon acasalou-se enquanto estava na forma de um garanhão. Portanto Perseu estava prometendo ao rei a cabeça do cavalo mais aterrorizante.

Perseu foi assessorado nessa tarefa por Hermes e Atena. Hermes, mensageiro dos deuses, deu a ele uma espada curva mágica, a única arma capaz de matar a Górgona. Palas Atena, protetora dos heróis, emprestou a Perseu seu grande e polido escudo para usar como um espelho contra Medusa, evitando assim olhar diretamente para o seu rosto mortal, que poderia transformá-lo em pedra. Eles, então, apareceram em uma visão e levaram

Perseu até a gruta das Greias, que eram as únicas que sabiam a exata localização de Medusa.

As Greias eram três "velhas mulheres", um fatídico trio de cisnes donzelas que viviam aos pés do Monte Atlas, na África. Elas compartilhavam entre si um olho, com o qual podiam ver tudo, e um dente. Perseu levou-as a revelar a localização de Medusa pegando o único olho que possuíam e se recusando a devolvê-lo até que elas dessem a informação de que ele precisava. Além disso, o herói as obrigou a dizer onde encontrar as Ninfas Estígias, de quem ele recebeu uma bolsa mágica para guardar a cabeça decepada de Medusa; o elmo negro de Hades, que o tornaria invisível; e um par de sandálias aladas, que o capacitaria a voar com a velocidade de um pássaro para a ilha deserta, refúgio das irmãs Górgonas.

Perseu, então, sobrevoou as correntes oceânicas até as extremidades da Costa Oeste e encontrou as três Górgonas dormindo em sua grande caverna. Elas eram criaturas com grandes asas douradas, os corpos cobertos por escamas douradas e coroadas com guirlandas de serpentes, evocando as insígnias das nobres sacerdotisas marítimas do Egito. Ele se manteve afastado de Esteno e Euríale, que eram imortais e não poderiam ser assassinadas, e avançou em direção a Medusa, olhando para o reflexo dela em seu escudo espelhado. Com seu braço guiado por Atena, Perseu, com um golpe da espada de Hermes, cortou a cabeça de Medusa e a escondeu em sua bolsa. Então, ele vestiu o capacete da invisibilidade de Hades para escapar da perseguição furiosa das outras Górgonas e voou para longe da ilha.

Do pescoço de Medusa nasceram seus filhos gêmeos de Posêidon – Pégaso, o cavalo alado da lua, que se tornou um símbolo da poesia; e Crisaor, o herói da espada dourada e pai do rei Gerião da Espanha. Quando Perseu retornava da ilha, gotas do sangue de Medusa caíram sobre as quentes areias africanas, fazendo nascer oásis no deserto. Em uma versão alternativa, essas gotículas de sangue deram origem a uma raça de serpentes venenosas destinadas a infestar o mundo com pragas nas eras futuras.

Atena deu dois frascos do sangue de Medusa para Asclépio, o Deus da Cura. Diziam que o sangue de sua veia direita poderia curar e restaurar a vida e que o sangue de sua veia esquerda poderia matar e destruir instantaneamente. Outros afirmavam que Atena e Asclépio dividiram o sangue entre si; ele o usou para salvar vidas, mas ela o usou para destruir e instigar guerras. Em algumas tradições, foi para Erictônio, seu filho serpente, que Atena deu o sangue destinado a matar ou curar; e ela prendeu os frascos ao corpo do filho com faixas douradas. A distribuição do sangue da Górgona por Atena para Asclépio e Erictônio sugere que os ritos de cura usados nesse culto eram um segredo guardado por sacerdotisas e investigá-lo seria a morte. A cabeça da Górgona era um aviso formal para os curiosos ficarem afastados.

Dentre as aventuras de Perseu em seu caminho de volta a Sérifos, estavam a transformação de Atlas em pedra e o resgate de Andrômeda. Para escapar da África, Perseu teve que derrotar o enorme rei Atlas, pai das Hespérides, que eram as guardiãs das maçãs da imortalidade. Atlas, avisado por uma antiga profecia de que um filho de Zeus roubaria suas frutas de ouro, negou hospitalidade a Perseu e tentou lançá-lo para fora. Com raiva, Perseu ergueu a cabeça da Górgona e transformou o gigante em pedra, que então formou as Montanhas Atlas, sobre as quais repousam o céu e todas as estrelas.

A estória de Perseu continua com o resgate da princesa etíope Andrômeda, que estava amarrada a uma rocha à beira-mar como um sacrifício oferecido a um grande monstro marinho, Cetus. Perseu então a tomou como sua noiva e eles retornaram para Sérifos a fim de libertar a mãe dele das garras de Polidécto. Perseu mostra seu prometido presente e, dessa forma, transforma o rei e sua corte em pedra. A filha de Perseu com Andrômeda recebeu o nome de Gorgófona.

Perseu deu a cabeça da Górgona para Atena, que a afixou em sua armadura. Alguns dizem que sua égide era feita da própria pele de Medusa, esfolada por Atena. Outras lendas contam sobre a cabeça ter sido enterrada na ágora diante do templo da deusa Hera, em Argos.

Medusa e Atena

A fim de desvendar o mistério que reside por trás da cabeça da Górgona, devemos primeiro desembaraçar os fios que entrelaçam Medusa e Atena.

Ambas são aspectos da mesma deusa que emergiu do Lago Tritonis, na Líbia. As duas são associadas com a sabedoria feminina, a qual é descrita no simbolismo da serpente que as envolve – Medusa com suas madeixas de serpente e Atena com sua égide adornada por serpentes. Medusa, como a sábia anciã, guarda os segredos do sexo, da adivinhação, da magia, da morte e da renovação. Atena, a eterna donzela, está conectada com a lua nova e preside as qualidades femininas da coragem, da força e do valor. Essa deusa tríplice africana, que nasceu do mar e reinou no deserto, mostrava-se como ambas: Atena, a virgem e casta guerreira de armadura, e Medusa, a rainha coroada de serpentes, protetora dos mistérios da lua negra, que celebrava os ritos sexuais com a linhagem de deuses do mar.

A forma guerreira dessa deusa tríplice da Líbia vestia-se com a lendária égide original – uma casta túnica de pele de cabra. Ela também usava uma máscara de Górgona e carregava na cintura uma bolsa de couro contendo serpentes sagradas. Esse visual foi repetido nas vestes das amazonas e depois usado pela Atena clássica no seu reino olímpico. Qualquer homem que removesse uma dessas túnicas sem o consentimento da dona seria morto por violar a poderosa virgindade dessas jovens mulheres.

As infames máscaras de Górgona eram chamadas de *gorgoniões*. Elas retratavam um rosto com olhos ofuscantes, dentes com presas à mostra e língua para fora, parecido com muitas imagens de Kali. Elas eram usadas pelas sacerdotisas em rituais de adoração à lua, tanto para afugentar os desconhecidos quanto para evocar a própria Deusa. O propósito da máscara era proteger o sigilo requerido para o trabalho mágico associado com a terceira ou negra tríade da Deusa Tríplice da Lua. Ela servia para alertar as pessoas a não se intrometer nos divinos mistérios ocultos por trás dela.

Essas cerimônias incluíam divinação, cura, magia e os mistérios sexuais da serpente associados com a morte e o renascimento. A face feminina, representada por Medusa, cercada por cabelos de serpentes, era um símbolo amplamente reconhecido da sabedoria divina feminina. As Górgonas de Éfeso, cada uma com quatro asas, quase reproduzem as Górgonas voadoras de Delfos, o templo das maiores sacerdotisas oraculares do mundo. O veneno da mordida de certas cobras induzia ao estado alucinatório no qual a visão oracular era revelada.

A face da Górgona, em geral na cor vermelha, guardava os segredos da sabedoria do sangue menstrual que dava às mulheres seus divinos poderes de cura. Certas tribos primitivas acreditavam que o olhar de uma mulher menstruada poderia transformar um homem em pedra, o que conecta Medusa com os mistérios da menstruação.[9] O sangue que Perseu tirou de Medusa podia curar ou matar; originalmente esse era seu sangue menstrual mais do que o sangue da ferida em seu pescoço.

A máscara era usada também pelas sacerdotisas nos ritos sexuais sagrados para simbolizar que elas não estavam agindo como indivíduos, mas como representantes da Deusa, a quem ela empoderava para transmitir suas bênçãos de cura e regeneração por meio do intercurso ritual. A máscara profilática também era usada pelas sacerdotisas fúnebres, que iniciavam as pessoas nos mistérios da morte. Em épocas posteriores, possuir uma réplica da cabeça da Górgona era um amuleto contra males que repelia o ataque de forças nocivas. Acreditava-se que ela era uma proteção contra o mau-olhado e era sempre ilustrada em escudos, fornos, muros da cidade e construções para afugentar inimigos e afastar espíritos malignos.

Com o passar do tempo, os refugiados líbios emigraram para Creta. Eles levaram consigo sua Deusa Serpente, Anata, e por volta de 4000 A.E.C. ela se tornou conhecida como Atena, a protetora do palácio. Seu culto foi adotado e passado adiante para a Grécia continental e a Trácia no período Minoico/Micênico. Nessa era surgiu uma nova genealogia do nascimento de Atena. Agora, dizia-se que ela havia nascido da cabeça de seu pai, Zeus. Versões anteriores revelam que Atena foi concebida por uma união entre Zeus e uma deusa mãe chamada Métis/Medusa, que veio do mar.

As estórias do período de transição entre o matriarcado e o patriarcado contam como a sábia Métis ajudou Zeus a conseguir a vitória sobre o seu pai, Cronos, dando a ele um emético que o forçou a tossir seus filhos engolidos. Em homenagem ao seu grande serviço, Zeus decidiu fazer de Métis a primeira consorte do novo supremo governante dos céus. Embora Métis se metamorfoseasse para evitar os avanços libidinosos de Zeus, ela por fim foi estuprada e engravidou. Zeus foi avisado por um oráculo de que Métis lhe daria uma segunda criança que se tornaria rei dos deuses e dos homens. Para manter sua supremacia, Zeus comeu Métis enquanto ela estava grávida de Atena. A dor de cabeça lancinante que acometeu Zeus enquanto ele caminhava pelas margens do Lago Tritonis, na Líbia, apenas podia ser aliviada tendo sua cabeça aberta por um machado de lâmina dupla (um símbolo matriarcal do crescente lunar). Entre o estrondo da terra e a fúria do mar, nasceu Atena em uma armadura de ouro reluzente. Ela imediatamente se tornou a favorita de seu pai.

Versões posteriores cortaram a estória transicional de Métis e passaram a alegar que Atena foi concebida e nascida somente de Zeus. Com base em uma perspectiva sociológica, esse mito marca a absorção do princípio da sabedoria de uma mulher guerreira para as necessidades de uma nova ordem patriarcal. A Atena defendida pelo patriarcado como benevolente suprimia Métis por completo e denunciava Medusa como má. Atena e Medusa foram então postas como oponentes.

Como Atena foi absorvida para o panteão grego clássico, ela foi a única das antigas deusas a ser elevada e respeitada, passando a fazer parte da nova trindade reinante com Zeus e Apolo. Ela teve que pagar um preço alto por sua supremacia na nova ordem. Primeiro, foi forçada a negar sua feminilidade e a sacrificar sua sexualidade, tornando-se uma virgem eternamente casta. Foi cortada de sua natureza cíclica, a qual incluía a renovação por meio dos ritos sexuais. Ela então prometeu se tornar campeã do patriarcado usando sua potência guerreira para denunciar, matar e conquistar seus ancestrais matriarcais da África.

Robert Graves afirma que Atena foi uma traidora da velha religião por se afiliar com os deuses solares e ajudar seus heróis a matar todos os grupos de resistência matriarcais, que agora eram temidos como a Mãe Terrível. Como ela se uniu a Zeus e a seu filho Perseu para matar sua própria mãe Métis/Medusa e suplantá-la na hierarquia, Atena foi escolhida como a mais apropriada para presidir e perdoar Orestes em seu julgamento por matricídio.

Durante esse período, o principal rival de Atena pelo governo de Atenas era Posêidon; e foi por meio da união de seus dois inimigos declarados, Posêidon e Medusa, que ela começou a travar sua guerra. Evidências históricas apontam para o fato de que Medusa era uma alta sacerdotisa da África que governava as tribos líbias das mulheres guerreiras amazonas. Datando de pelo menos 6000 A.E.C., essas ferozes e nobres amazonas africanas povoaram não apenas o Norte da África, mas também a Espanha e a Itália.¹⁰ As lendas gregas de Posêidon acasalando com Medusa e de Perseu degolando a Górgona derivam das verdadeiras batalhas travadas pelos soldados gregos patriarcais contra essas mulheres guerreiras do Norte da África. A tribo contra a qual Perseu lutou era de uma raça chamada Górgones.

MEDUSA, ATENA E POSÊIDON Nos contos mais antigos, há referências à bela terceira irmã Górgona, Medusa, que por vontade própria tomou o Deus do Mar como seu amante na celebração dos mistérios sexuais da Deusa e de seu Consorte. Em um certo ponto após 2000 A.E.C., as lendas falam do "casamento" ou, alternativamente, do "estupro" da rainha Medusa pelo oceânico rei Posêidon, um dos Olímpicos originais, que em sua forma anterior era conhecido como Hippios, a deidade-cavalo, assim como senhor do mar. Posêidon, na forma de um garanhão, montou Medusa, que assumira o aspecto de uma égua, gerando Pégaso, um cavalo alado da lua.

Uma representação mais antiga de Medusa, datando do século VII A.E.C., na Beócia, a mostra como uma pequena e esbelta mulher-potranca que, embora esteja usando uma máscara da cabeça de Górgona, não mostra nenhum dos aspectos assustadores da Górgona clássica. A associação da máscara de Górgona com a esguia forma equina, feita pelo artista, nos permite apreender um breve lampejo de uma tradição muito mais antiga, na qual a irmã negra não era um único objeto de medo. A máscara de Górgona, como a face da lua, sugere que Medusa era um dos três aspectos da Deusa Lua pré-helênica; e os pequenos cavalos nativos desses povos indígenas eram sagrados para os primeiros cultos da lua, em cerimônias realizadas com o intuito de fazer chover. O estupro de Medusa por Posêidon na forma de um garanhão conta a estória de como os primeiros invasores helenos da

Grécia, montados em cavalos grandes e vigorosos, casaram à força com as sacerdotisas da lua amazonas, apoderando-se, por meio do nascimento de Pégaso, dos ritos para fazer chover realizados pelo culto ao cavalo sagrado.[11]

Essa é uma variação de muitas estórias similares que aparecem por todo o Crescente Mediterrâneo por volta dessa época, descrevendo a transição do reinado das deusas para o dos deuses. A supremacia da Grande Deusa que toma o jovem Deus como seu consorte/amante foi derrubada quando o Deus amadureceu e usurpou o seu poder forçosamente a estuprando, casando-se com ela, subjugando-a e suprimindo seu culto. Da mesma forma, os soldados de Posêidon estupraram as sacerdotisas amazonas; e eles ignoraram a proibição da égide e da máscara de Górgona para ficar afastados a não ser que fossem convidados. A máscara de Górgona então se tornou o retrato do horror, do medo e do ódio congelados no rosto dessas mulheres guerreiras como resultado de sua violação forçada.

Foi somente depois da união de Medusa com Posêidon que Atena transformou a bela rainha amazona líbia em um monstro mortal cuja face horrível transformaria homens em pedra. Na rivalidade de Atena com Posêidon, ela pode ter se enfurecido por Posêidon ter reivindicado o território do seu nascimento. Atena viu a submissão de Medusa a ele em um de seus próprios templos como um ato de traição dos povos de sua terra natal. Assim, Medusa representava uma religião matriarcal rival que precisava ser suprimida.

Em retaliação contra Medusa, Atena, que já tinha sacrificado sua própria sexualidade, garantiu que a rival jamais participasse novamente dos mistérios sexuais da Deusa, pois um olhar para o seu rosto transformaria em pedra qualquer homem que se aproximasse. E Freud concluiu que a cabeça da Górgona representava a assustadora genitália da Grande Mãe, que ameaçava castrar os homens. Outra interpretação sugere que, na compaixão de Atena por suas irmãs perdidas, ela imbuiu a máscara de Górgona com um novo e mortal poder, um que poderia eliminar os agressores. Ela fez isso para proteger a rainha e suas sacerdotisas de continuarem a ser profanadas, degradadas e destruídas pelo abuso sexual dos invasores.

MEDUSA, ATENA E PERSEU   De acordo com os gregos olímpicos, Atena finalmente obteve sucesso em destruir e conquistar a rainha Medusa durante o reinado do rei Perseu, por volta de 1200 A.E.C. Perseu, cujo nome também significa "destruidor", agiu em favor de Atena. A seu pedido e com a ajuda dela, Perseu derrubou o principal templo da antiga religião africana na Líbia e matou a suma sacerdotisa, estimulando a supressão da consciência matriarcal. Perseu, então, entregou a cabeça de Górgona para Atena, que a usou sobre seu coração como um símbolo permanente de sua conexão implícita com Medusa. Ela exibia a cabeça da Górgona para aterrorizar seus inimigos e afirmar sua supremacia por ter denunciado e destruído suas ancestrais matriarcais.

Enquanto as mais antigas representações mostravam a Górgona como uma protetora dos mistérios da lua negra, o patriarcado passou a concebê-la como um demônio. E, em representações artísticas posteriores, a Górgona transformou-se em um belo anjo. Ela passou por fases de tornar-se sinistra, triste e cada vez mais patética; e, por fim, foi metamorfoseada em uma calma e digna máscara da morte.[12]

Medusa com Cabelos de Serpentes

Eu a vi uma vez, Medusa; nós estávamos a sós.
Eu olhei diretamente para o seu olhar frio, frio.
Eu não fui punida, não fui transformada em pedra.
Como crer nas lendas que me contam?...
Eu virei a sua face! É a minha face.
Aquela raiva congelada é o que eu tenho que examinar –
Ó, secreto, fechado em si e devastado lugar!
Esta é a dádiva que agradeço a Medusa
   – May Sarton, "A Musa como Medusa"[13]

A Medusa de cabelos de serpentes foi outrora uma rainha dos incríveis poderes da lua negra. Ela regia os mistérios regenerativos do sexo e da morte e protegia esses ritos mágicos de serem descobertos e explorados pelos não iniciados. Como o terceiro aspecto, de anciã/destruidora, da tríade lunar, a mensagem da Medusa era de sabedoria e se referia à inevitabilidade da morte. O Oeste é o portal para a morte, e a gruta oceânica de Medusa, situada na extrema borda oeste do mundo, fica na entrada para o submundo. O patriarcado, em seu medo da mulher sábia, da morte e do mágico poder sexual da menstruação feminina, demonizou Medusa (como ele fez com outras deusas negras) em uma figura monstruosa de mãe devoradora e castradora.

Medusa continua a assombrar gerações de homens com o seu mortal poder de transformá-los em pedra com um relance do seu olhar maligno. Os antigos projetaram esse medo na estrela Algol, da constelação de Perseus. O herói ergue a cabeça de Medusa como um troféu da sua conquista, e Algol, conhecida como a estrela demoníaca, representa o olho na cabeça da Górgona. Algol é uma binária eclipsante e é constituída por duas estrelas que giram em torno uma da outra. Aproximadamente a cada sessenta horas, quando a estrela menos brilhante passa em frente à mais brilhante, escondendo-a ou eclipsando-a, Algol dá uma longa e gradual "piscadela". Os antigos explicavam esse fenômeno como a piscada do olho do demônio ainda pestanejando depois de seu corpo ter sido decapitado.[14]

Em um nível externo, os mitos dos heróis solares matando os monstros, como esse de Perseu e Medusa, são as estórias patriarcais contando a narrativa da sua conquista do antigo matriarcado. Em um nível interno, esses mitos descrevem o amadurecimento do princípio masculino. Eles relatam a luta do deus jovem que é o filho e o amante da Deusa para se transformar no poderoso herói que conquista e depois domina o feminino. Interpretar o mito de Medusa tem sido objeto de fascinação para escritores psicanalistas freudianos e junguianos. Examinar os modos pelos quais os homens têm tentado intelectualizar os poderes instintivos do feminino sombrio bem como distanciarem-se deles pode nos dar pistas a respeito de como Medusa ainda aparece na psique masculina. Os homens projetam essa imagem da anima sobre as mulheres reais que evocam algumas das qualidades da rainha dos cabelos de serpentes.

A Górgona Medusa, como outras deusas negras, se tornou bastante temida pelo patriarcado quando a humanidade esqueceu a natureza cíclica da morte tornando-se vida. Comentários sobre Medusa escritos pelos modernos teóricos da psicanálise enfatizam suas qualidades demoníacas e destrutivas. Wolfgang Lederer, em *The Fear of Women*, afirma que "nada além de terror emana da cabeça de Medusa".[15] O terror de Medusa que transforma homens em pedra é o terror deles em relação à morte e à castração.

Erich Neumann escreve que as Górgonas aladas "[...] são símbolos urobóricos do poder primordial do Feminino Arquetípico, imagens da grande deusa mãe pré-helênica no seu aspecto devorador como terra, noite e submundo".[16] A interpretação de Sigmund Freud, em "A cabeça de Medusa" (1922), sugere que a cabeça de Medusa, coberta de serpentes, é o símbolo da genitália materna – a peluda vulva materna como vista pelo filho. Ele diz que decapitar é sinônimo de castrar. Por mais que as serpentes possam ser assustadoras em si mesmas, elas servem como uma mitigação do horror, pois substituem o pênis, cuja ausência causa horror. Freud achava que ser transformado em pedra implicava a ereção como uma defesa contra a ameaça de castração.[17]

Philip Slater concorda com Freud que a cabeça de Medusa é um símbolo da genitália materna, mas discorda da interpretação deste de que se tornar pedra seja uma ereção simbólica como uma defesa contra o medo da castração. Slater argumenta que, "ainda que a ideia de ereção possa estar presente na reação de rigidez pelo terror, a imobilidade é muito mais sugestiva de impotência; e essa interpretação se encaixa melhor aos inúmeros exemplos de paralisia e de virar pedra... O propósito da égide de Atena era tornar impotentes os possíveis violadores, e não proporcionar encorajadoras ereções".[18]

Para os gregos, a vulva tinha o poder mágico não apenas de neutralizar, mas também como um dispositivo apotropaico para afugentar espíritos malignos, como o Diabo. Ela era usada por mulheres contra homens e contra inimigos. De uma perspectiva masculina, os alarmantes e hipnóticos olhos arregalados de Medusa dentro da genitália materna, que transformam homens em pedra, produzem imobilidade, impotência e perda ou diminuição da sensibilidade. Slater cita estudos clínicos que mostram o quanto essas consequências são muitas vezes associadas com a excitação incestuosa precoce.[19] Incesto com a mãe causa uma assustadora cadeia de associações psicológicas para o homem jovem. Esses medos podem ser parcialmente associados com certas tradições e certos rituais praticados no matriarcado.

Por exemplo, nos ritos do rei anual, o jovem deus, depois de participar do casamento sagrado, era morto ritualmente. As partes desmembradas do seu corpo eram, então, revolvidas sob a terra a fim de assegurar fertilidade e abundância para a próxima colheita. Guardada na mente inconsciente do masculino está a imagem de que relações sexuais profundas com a mãe resulta em morte. Isso leva a pessoa a uma perda da masculinidade, da potência sexual e da própria vida. E, quando a morte é separada do ciclo de renascimento, esse evento significa a última interrupção da força vital.

Perseu é um herói para o patriarcado porque ele atacou e matou uma representante da Mãe Terrível, que tinha a reputação de seduzir e depois devorar os homens. Ao decapitar a Górgona, ele a castrou e privou a genitália materna de seus poderes de tornar os homens impotentes. Uma vez protegido do poder mortal da sexualidade de Medusa, o tema "transformar-se em pedra" se torna, como Freud supôs, a rígida ereção. O falo masculino está agora empenhado no estupro violento como uma expressão do ódio destrutivo direcionado para a ameaçadora sexualidade do princípio materno. Essa tendência de separar a sexualidade da maternidade culmina na tradição cristã, com a mãe idealizada do jovem deus, a Virgem Maria, que concebeu imaculadamente seu filho.

Quando a imagem distorcida da sombra de Medusa é ativada na psique masculina, a situação aparece como os desejos de um jovem menino de se realizar no colo acolhedor de sua mãe. Mas, ao mesmo tempo, ele resiste ao impulso, temendo que possa ser engolido e sufocado. Ele também luta para ser libertado de sentir a intensidade das necessidades sexuais inconscientes de sua mãe e o seu subsequente senso de impossibilidade de satisfazê-las. Ou, se ele tiver sucesso em fazer isso, o resultado será, como com o rei anual, a inevitabilidade de sua própria morte. A imagem primal do menino sobre o feminino surge da sua percepção da mãe como possessiva e sexualmente devoradora. Ele teme ser engolido pelo ventre em si, a vulva peluda reminiscente da cabeça da Górgona, que é a imagem da *vagina dentata*, a vagina com dentes. Um jovem menino, que esteja no domínio da sombra de Medusa, pode herdar a amargura e a raiva inconsciente de sua mãe, que contamina sua própria alma interior de tal forma que ele carrega o ódio dela por ela.[20]

Quando a *anima* de um homem consiste de tal figura como a de Medusa moldando sua relação com a mãe, ele depois a projeta em suas parceiras. Seus padrões tomam a forma da fêmea irada e mortal que ameaça sua potência sexual. Ela o desafia a aproximar-se dela, apenas para então revelar uma face como a da assustadora Górgona, que é congelada em ódio. A face de Medusa reflete sua raiva sobre os modos pelos quais a mentalidade patriarcal a violou, castrou, dessexualizou e desempoderou como a rainha dos mistérios da serpente. Quando os homens param de honrar a sexualidade do feminino sombrio, as contorções da careta da Górgona mostram sua sede de sangue vingativa. Quando os homens provocam essa reação nas mulheres em suas vidas, eles são dominados pelo terror bruto do agressor, o qual teme que essa vingança vá petrificá-los e torná-los impotentes.

Quando Medusa é um arquétipo primário na vida de um homem, ele sentirá atração por uma mulher que reagirá às suas tentativas inconscientes de armar-lhe uma cilada para que encene seus piores medos do feminino terrível. Sua parceira vai passar a odiá-lo, desvalorizá-lo e rejeitá-lo sexualmente, além disso vai criticar sua *performance*, chamá-lo de repulsivo e repelir suas investidas. As parceiras parecidas com Medusa atenderão às suas projeções da sombra das mulheres como castradoras agressivas que reforçam suas inseguranças sobre sua potência sexual e sua "masculinidade". A dor dele, a humilhação, a sensação de inferioridade e ineficácia, cuja origem reside na área sexual, superam aos poucos toda a sua autoimagem e reduzem sua capacidade de funcionar totalmente nos demais relacionamentos de sua vida. Ele pode compensar de maneira exagerada seu senso interno de impotência tornando-se cada vez mais rígido em suas atitudes negativas e ações violentas em relação às mulheres.

Os românticos do século XIX encontraram em Medusa uma visão que os escritos de Lederer abrangeram por completo, desde sua beleza até o amor da mulher como sofrimento, como corrupção, como a anulação dos homens, como a morte.[21] Shelley, ao ver uma pintura de Medusa na Galeria Uffizi, escreveu:

Jaz, contemplando o céu da meia-noite,

   Sobre o pico nublado da montanha inerte;
Abaixo, terras distantes são vistas tremulamente;
   Seu horror e sua beleza são divinos.
Sobre seus lábios e pálpebras parece residir
   A beleza como uma sombra, da qual brilha,
Ardente e lúgubre, combatendo no fundo,
   As agonias da angústia e da morte...
"É a tempestuosa beleza do terror..."

Essa cabeça feminina cortada e de olhos vítreos, essa horrível, fascinante Medusa seria o objeto dos amores sombrios dos românticos e dos decadentes ao longo de todo o século.[22] Lederer prossegue dizendo que o mal e o pecado que obsidiava a imaginação dos poetas e artistas românticos sempre foi o incesto com a mãe; não o incesto edipiano que os faria homens que substituiriam seus pais, mas o incesto urobórico que os dissolve de volta para o fluido amniótico.[23]

De uma perspectiva junguiana, o mito do herói simboliza os estágios arquetípicos no desenvolvimento da consciência. Inicialmente o ego, que é definido no Ocidente como a capacidade organizada da psique masculina, nasce da alma, a unidade urobórica feminina da Grande Deusa, isto é, o jovem deus como o filho/amante da Grande Mãe. O desenvolvimento da consciência envolve o crescimento do ego em aprender as qualidades da razão, do intelecto e da lógica com as quais se deve primeiro reconhecer e discriminar-se como uma entidade individual distinta; e, depois, separar-se da mãe. "Quanto mais forte a consciência do ego masculino se torna, mais ele fica ciente da castradora, encantadora, mortal e estonteante natureza da Grande Deusa."[24]

De acordo com esse ponto de vista, Medusa, como um monstro fêmea devorador, representa o pavor do irracional e o medo da aniquilação pelas forças inconscientes. Como o masculino pode desejar afundar e se dissolver no prazer do útero, isso é visto como uma tendência regressiva para o desenvolvimento do ego masculino. O herói precisa matar o monstro para prevenir o seu retorno à unidade feminina urobórica e se livrar do poder da mãe no inconsciente. A violência contra o feminino é uma reação à atração exercida pela mãe. O caminho de individuação do herói necessita de um movimento de afastamento da alma, representada pelo feminino instintivo negro. Ele é auxiliado nessa jornada pelo ímpeto do espírito incorporado pelo iluminado e racional masculino, ou o arquétipo do Grande Pai.

Homens que não fizeram as pazes com a Medusa dentro de si verão a sexualidade feminina como algo que os fascina, mas também como uma fonte de autodestruição. Quando eles destroem o monstro em uma tentativa de se proteger contra o seu poder assustador, vão inconscientemente incitar a mulher Medusa em suas vidas a retaliar, castrando-os física e psicologicamente. Para muitos o confronto direto com esse aspecto do nosso ser, em geral desconhecido e anônimo por esconder-se nas cavernas escuras de nossa psique, pode nos subjugar e nos imobilizar com sua bruta intensidade.

E, mesmo assim, um homem que deseje uma relação positiva com a sexualidade da lua negra das mulheres deve descer ao seu inconsciente, ouvir os gritos de agonia da sua Medusa decapitada, aproximar-se sentindo compaixão por sua dor, curar as feridas da sua rejeição e retornar, íntegro dentro de si mesmo, para o mundo superior. Depois de o herói ter provado sua separação de sua mãe, ele deve reestabelecer uma relação amorosa com o seu feminino sombrio interno. Até que ele possa fazer isso, permanecerá preso na rede de relacionamentos sexuais destrutivos.

Vamos agora olhar para a psicologia do feminino que usa a cabeça da Górgona no centro de sua armadura. De que maneiras as mulheres têm sido condicionadas por meio da cultura patriarcal a negar e rejeitar o poder da rainha com cabelos de serpentes que há dentro delas, e como isso afetou seus relacionamentos consigo mesmas e com os outros?

Medusa, em sua associação com a serpente e com o sangue menstrual que podia curar ou destruir, personificava os mistérios da lua negra da Deusa. Em sua máscara de Górgona de cara vermelha ornada por uma coroa de cobras, Medusa nas mulheres significa uma fonte da sabedoria feminina que está ligada à sexualidade delas. Ela aponta para a fonte dos poderes femininos de divinação, criação, destruição e regeneração.

Buffie Johnson explica que o cabelo simboliza energia e fertilidade. Na cabeça, cabelos significam forças espirituais superiores. Quando cobras substituem os cabelos como substituem as tranças da Górgona, elas representam as forças superiores da criação.[25]

A serpente simboliza a força *kundalini* enroscada como uma cobra na base da coluna, que fica por trás de nossa energia sexual procriadora. Quando a *kundalini* é ativada, ela se ergue pelo centro da coluna vertebral, ativando por sua vez cada chakra e, por fim, sai pelo alto da cabeça como iluminação cósmica. Quando o cabelo de Medusa é transformado em serpentes, isso representa a subida da *kundalini* e nossa habilidade em usar essa força para a cura regeneradora, a criatividade mental, a sabedoria oracular e o poder espiritual.

Na medida em que culturalmente reprimimos e tememos os poderes dessa Deusa Negra e aceitamos a visão patriarcal dela como um monstro a ser destruído, nos desconectamos da nossa habilidade de acessar nosso poder sexual para criar, regenerar e conhecer a verdade vinda de dentro de nós mesmas. Na verdade, fomos ensinadas a nos esquivar e rejeitar o tipo de sexualidade menstrual, extática e não reprodutiva que ativa esses poderes. A Medusa em nós carrega a projeção do patriarcado da sexualidade sombria feminina como maligna.

A forma pura de Medusa simboliza a fonte de nossa sabedoria e nosso poder instintivo corporal. Entretanto, em nosso medo e nossa negação de Medusa, ela passou a representar os caminhos nos quais nos sentimos mais ignorantes e incapazes. Ela representa um lugar de profunda insegurança em nós; e, ao sermos desafiadas em seu domínio, nos tornamos rígidas de terror e imobilizadas. Nós nos tornamos impotentes e nossa Medusa interior permanece vulnerável e desprotegida.

Em nosso medo, erigimos uma proteção para deter as forças daqueles que podem tirar vantagem de nossa fraqueza e nos violar. Ao vestir a máscara da Górgona, nós criamos um rosto aterrador que esperamos que vá assustar e repelir os outros. Isso é um retrato da raiva e do ódio femininos e seu efeito sobre qualquer um que olhe para a máscara é a paralisia.[26] A máscara de Medusa é feia, ainda que sob seu exterior duro e sem atrativos ela seja suave, bonita e sensível. E, em geral, ela foi profundamente ferida por um homem em algum momento de sua vida.

Jean Shinoda Bolen comenta sobre a mulher que traja a armadura de Atena com a égide de Medusa no seu peitoral. Se o lado Atena do arquétipo é mais ativo, suas bem armadas defesas (normalmente intelectuais) estão erguidas e sua autoridade e olhar crítico mantêm os outros a uma distância emocional.[27] Lederer, comentando sobre a postura de Atena, diz: "Ao exibir as genitálias da Mãe (isto é, a cabeça da Górgona), ela se autoproclama uma mulher castrada e sua terrível visão não pode falhar em repelir todos os inimigos. Ela se torna a Inalcançável, que rechaça toda luxúria sexual, entorpece seus inimigos com o terror e repele o desejo".[28]

Mas, para aquelas de nós que estão separadas do poder de serpente de Medusa e não podem acessar a própria sabedoria e a própria força, continuamos a passar por fracasso e humilhação em sua esfera. À medida que o nosso medo da inadequação cresce, também aumentam as barreiras protetivas de nossas defesas. Frustração e raiva servem para cristalizar a máscara de raiva congelada em nossa face. Enquanto somos impotentes por trás da máscara, os outros se sentem intimidados. Nós damos olhares que transformam uma pessoa em pedra. A máscara, agora inseparável de nossa verdadeira face, atua para manter os outros afastados. Em geral, não percebemos por completo os efeitos de nosso olhar e então temos a sensação crescente de ser marginalizadas, rejeitadas e odiadas pelos outros. Essas atitudes negativas e destrutivas se refletem sobre nós mesmas, nos tornamos amargas, recriminadoras e julgadoras. Se a máscara se volta para dentro, sentimos repulsa por nossa impotência, o que se transforma em um ódio generalizado por nós mesmas; e essa autorrejeição é adicionada aos nossos outros problemas.

Para transformar a máscara, devemos primeiro reconhecer e admitir a face raivosa que apresentamos aos outros. A tarefa seguinte é chamar Medusa de volta do seu banimento e reconquistar a rainha com cabelos de serpentes ao honrar a sabedoria da lua negra que emerge de nossa sexualidade. Medusa é a fonte de nosso profundo e regenerador poder de cura. O sangue menstrual da Deusa Serpente que poderia curar, matar e até ressuscitar os mortos é refletido nas serpentes gêmeas da Vida e da Morte, entrelaçando-se em volta do bastão alado que hoje é o emblema da profissão médica.[29] O sangue dela foi dado por Atena para o Deus da Cura, Asclépio, cuja filha Hígia, Deusa da Saúde, foi nos tempos clássicos a guardiã das serpentes sagradas nos templos de cura.

Para reivindicar o poder espiritual da antiga Deusa Serpente líbia da sabedoria, devemos desenvolver nossos talentos e recursos internos, os quais nos darão um novo senso de nosso valor e nossa autoestima. Veremos, então, suas bênçãos em nossa vida como a crescente confiança em nossa habilidade para ser criativas e assertivas em todos os nossos esforços na vida. Lembraremos como utilizar sua antiga sabedoria para reconhecer a verdade, curar e regenerar a nós mesmas e aos outros. E vamos recuperar a magia de nossa sexualidade escura.

Lembrando que a inteligência, a força e a criatividade foram uma vez enraizadas na tradição feminina, podemos invocar a linhagem da Deusa Tríplice Neith/Anata. De Atena, podemos receber valor, força e coragem; de Métis, a sabedoria intuitiva do sábio conselho e da autoexpressão criativa; e de Medusa, nossas habilidades sexuais psíquicas para curar e regenerar. O poder que vem do coração do nosso ser, o qual se baseia na estabilidade de nossa força e nossa sabedoria interiores, é o que de fato afasta a ameaça de violação. Não precisamos mais da máscara assustadora como uma arma de defesa para esconder nossa insegurança.

Perguntas do Diário

1. Como me sinto em relação às cobras?
2. Como reajo à visão dos pelos na vulva de uma mulher? Eu os acho bonitos? Fico de alguma forma fascinada e, ao mesmo tempo, sinto repulsa? Consigo me lembrar das reações na minha infância quando vi pela primeira vez os pelos pubianos de minha mãe ou de alguma outra mulher?

3. Se sou um homem, já senti alguma vez que a sexualidade e o poder de uma mulher fossem algo potencialmente ameaçador para mim? Tive experiências nas quais me senti sexualmente manipulado ou psicologicamente castrado por uma mulher? Se eu tive relacionamentos sexualmente devastadores, considerei que as experiências difíceis que pareço atrair podem refletir minhas imagens internas inconscientes do feminino negro?

4. Se sou uma mulher, me sinto insegura ou inadequada em minha habilidade de expressar minha sexualidade, minha sabedoria e meu poder em minha vida? Já assumi uma expressão raivosa ou dei um "olhar que poderia matar" para me proteger de ser exposta? Já me senti evitada ou rejeitada pelos outros por causa de minha aparência ou personalidade? Posso reconhecer e honrar meu poder feminino de serpente como fonte interna de criatividade, atualização e força em minha vida?

Notas

1. Ovídio, *Metamorphoses, Book IV*, traduzido por Charles Boer (Dallas: Spring Publications, 1989).
2. Robert Graves, *The Greek Myths*, vol. 1 (Nova York: Viking Penguin, 1985), p. 129.
3. H. J. Rose, *A Handbook of Greek Mythology* (Nova York: Dutton & Co., 1959), p. 29.
4. Erich Neumann, *The Great Mother*, traduzido por Ralph Manheim (Princeton, NJ: Princeton University Press, 1974), p. 166.
5. Christine Downing, *The Goddess*: Mythological Images of the Feminine (Nova York: Crossroad, 1981), p. 124.
6. Barbara G. Walker, *The Woman's Encyclopedia of Myths and Secrets* (San Francisco: Harper & Row, 1983), p. 629.
7. Robert Graves, *The Greek Myths*, vol. 1 (Nova York: Viking Penguin, 1985), p. 17.
8. Joseph Campbell, *The Masks of God*: Occidental Mythology (Nova York: Penguin Books, 1981), p. 152.
9. Sir James George Frazier, *The Golden Bough* (Nova York: The MacMillan Company, 1960), pp. 699-700.
10. Norma L. Goodrich, *Priestesses* (Nova York: Franklin Watts, 1989), p. 364.

11. Robert Graves, *The Greek Myths*, vol. 1 (Nova York: Viking Penguin, 1985), p. 129.
12. Tobin Siebers, *The Mirror of Medusa* (Berkeley/Los Angeles: University of California Press, 1983), p. 24.
13. May Sarton, *Collected Poems* (Nova York: W. W. Norton, 1974), p. 332.
14. Julius Staal, *The New Patterns in the Sky* (Blacksburg, VA: The McDonald and Woodward Publishing Co., 1988), p. 25.
15. Wolfgang Lederer, *The Fear of Women* (Nova York: Harcourt Brace Jovanovich, 1968), p. 3.
16. Erich Neumann, *The Great Mother*, traduzido por Ralph Manheim (Princeton, NJ: Princeton University Press, 1974), p. 169.
17. Sigmund Freud, "Medusa's Head" (1922), em *Collected Papers*, vol. 5 (Londres: Hogarth, 1953), pp. 105-6.
18. Philip Slater, *The Glory of Hera* (Boston: Beacon Press, 1968), pp. 321-22.
19. *Ibid.*, p. 322.
20. Liz Greene, *The Astrology of Fate* (York Beach: Samuel Weiser, 1986), p. 229.
21. Wolfgang Lederer, *The Fear of Women* (Nova York: Harcourt Brace Jovanovich, 1968), p. 256.
22. Mario Praz, *The Romantic Agony* (Londres: Oxford University Press, 1951), p. 9.
23. Wolfgang Lederer, *The Fear of Women* (Nova York: Harcourt Brace Jovanovich, 1968), p. 257.
24. Erich Neumann, *The Origins and History of Consciousness*, traduzido por R. F. C. Hull (Princeton: Princeton University Press, 1973), p. 63.
25. Buffie Johnson, *Lady of the Beasts* (San Francisco: Harper & Row, 1988), p. 150.
26. Liz Greene, *The Astrology of Fate* (York Beach: Samuel Weiser, 1986), p. 229.
27. Jean Shinoda Bolen, *Goddesses in Everywoman* (San Francisco: Harper & Row, 1984), p. 103.
28. Wolfgang Lederer, *The Fear of Women* (Nova York: Harcourt Brace Jovanovich, 1968), p. 3.
29. Genia Pauli Haddon, *Body Metaphors: Releasing God-Feminine in Us All* (Nova York: Crossroad, 1988), p. 154.

CAPÍTULO 6

Lilith – A Donzela Negra

❦

> Você tem que o dar a Lilith,
> Ela foi uma grande mulher.
> Disse ela que preferiria
> Fazer sexo com demônios na praia
> Do que se deitar sob a barriga
> Daquele Adão choramingas
> & voou do Paraíso...
> **JONELLE MAISON**[1]

Lilith ficou conhecida pelas culturas patriarcais como um demônio feminino alado e de cabelos rebeldes que voava através da noite. Diziam que seus poderes eram "maiores na época de lua minguante, quando os cães da noite são soltos de suas correntes para vagar até de manhã".[2] Como Deusa da Lua Negra, Lilith carrega a projeção da sombra do patriarcado da mulher desafiante como sedutora e assassina de crianças. Ela veio a encarnar o medo dos homens do feminino como algo sombrio e maligno.

A história da criação pelo *Zohar* conta a seguinte versão da origem de Lilith. Deus fez dois grandes luminares, o Sol e a Lua, que brilhavam com igual esplendor. Primeiro a Lua quis unir-se ao Sol e desfrutar de sua luz, mas, quando uma disputa surgiu, Deus ficou do lado do Sol. Ele mandou a Lua descer para acompanhar os passos da humanidade como a sua sombra.[3] Quando a luz da Lua foi reduzida, disseram que a Santidade ficou rodeada por uma casca de Mal (*qehpah*), da qual Lilith nasceu. Ela surgiu da escuridão primal, avançando em chamas com todo o seu poder assertivo.

Encontramos narrativas sobre Lilith em todos os lugares do antigo Oriente Médio e ela faz aparições nas mitologias sumeriana, babilônica, assíria, hebraica e árabe. As lendas se referem a ela como a primeira esposa de Adão no Jardim do Éden, a amante dos espíritos lascivos no Mar Vermelho, como a noiva de Samael, o Diabo, como a Rainha de Sabá e Zemargad e, ainda, como a consorte do próprio Deus cabalista do século XV.

Nos últimos cinco milênios, Lilith, como um aspecto da Deusa Negra, foi expulsa para o desolado deserto e banida das fronteiras da comunidade. Negada e rejeitada, Lilith foi vilipendiada como Serpente Tortuosa, Sanguessuga, Prostituta, Fêmea Impura, Mulher Estrangeira, Bruxa, Megera e Feiticeira. Ao longo dos tempos, fragmentos de sua história vieram à superfície das escuras e insondáveis profundezas do seu exílio. Mas, antes de tudo, no início de seu tempo, o epíteto de Lilith era "a bela donzela".

A estória de Lilith

Vamos agora desvendar a biografia mítica de Lilith a partir de sua primeira aparição na antiga Suméria como uma serva da grande deusa Inanna. Os fios de sua estória nos levam pela mitologia hebraica, em que ela é a primeira esposa de Adão e depois a consorte de Deus na tradição cabalista. Para os poetas românticos do século XIX, Lilith incorporou a imagem da mulher como fêmea fatal – atraente, irresistível e letal. No fim do século XX, Lilith

Figura 6.1   Lilith.

reafirmou-se como o feminino liberado, exaltando a sexualidade extática, defendendo a integridade e recusando a submissão.

Lilith na Suméria e na Babilônia

Lilith é preeminentemente uma emanação da grande e alada Deusa Pássaro. Ela é um espírito do vento e suas primeiras associações são com a Deusa Sumeriana do Grão, Ninlil, Senhora do Ar, que pariu a lua na escuridão do mundo subterrâneo e concedeu o divino direito de governar.

A estória registrada de Lilith começa com Inanna, neta de Ninlil, que era a "Rainha do Céu" na antiga Suméria. A lenda de Inanna e Enki falava dos costumes sexuais sagrados que eram uma das dádivas de Inanna para civilizar o povo de Erech. Aqui, as mulheres sagradas do templo eram conhecidas como as *nu-gig*, as puras e imaculadas sacerdotisas virgens. Elas tomavam como seus amantes os membros da comunidade que vinham ao templo para adorar a Deusa e receber a cura. Nessa época, o nome de Lilith é registrado como o de uma jovem donzela, "a mão de Inanna" que recolhia os homens da rua e os levava ao templo em Erech para os ritos sagrados.[4]

Entre 3000 A.E.C. e 2500 A.E.C., a antiga cultura sumeriana começou a interagir com o advento do patriarcado. Como o patriarcado movia-se para ultrapassar o reinado da Deusa, primeiro era necessário desconectar as pessoas do vasto poder da Deusa, que era centrado em seu templo interno do amor sexual sagrado. Para cumprir essa tarefa, o patriarcado rejeitou e suprimiu os ritos sexuais da religião da Deusa. Assim como a sombra negada quando projetada, o poder sexual das mulheres foi demonizado como uma força do mal. Com o decorrer dos séculos, a jovem criada Lilith, que primeiro se aproximava dos homens para levá-los ao templo sagrado de Inanna, tornou-se na cultura patriarcal a encarnação de tudo o que era mau e perigoso na esfera sexual. Ela catalisava sobretudo os piores medos dos homens a respeito do poder sexual do feminino.

Em 2400 A.E.C., Lilith, Espírito do Ar, foi distorcida em um demônio da noite que personificava os desastres naturais, como tempestades e ventanias. Ela era imaginada na forma de uma bela dama que não iria libertar seus amantes ou sequer dar a eles a verdadeira satisfação. Existiam quatro classes de demônios: os demônios Lillu, que eram vampiros; os Lilitu ou demônios mulheres; os Ardat Lili e os Irdu Lili, que eram contrapartes masculinas e femininas vivendo em lugares devastados, aproveitando-se de homens e mulheres à noite e concebendo crianças fantasmas. Esses demônios assombravam locais desolados durante tempestades e eram perigosos para mulheres e crianças.

A flor de Lilith era o *lilu*, ou lírio, ou "lótus", seu genital mágico, que representava o aspecto virgem da Deusa Tríplice. A lista de um rei sumeriano datada dessa época afirmava que Lugalbanda, pai do grande herói Gilgamesh, era um demônio Lillu.[5] Essa afirmação também pode ser lida como uma referência velada à teoria de Gilgamesh, que tinha a reputação de ser dois terços divino e um terço humano e possuir a linhagem consanguínea sagrada, descendendo dos ritos sexuais da Deusa.

Uma placa de terracota babilônica de 2300 A.E.C. mostra Lilith como uma Mulher Pássaro e Senhora das Feras. Ela é bonita, com um esguio corpo nu, asas que caem por suas costas como um véu aberto e pés de coruja com poderosas garras. Sua cabeça é adornada com uma coroa de múltiplos chifres usados por todas as grandes deidades; e ela segura os anéis e varas, símbolos de poder. Cercada por leões protetores e corujas representando sua sabedoria noturna, ela é a alma animal do mundo, que está associada com todas as criaturas vivas que se arrastam e todos os animais selvagens. O sentido literal do nome Lilith é "guincho". Ela era associada com o chiado da coruja à noite e, depois, foi considerada um demônio estridente.

A estória sobre a expulsão de Lilith da cosmologia sumeriana foi contada na épica *Epopeia de Gilgamesh* (de cerca de 2000 A.E.C.).[6] Inanna salvou a árvore sagrada de Huluppu, nas margens do Eufrates, que tinha sido arrancada por uma grande tempestade de vento. Ela então plantou esse salgueiro em seu jardim sagrado, planejando usar a madeira para construir seu trono e sua cama. Com o passar dos anos, a árvore amadureceu, mas não deu galhos nem folhas por três razões: a serpente que não podia ser encantada fez seu ninho nas raízes da árvore; o feroz pássaro Anzu pôs seus filhotes no alto; e no meio, a donzela negra Lilith construiu sua casa. Então, Inanna, que adorava rir, chorou porque a cobra, o pássaro e Lilith não deixariam sua árvore. Ela pediu ajuda a Gilgamesh. Ele matou a serpente. Seus homens cortaram a árvore e presentearam Inanna com a madeira para seu trono e sua cama. O pássaro Anzu escapou com seu filhote para as montanhas; Lilith destruiu sua casa e voou para locais selvagens e inabitados. Inanna recompensou Gilgamesh com um tambor e uma baqueta feitos da base e da coroa da árvore, com os quais ele poderia falar com os deuses e descer para o mundo subterrâneo.

De uma perspectiva feminista, essa estória suscita muitas questões perturbadoras. Por que Inanna choraria pela presença de sua criada Lilith na árvore? Por que ela queria que os símbolos da antiga Deusa Cobra e do Pássaro desaparecessem de sua vida? E por que Inanna recompensou Gilgamesh por destruir a serpente sagrada e por banir Lilith e o pássaro Anzu?

A *Epopeia de Gilgamesh*, inscrita em tábuas de argila datando de 2000 A.E.C., é a versão babilônica posterior de uma estória sumeriana antiga, que ocorrera mais de mil anos antes. Ela é conhecida hoje apenas por fragmentos. Da perspectiva patriarcal, Inanna deveria sacrificar sua virgindade, isto é, sua natureza de donzela da lua nova, que é uma deusa livre e autônoma. Ela também deveria submeter-se aos novos deuses solares e permitir que Gilgamesh destruísse os principais símbolos do seu poder: o pássaro, a cobra e a árvore.

Agora, torna-se claro por que Inanna chorou pela contínua presença de Lilith, a serpente e o pássaro Anzu, que residiam todos na sua árvore sagrada. A antiga Deusa Pássaro e Serpente que construíra sua casa na copa e na base da Árvore da Vida unia o céu e a terra. A imagem continha o poder e o conhecimento inerentes ao pássaro com cabeça de leão e asas de águia bem como a sabedoria da renovação sexual incorporada pela serpente. Inanna teve que abrir mão desses símbolos de poder para que o novo patriarcado lhe concedesse seu trono e sua cama, seus novos símbolos que significavam coliderança no novo reinado. Se ela não pudesse abandoná-los voluntariamente, os símbolos seriam tirados dela de qualquer forma pela ofensiva do patriarcado vindouro. A casa de sua criada foi destruída e Lilith teve que voar para o desolado deserto.

O banimento de Lilith continuou pelos séculos seguintes, quando as civilizações babilônica, hitita e semítica suplantaram a cultura sumeriana no antigo Oriente Médio. O aspecto selvagem, livre e virginal (que não pertencia a nenhum homem) da sexualidade feminina que Lilith simbolizava foi distorcido em irresistíveis, lascivos e insaciáveis demônios femininos que seduziam os homens em seu sono contra a vontade deles e excitavam suas poluções noturnas. Um antigo selo cilíndrico babilônico mostra um homem copulando com uma vampira cuja cabeça foi cortada para manter afastadas as visitas de Lilith e suas irmãs. Outro encanto faz a seguinte referência:

> A Lilu, a Lilit, a noturna Lili,
> Encantamentos, desastres, feitiços,
> Doenças, encantos malignos,
> Em nome do céu
> E em nome da terra
> Deixe-os ser exorcizados.

Em uma placa síria do século VII A.E.C., Lilith foi retratada como uma esfinge alada com a seguinte inscrição, parte de um encantamento usado para ajudar as mulheres no parto:

Ó, Voadora em uma câmara escura,
Vá embora de uma vez, Ó Lili.

Lilith era temida como um demônio fêmea que colocava em perigo as mulheres na hora do parto e estrangulava as crianças. Esse terror pode estar ligado com sua tentativa de defender o direito de Ninlil de conceder liderança ao impedir a sobrevivência dos herdeiros das tribos conquistadoras. Muitos desses textos de encantamentos para afastar Lilith foram encontrados em Nippur, cidade de Ninlil, na Babilônia.

Lilith na Tradição Hebraica

A próxima fase da imagética de Lilith como uma demônia vem dos hebreus, que designaram a ela um lugar central na demonologia judaica. No período mais antigo do primeiro milênio A.E.C., os hebreus invadiram Canaã e depois foram para o exílio na Babilônia, onde eles tiveram que assimilar a mitologia e os costumes locais. No reinado feminino cananeu de Lilith, os sacerdotes não podiam dissuadir suas mulheres de rezar para a Deusa da Fertilidade, Anath, a cujos adoradores era permitida a promiscuidade pré-nupcial. Os profetas denunciaram as mulheres israelitas por seguirem essas práticas e difamaram Lilith como um espírito maligno e antinatural em uma tentativa de suprimir as demandas de suas mulheres por liberdade sexual.

A maioria das lendas hebraicas sobre Lilith desenvolveu-se depois do exílio para a Babilônia (586 A.E.C.) e da deportação dos judeus de Roma para o cativeiro (70 E.C.). Eles trouxeram de volta da Babilônia os nomes de vários demônios, dentre eles o de Lilith. A única menção a Lilith na Bíblia é feita no Velho Testamento, quando Isaías, descrevendo o dia da vingança de Javé, ocasião em que a terra será transformada em um árido deserto, diz: "As feras do deserto se encontrarão com as hienas, e os sátiros clamarão uns aos outros; e Lilith ali pousará e achará para si um lugar de descanso" (Isaías 34:14).

O exílio foi uma ameaça à sobrevivência dos judeus; e, em sua condição de impotência, os homens hebreus precisavam garantir sua masculinidade. Dessa forma, houve a necessidade de programar suas mulheres para serem submissas e favorecer os interesses dos homens, da família e da sociedade, e não os seus próprios. Provar a masculinidade de alguém também era definido como a habilidade de ser pai para os filhos, o que no Exílio era essencial para a continuidade da raça; então, qualquer ameaça à potência de um homem ou à sua prole era equivalente à extinção. O conceito que Lilith representa, de uma sexualidade feminina independente que tem o controle sobre a gravidez e a infância, era antitética à sobrevivência da raça. Isso precisava ser resolvido.[7]

Os patriarcas judeus, ao estabelecerem sua genealogia, tiveram que lidar com duas versões diferentes no Gênesis a respeito da criação do homem e da mulher. Gênesis 1, que incorpora a crença anterior de que o universo foi criado da união do Pai do Céu e da Mãe Terra, relata que Deus criou o homem e a mulher ao mesmo tempo. A versão seguinte, Gênesis 2, afirma que a mulher foi um pensamento posterior e um apêndice do homem. A nova religião monoteísta, que cultuava apenas um Deus, o Pai, teve que remover os vestígios das deidades femininas e reprimir os cultos à deusa. Lilith é aquela parte da Grande Deusa que foi rejeitada e expulsa nos tempos pós-bíblicos.[8] O culto ao feminino foi para o submundo e sobreviveu apenas nas projeções distorcidas dos piores medos dos homens no que diz respeito à sua masculinidade e sua potência.

LILITH E ADÃO Esse é, por conseguinte, o pano de fundo para o desenvolvimento da próxima fase de Lilith como a primeira esposa de Adão, antes de ele se casar com Eva. Lilith o deixou e então foi transformada em uma sedutora malévola, uma mãe de demônios e uma assassina de crianças na mitologia hebraica. Essa estória desenvolveu-se no Talmude Babilônico, no *Zohar* e no *Alfabeto de Ben-Sira*, todos eles escritos e compilados fora da

Terra de Israel, presumivelmente depois de 70 E.C., entretanto eles se baseavam em lendas orais e escritas anteriores.

A mais antiga explicação bíblica da Criação relata que Deus criou o homem e a mulher ao mesmo tempo. "Criou, pois, Deus o homem à sua imagem... homem ou mulher os criou" (Gênesis 1:27). Lendas judaicas nos contam que essa mulher era Lilith. O *Alfabeto de Ben-Sira*, um comentário judaico antigo sobre a Bíblia, escrito por volta de 1000 E.C., entrelaça as várias versões anteriores da criação e o conceito subversivo da igualdade da mulher.

Depois de o Santo Deus ter criado o primeiro ser humano, Adão, ele disse: "Não é bom para Adão ficar sozinho". Ele criou uma mulher, também da terra, e a chamou de Lilith. Eles discutiram imediatamente. Ela disse: "Eu não me deitarei sob você". Ele disse: "Eu não me deitarei sob você, mas em cima de você. Pois você se encaixa embaixo de mim e eu em cima de você". Ela respondeu: "Nós somos iguais porque nós dois viemos da terra". Nenhum escutava o outro. Quando Lilith entendeu o que estava acontecendo, ela pronunciou o Inefável Nome de Deus e voou para longe pelos ares.

> Adão ergueu-se em prece diante do Criador dizendo: "A mulher que você me deu fugiu de mim". Imediatamente o Santo Deus mandou três anjos atrás dela.
>
> O Santo Deus disse para Adão: "Se ela quiser voltar, melhor. Senão, ela terá que aceitar que cem dos seus filhos morrerão todos os dias". Os anjos foram atrás dela, finalmente encontrando-a no mar, nas poderosas águas nas quais os egípcios foram destinados a perecer. Eles contaram a ela o que Deus tinha dito e ela não quis voltar [...][9]

Originalmente, ele e ela, Adão e Lilith, foram criados iguais e juntos e colocados no Jardim do Éden para dar nome às coisas e assim trazer o mundo à manifestação. Eles tiveram muita dificuldade porque Lilith insistia em ter igualdade total, o que Adão recusava, e eles não conseguiam concordar a respeito de nada. Adão só faria sexo com Lilith se ele ficasse por cima e ela ficasse por baixo, porque ele era superior, tendo sido criado do puro pó, e ela era inferior, proveniente da sujeira e de sedimentos. Depois de algum tempo, Lilith compreendeu que Adão jamais aceitaria como válida e valiosa qualquer coisa que ela tivesse para oferecer, então pronunciou o nome secreto de Deus, voou e desapareceu no céu.

Adão queixou-se com Deus de que a esposa que lhe fora dada havia desistido dele. Deus, então, mandou três anjos, Senoy, Sansenoy e Semangelof, para capturar Lilith. Eles a encontraram à beira do Mar Vermelho, um local de má reputação e cheio de demônios lascivos, com quem Lilith se envolveu em promiscuidade desenfreada e teve dezenas de filhos demônios. Os anjos retransmitiram o aviso de Deus de que se ela não voltasse teria que testemunhar a morte de uma centena de seus filhos todos os dias. Quando ela se recusou a voltar, eles ameaçaram afogá-la no mar. Lilith protestou, alegando que fora criada expressamente para prejudicar crianças recém-nascidas: meninos até seu oitavo dia de vida (após a circuncisão) e meninas até seu vigésimo dia. Entretanto, fez um juramento de que, sempre que ela visse a imagem daqueles anjos em um amuleto, perderia seu poder sobre a criança. E se Lilith não pudesse destruir uma criança humana por causa do amuleto, teria que matar uma das suas.[10]

Lilith não voltou para o seu marido. Ela escolheu uma vida de exílio em uma caverna deserta às margens do Mar Vermelho em vez de uma vida de submissão e dominação pela vontade de Adão. Lilith passou por um grande período de luto. Ela não apenas se retirou de maneira voluntária como o aspecto feminino da sabedoria do processo de uma nova criação do mundo, mas todos os dias cem dos seus filhos morriam em razão de sua desobediência. Depois de seu luto terminar, ela fez amor com os elementais da água e muitos seres nasceram dessa união – especificamente o mar do inconsciente, do qual o aspecto feminino de nossa sabedoria ergue-se das profundezas de nossa psique.

Enquanto isso, no Jardim do Éden, Deus pegou uma costela de Adão e a transformou em Eva, a segunda esposa e companheira de Adão. Este ficou feliz por se ver livre de Lilith, que só lhe causara problemas, e por agora ter Eva, que era submissa e obediente de todas as maneiras possíveis. Entretanto, o fato de Adão nunca ter deixado de se ressentir por Lilith ter feito a escolha de abandoná-lo denota a raiva primordial do homem (ou do homem dentro de cada mulher) por qualquer mulher que o tenha deixado ou rejeitado, mesmo que ele esteja muito feliz por ela estar fora de sua vida.

A lenda a respeito da esposa de Adão que precedeu à criação de Eva fundiu-se com a lenda anterior de Lilith como um demônio feminino que matava crianças e colocava em perigo as mulheres na hora do parto. Quando a estória da criação estava sendo escrita, a menção a Lilith foi totalmente exorcizada das escrituras, com a única exceção de Isaías. Os patriarcas bíblicos não queriam dar ao mundo um exemplo de esposa que demandava igualdade, desafiava o marido e o deixava; em vez disso, eles exaltaram as virtudes de Eva, que não tinha essas ideias, mas, ao contrário, seria subserviente, permitindo tudo ao seu marido.

Lilith foi punida por sua rebeldia sendo exilada da sociedade legítima e expulsa para a vida selvagem. O que restou da estória de Lilith foi distorcido e a imagem dela que abunda na literatura e no folclore hebraico dos muitos milênios seguintes foi aquela do mal feminino. Ela ficou conhecida como a prostituta, a cruel, a falsa e a negra. A primeira mulher sobre a terra que era igual ao homem e um espírito livre foi condenada a sobreviver pela eternidade como uma mulher-demônio, acasalando com demônios e diabos, parindo monstros em vez de crianças humanas.[11] Essa imagem servia como uma ameaça e um aviso para qualquer mulher que tivesse a intenção de abandonar o marido ou desafiar a autoridade masculina.

Lilith na Idade Média e das Trevas

Durante o período seguinte na biografia mítica de Lilith, a sociedade a tinha como uma mulher má e enlouquecida, que era obcecada com o desejo sexual desenfreado e pervertido. Ela passava o seu tempo seduzindo homens, gerando demônios e assassinando bebezinhos.

LILITH COMO UMA SEDUTORA O idílio de Adão com Eva não durou muito. Lendas dizem que foi Lilith, coroada e alada com a cauda de uma serpente enroscada em volta da Árvore do Conhecimento (reminiscente da antiga Deusa Serpente e Pássaro), quem persuadiu Eva a oferecer a maçã proibida a Adão e iniciá-lo nos mistérios sexuais da espiralada serpente *kundalini*. O mito do *Zohar* relata que Lilith era "a Serpente, a Mulher do Meretrício que incitou e induziu Eva [...] fazendo com que Eva seduzisse Adão enquanto estava em sua impureza menstrual".[12] Peter Redgrove acredita que Lilith carrega as qualidades de uma "iniciadora do homem magista que seria sensível ao conjunto de dados e ritmos da escuridão feminina por meio de seus sentidos negros e intimamente associado com o seu sábio sangue".[13]

Depois da queda e da expulsão de Adão do Jardim do Éden, ele se arrependeu ao jejuar, mortificar a carne e fazer um voto de celibato por 130 anos. Lilith conseguiu sua vingança visitando-o à noite e tentando-o com sonhos eróticos. Ela montou nele e capturou suas emissões noturnas, das quais ela pariu bebês demônios. Ao mesmo tempo, espíritos masculinos semelhantes emprenharam Eva e essas uniões deram origem às pragas da humanidade.

A sedução de Adão por Lilith serviu como protótipo mítico para validar os medos masculinos do poder sexual das mulheres como súcubos. A literatura rabínica adverte que "Lilith é uma prostituta que fornica com os homens [...] que dorme sob a impureza das emissões espontâneas e de quem nascem demônios, espíritos e Lilin". "Ela é a Mulher Estrangeira [...] a doçura do pecado e da língua do mal. E dos lábios da Mulher Alienígena flui o mel." "Lilith é a Serpente Tortuosa que seduz os homens para seguirem caminhos tortuosos." "Ela é a Fêmea Impura."[14]

Lilith era o medo secreto dos homens que dormiam sozinhos; ela atacaria seus corpos de formas lascivas. Uma passagem do *Zohar* afirma:

> Ela [Lilith] vagueia pela noite e percorre todo o mundo e pratica esportes com homens e faz com que eles lancem sementes. Em todo local onde um homem dorme sozinho em uma casa, ela o visita, o agarra e acopla-se a ele; e toma para si o desejo dele e engravida. Ela também o aflige com doenças sem que ele saiba; e tudo isso acontece quando a lua está em declínio.[15]

Ela espreita sob os portais, em poços e em latrinas, onde continua a desviar os homens do caminho correto até o Juízo Final. Os filhos das violações noturnas de Lilith são os demônios que assolam o mundo.

Uma vez que suas filhas, as lilin, se apegavam a um humano, elas adquiriam o direito de coabitação, e era preciso dar a elas uma ordem, uma carta de divórcio, para serem expulsas. Dizia-se que se um homem religioso tinha um sonho erótico, Lilith ria. Sua beleza encantadora e sobrenatural era especialmente perigosa para os homens jovens que a cobiçavam; uma vez visitados, eles nunca mais poderiam se excitar de novo por uma mulher mortal. As lilin assombraram os homens por milhares de anos, e gerações de monges celibatários apertavam seus crucifixos e malas sobre os genitais à noite para se protegerem da maldita Lilith.

LILITH COMO UMA ASSASSINA DE CRIANÇAS As façanhas de Lilith como uma assassina de crianças são documentadas em textos de encantamentos inscritos em tigelas e amuletos encontrados por todo o Oriente Médio, do século V ao XVII. Acreditava-se que o poder de Lilith podia ser preso sob uma tigela invertida sobre a qual fórmulas mágicas tinham sido escritas. Como uma personificação da força vital destrutiva, Lilith era uma ameaça às mulheres grávidas, causando aborto espontâneo e complicações no parto. Favorecendo os filhos nascidos fora do casamento, as lilin odiavam aqueles nascidos do casamento convencional humano e os atacavam, atormentavam, sugavam seu sangue e os estrangulava. Para proteger uma criança recém-nascida de Lilith, especialmente meninos até que fossem salvaguardados pela circuncisão, um círculo era traçado com carvão na parede da sala de parto e dentro dele escrevia-se: "Adão e Eva. Fora, Lilith!". Os nomes Senoy, Sansenoy e Semangelof – os três anjos com quem Lilith barganhou no Mar Vermelho – eram escritos sobre os portais das casas e em amuletos pendurados no pescoço de uma criança para repelir a vingança de Lilith.

Muitos amuletos incluíam a estória do profeta Elias, que encontrou Lilith a caminho da casa de uma mulher em trabalho de parto "para dar a ela o sono da morte, beber seu sangue, tomar seu filho, sugar o tutano dos ossos da criança e comer sua carne". Elias a excomungou, em consequência do que ela se comprometeu a não prejudicar mulheres no parto sempre que visse ou ouvisse seu nome. Se um menino sorria em seu sono, as pessoas diziam que Lilith o estava apalpando. Para afastar o perigo, alguém deveria bater três vezes com um dedo nos lábios da criança e gritar: "Fora, Lilith, aqui não é o seu lugar".[16]

Os gregos adotaram as lilin e as chamaram de Lâmias. Eles contavam a estória de uma rainha africana, Lâmia, que vivia apenas por sua beleza. Ela sofreu com o ciúme de Hera, que matou os filhos que ela tivera com Zeus. Lâmia foi à loucura, tornou-se feia e procurou destruir os filhos de outras mulheres. Ela também podia, supostamente, mudar de forma. Lâmia depois se tornou a "intrusa do berçário", que raptava as crianças, seduzia os homens adormecidos e sugava-lhes o sangue. Elas eram conhecidas também como as Empusas ("empurradoras", *Mormolyceia*), lobas ameaçadoras e Crianças de Hécate.

LILITH E SEUS CONSORTES Durante a estada de Lilith no deserto próximo ao Mar Vermelho, uma ardente, furiosa e sedutora energia emergiu dela. A tradição cabalista diz que o Dragão Cego arranjou o casamento entre Lilith, a Mais Velha, e Samael, o Rei dos Demônios; e ela governou como rainha no reino das forças do mal. Lilith, a Mais Jovem, tornou-se a noiva de Asmodeu, também um Rei dos Demônios. O *Zohar* diz que, de sua união com Samael e Asmodeu, Lilith pariu tropas malignas e alienígenas que eram destruidoras do mundo Acima e Abaixo. Havia ciúme entre os dois reis e Lilith comandou legiões de demônios para provocar guerra e todo tipo de destruição.[17] Dizia-se também que Lilith era a Rainha de Zemargad, que viajou com seu exército de demônios por três anos, partindo de seu lar no deserto, para atacar os filhos de Jó.[18]

A natureza dupla de Lilith aparece de novo em sua associação com uma irmã demônia chamada Naamah. Naamah significa "a encantadora", cuja beleza extraordinária e irresistível, com a doce música dos címbalos, seduzia os anjos e os homens. Alguns escritos identificam Lilith e Naamah como as duas prostitutas que testaram a sabedoria do rei Salomão ao pedirem o seu veredito na disputa de uma criança que sobrevivera. Barbara

Black Koltuv acha que Lilith, a Mais Jovem, é Naamah como donzela e sedutora, enquanto Lilith, a Mais Velha ou A Antiga, é a assassina de crianças, bruxa e raptora.[19] Isso corresponde às fases nova e negra da Deusa Tríplice da Lua como virgem e anciã.

No folclore árabe, existe uma identificação generalizada de Lilith com a Rainha de Sabá. Um mito judeu e árabe do século III conta que a Rainha de Sabá era uma *jinn* – metade mulher, metade demônio. Ela tinha pés fendidos e pernas peludas, um tipo de esfinge que representava enigmas. Dizia-se que o rei Salomão tinha domínio sobre demônios, espíritos e lilin e conhecia a linguagem de cada um deles. Preparando-se para a visita da Rainha de Sabá, ele ordenou que os *jinns* construíssem um salão real com um piso de vidro. Quando a Rainha de Sabá entrou, ela pensou que o seu trono ficava sobre a água, então ela levantou sua vestimenta para atravessar a água e aproximar-se dele. Assim, suas pernas peludas, mostrando sua origem bestial, foram reveladas.

A evidência de que ela era Lilith foi que as charadas que a Rainha de Sabá apresentou para o rei Salomão eram uma repetição das palavras de sedução que Lilith falou para Adão. "O que é água que não está nem no ar nem no rio nem no oceano nem na chuva?" A resposta para esse enigma deveria ser "o suor de um cavalo na sua crina", mas também é uma charada dupla para "amor de mulher" ou a umidade entre as coxas na crina púbica animal da Rainha de Sabá.[20] Salomão aceitou sua sexualidade feminina instintiva e eles tiveram um filho, de quem os governantes abissínios alegavam ser descendentes.

Durante a era cabalística do século XV, Lilith ascendeu ao triunfo como a rainha consorte ao lado de Deus. Quando o Templo de Jerusalém foi destruído, a Matronita, mãe da Casa de Israel, teve que deixar seu marido e ir para o exílio com seus filhos até a hora de sua redenção. Deus, pai de Israel, colocou a mulher escrava (isto é, Lilith) no lugar da Matronita e ela se tornou a Dama de sua Casa.[21] Dessa união, Lilith se tornou mãe das pessoas profanas que constituíram a "multidão mista".

Esse conúbio pecaminoso entre Deus e Lilith continuará até a vinda do Messias, que colocará um fim nele expulsando Lilith e restituindo a

Matronita ao seu lugar de direito ao lado de Deus. Os dias messiânicos também marcarão o fim da existência de Lilith. Embora ela tenha existido desde o sexto ou mesmo o quinto dia da criação, ela não é imortal. Nos Dias Vindouros, quando Israel terá a vingança em Edom, tanto ela quanto o Dragão Cego, que arranjou a união entre ela e Samael, serão mortos.[22]

Lilith no Século XIX

Lilith esteve consideravelmente em moda no século XIX, quando a mente artística estava obcecada com a figura da *femme fatale*. R. F. McGillis escreve que, para os escritores românticos, Lilith representa uma fonte do mal, uma sereia que destrói aqueles que caem enfeitiçados por ela. Lilith é desconhecida e misteriosa, e afastar-se de seu encanto é preservar a humanidade. Os homens a temiam e a adoravam, tanto aterrorizados quanto fascinados pelo seu poder. Ela ou destrói seu amante ou o leva para uma nova consciência e uma nova vida.[23]

No Talmude, Lilith foi retratada como um demônio da noite de cabelos longos. O cabelo de uma mulher é considerado um dos seus adornos sedutores e essa é a razão pela qual o cabelo das mulheres monásticas, como as Noivas de Cristo e as Virgens Vestais, tem sido tradicionalmente cortado, amarrado e coberto. A fascinação dos homens pelo cabelo longo e sedutor de Lilith é um tema recorrente em muitas obras literárias do século XIX.

Lilith aparece no *Fausto*, de Goethe, na parte 1. Em meio à folia no topo do Brocken,* na cena da Noite de Walpurgis ou "A Noite de Santa Valburga", Lilith aparece, a suprema tentadora que assusta até Mefistófeles. Ele avisa Fausto:

> Cuidado com o seu belo cabelo, pois ela supera
> Todas as mulheres na magia de suas madeixas;
> E quando ela os enrola em volta do pescoço de um jovem,
> Ela jamais o libertará novamente.[24]

---

* Brocken é o pico mais alto de uma cadeia de montanhas no Norte da Alemanha. (N. do T.)

E, no movimento artístico pré-rafaelita, Dante Gabriell Rossetti retrata Lilith no seguinte poema.

> Da primeira esposa de Adão, Lilith, diz-se
> (A bruxa que ele amou antes da dádiva de Eva,)
> Que, antes que a da cobra, a sua doce língua podia iludir,
> E seu cabelo encantado foi o primeiro ouro.
> E firme ela fica, jovem enquanto a terra envelhece,
>   E, sutilmente de si contemplativa,
>   Atrai os homens para verem a luminosa teia que ela pode tecer,
>   Até que coração e corpo e vida estejam em suas mãos.
>
> A rosa e a papoula são suas flores; por onde
> Ele não se encontra, Ó Lilith, a quem o aroma vertido
> E beijos suaves e sono leve devem prender?
> Ei-lo! Como aqueles olhos da juventude arderam por vós, assim foi
> Vosso encanto sobre ele, e deixou seu pescoço ereto inclinado
> E em volta de seu coração um estrangulador cabelo dourado.[25]

Lilith como a Sombra da Sexualidade e da Liberdade Feminina

Lilith, no mundo matriarcal, foi certa vez uma imagem de tudo o que havia de melhor na natureza sexual de uma mulher, especialmente em seu lado ardente, sombrio que se relaciona com os mistérios menstruais. Depois de o patriarcado reprimir a sexualidade das mulheres e a antiga religião da Deusa desaparecer, Lilith veio a personificar para a humanidade a projeção da sombra feminina, que Barbara Black Koltuv vê como representação da mulher assertiva e rebelde. Como uma deusa negra demoníaca, ela era agora temida e odiada em vez de reverenciada.

Adentrar a figura de Lilith é relembrar um tempo antigo, no passado, quando as mulheres eram honradas e elogiadas ao iniciar e expressar plenamente sua liberdade pessoal e sua paixão sexual. Se recordarmos, então, um tempo no passado mais recente quando as mulheres tentaram reencenar aquele êxtase, apenas para serem abusadas, suprimidas e rejeitadas, entenderemos como Lilith foi transformada pela cultura patriarcal. Na discussão seguinte, nós perguntaremos: "O que significa recuperar as qualidades que ela uma vez concedera ao feminino como seu direito inato?".

Recuperando Lilith dentro de Nós

Na literatura mítica, há três Liliths. Elas refletem as fases lunares nova, cheia e negra da Deusa Tríplice. Lilith, a Mais Jovem, era Naamah, a donzela e sedutora. Lilith como a Consorte de Deus era a mãe da "multidão mista". E Lilith, a Antiga, era a assassina de crianças, bruxa e raptora. Nos céus da noite, também há três corpos astronômicos que juntos carregam o nome de Lilith. Existe um asteroide chamado Lilith; uma controversa lua negra Lilith (outro satélite da Terra); e uma lua preta Lilith, que é definida como o ponto focal vazio na órbita da Lua ao redor da Terra.[26] Na astrologia mítica, as posições desses corpos na carta natal de uma pessoa apontam para o processo psicológico que se desdobra durante a vida de uma pessoa quando Lilith é um arquétipo proeminente.

Imagens de humilhação, depreciação, fuga e desolação seguidas por ira colérica e vingança, como sedutora e assassina de crianças, são inúmeras em toda a mitologia de Lilith.[27] Esse é o padrão dela. Tanto para homens quanto para mulheres, em nossa busca por encontrar e redimir Lilith dentro de nós, ela nos leva por um processo triplo. Na primeira fase, devemos confrontar todas as formas pelas quais temos sido reprimidas e tomar uma atitude para defender nossa integridade. A segunda fase da sua jornada arquetípica nos leva ao exílio do desespero sobre nossa rejeição, em que nossa sombra planeja e executa sua vingança. E, na fase final do seu processo, Lilith retira as camadas que obscurecem e distorcem sua verdadeira natureza, pela qual somos libertadas do cativeiro e redimidas.

Rebelião contra a Subserviência Em seus primeiros dias Lilith, como a criada de Inanna, era um símbolo das sacerdotisas do templo. Essas mulheres sagradas traziam as bênçãos do amor sexual e da fertilidade para as vidas humanas e a terra. Elas também transmitiam a linhagem sanguínea da regência divina por meio de suas crianças concebidas em rituais sagrados. No começo de uma nova era espiritual e política regida pelos deuses solares, era essa Lilith que veio para Adão a fim de oferecer sua sabedoria e seu compromisso com uma parceria em igualdade. Ela foi a primeira mulher sobre a terra, igual ao homem e um espírito livre.

Mas Adão a rejeitou sexual e intelectualmente; e tentou forçá-la à subserviência. Ela rejeitou a subjugação e, como um espírito do vento, voou para longe e retomou suas práticas sexuais antigas no Mar Vermelho. Lilith era, então, imaginada como uma vingadora ciumenta que personificava a força vital destruidora. Essa imagem surgiu da recusa de Adão em aceitá-la como uma igual e tornou-se o protótipo para a relutância dos homens em aceitar a igualdade e a sexualidade instintiva das mulheres.

Lilith vive dentro de cada homem e de cada mulher e ela representa nossa sexualidade feminina primordial e instintiva. Ao longo de milênios, a parte masculina de cada pessoa tanto deseja quanto teme o poder dessa mulher selvagem. Ela é livre e ilimitada em sua animada, pulsante e transformadora sexualidade, que lembra e evoca o aspecto orgástico original da Grande Deusa.

Quando essa Lilith fala por meio de nós, ela é a voz que exige absoluta igualdade em qualquer situação em que nos encontremos (relacionamento, trabalho, família, grupo etc.). Ela não se contentaria com nada menos e resiste em se comprometer caso isso signifique negar seus valores essenciais, crenças ou ideais. Lilith irradia força, coragem e paixão; ela se posiciona por independência e liberdade contra a tirania. Ela é aquela qualidade em nós que se recusa a ficar presa a um relacionamento, pois quer igual liberdade de movimento, de mudança e de ser ela própria.[28] Ela não vai cooperar em sua própria vitimização e optará por não ter nenhum relacionamento em vez de ter um ruim. Em vez de ser dominada e reprimida, Lilith aceita a perda da segurança física, a solidão e a exclusão da sociedade. Em seu exílio voluntário de estar em um relacionamento, ela tem a capacidade de nutrir e sustentar a si mesma.

Com a ascensão do patriarcado, tornou-se inaceitável para as mulheres (e para a mulher em cada homem) viver a essência original de Lilith como um espírito livre sexualmente vital que fosse igual ao homem. Ela aparece em nossa vida diária quando nos encontramos naquelas situações em que não somos livres para nos expressar nem valorizadas por nossa sabedoria. Somos impedidas de agir, de nos mover, de escolher e de determinar as circunstâncias de nossa vida. Podemos nos sentir forçadas a obedecer aos outros contra o nosso bom senso e pressionadas a suprimir as qualidades que os outros acham inaceitáveis e ameaçadoras, especialmente as partes sexuais, independentes e rebeldes de nossa personalidade. Experiências de humilhação e negação também contribuem para um acúmulo de ressentimentos latentes.

A pressão interna que se acumula quando qualquer energia é confinada e constrita mais cedo ou mais tarde precipita uma violenta explosão. Na forçosa explosão de nossa raiva reprimida, nós temos a capacidade de ver e falar a verdade. Entretanto, essa clareza também pode destruir as falsas pretensões que dão forma aos relacionamentos autodestrutivos com nossos parceiros, pais, chefes, professores ou grupos acadêmicos e espirituais. Em face do que foi exposto, não podemos voltar para os velhos padrões de autonegação e prosseguir com nossos relacionamentos como se nada tivesse acontecido.

FUGA PARA O EXÍLIO Ao nos defendermos, podemos ser expostas e humilhadas. Como Lilith, que depois de sua revolta foi forçada ao exílio, o destino de muitas mulheres rebeldes é sofrer o ostracismo, a excomunhão ou alguma forma de banimento por causa de seu comportamento assertivo e desafiador.[29] Somos, então, tomadas por uma raiva ardente, sentindo-nos forçadas a fugir e perder nossos "lares" para preservar nossa integridade. Embora sejamos nós que estamos partindo de fato, nos sentimos rejeitadas, feridas e traídas. Nos casos em que não podemos sair por causa dos filhos, de outras obrigações familiares ou condições financeiras e temermos pela nossa segurança, podemos negar e banir a voz de Lilith que nos incita à ação de modo que possamos sobreviver e seguir em frente. Mas nós sabemos que a sombra no exílio, não importa se o voo para o deserto ocorre externa ou internamente, não se resigna em aceitar de maneira pacífica sua rejeição.

Como um animal engaiolado e ferido fugindo de seu captor, tentando desesperadamente achar um esconderijo no qual possa se curar, Lilith voa para o deserto em busca de refúgio. Podemos deixar o nosso relacionamento de forma física real; ou, se não pudermos escapar em um nível externo, podemos nos retirar em um nível interno separando-nos emocional e psicologicamente de nosso opressor. Em ambos os casos, a segunda fase da jornada mítica de Lilith é um voo para a desolação, que pode ser sentida, em geral, como um período de loucura. Sentindo-nos sozinhas, traídas, rejeitadas e feridas, nós nos contorcemos na dor de nossa angústia. No processo de nos salvarmos, destruímos nossa conexão com o outro. Além disso, somos geralmente segregadas pelo grupo social no qual a relação existiu. Uma mulher que deixa seu relacionamento, sobretudo por causa de uma ligação sexual com outra pessoa, em geral é privada de sua casa, das posses e dos recursos financeiros do casamento. Ela é humilhada e não é incomum que as mulheres tenham menos segurança e padrões de vida inferiores depois do divórcio ou da separação.

Na medida em que temos dificuldade em passar pelo sofrimento para recuperar nossa dignidade, podemos internalizar nossa raiva e voltá-la contra nós mesmas. Em nossa rejeição, nos sentimos sozinhas e indesejadas. Interpretamos isso como o fato de que existe algo em nós que é inaceitável e indesejável. Cheias de amargura e culpa, nos tornamos homens que odeiam mulheres e mulheres que odeiam a si mesmas.

No drama mítico de Lilith, chega um período em que não há mais lágrimas nem esperanças fúteis de aceitação e reconciliação dentro de nós. Então, uma nova emoção começa a ser criada, aquela da indignação e um desejo de vingança contra a pessoa ou situação que nos causou tanto sofrimento.

Enquanto Lilith está no deserto de seu exílio voluntário, ferida e sofrendo, ela tenta encontrar sua própria fonte interna de força e recuperar sua integridade. Entretanto, o mundo que ela deixou a puniu pelo ato de partir. Suas qualidades vitais femininas de independência e paixão intimidaram a dominação masculina. Ela foi caluniada como sendo uma demônia, sedutora e assassina de crianças, da mesma forma como muitas mulheres que hoje deixam relacionamentos abusivos são chamadas de putas e vacas ou têm seus filhos tirados delas. Lilith se tornou um odiado e talvez secretamente invejado símbolo feminino que servia como ameaça para as mulheres desviantes ou rebeldes, avisando-as sobre como a sociedade as trataria caso deixassem seus maridos ou desafiassem a autoridade masculina.

Em termos cabalísticos, o nome de Lilith corresponde à coruja piando, a coruja da noite que fica nas sombras. Quando um aspecto da inteireza do ser é negado, ele se desenvolve na sombra. Quando reprimimos a essência de Lilith, o eu sombrio rejeitado torna-se distorcido pela pressão da supressão e a angústia da dor. À medida que o eu sombrio apodrece no exílio, ele libera venenos em nosso fluxo mental que distorcem a nossa percepção da realidade.

Com a denúncia patriarcal da sexualidade e da liberdade feminina, coletivamente, nós transformamos Lilith em uma demônia sedutora e fatal que se torna a Noiva do Diabo. Ela serve como bode expiatório para os medos que homens e mulheres sentem em relação a seus desejos instintivos e suas necessidades sexuais; e ela cresceu para incorporar os piores medos dos homens a respeito de sua potência e seu desempenho sexuais. O imaginário mítico de Lilith carrega as nossas negras projeções da sombra feminina que foram banidas para as mais escuras fendas de nossa psique. Como uma emissária da antiga Deusa Pássaro e Serpente, Lilith é poderosa.

Em vez de definhar no exílio, a sombra de Lilith cresce e floresce da mesma maneira que ela era prolífica em reproduzir a prole demoníaca nas praias do Mar Vermelho. Quando esse aspecto da sombra de Lilith é ativo em nossa vida, nossa mente fica sobrecarregada com imagens de vingança e retaliação. Quando a sombra, inevitavelmente, irrompe e ultrapassa de forma violenta nossos limites de restrição, ela desencadeia o terror da sua vingança.

Os mitos de Lilith contêm as associações patriarcais da mulher rebelde com a mulher-diabo. Quando a mulher dá um passo fora dos limites do comportamento feminino submisso aceitável e pratica a sua habilidade de dizer não, ela aciona os medos e as fantasias dos homens de que a rebelião delas levará a um irrefreável e incontrolável massacre, como o da mítica Lilith.

Lilith, sendo verdadeira consigo mesma, ameaçava ativamente a sobrevivência do domínio patriarcal de Adão. Em seu aspecto sombra como a vingadora ciumenta, a humanidade projetava sobre ela a imagem da Deusa Negra que destrói a vida. Desejável e perigosa, ela se tornou a encarnação do desejo sexual dos homens e seu medo do poder sexual das mulheres sobre eles. Por mais que tentassem, os homens não poderiam erradicar por completo a sua fascinante e proibida beleza que evoca a sua natureza orgástica original. Ela virou um símbolo do encantamento fatal, mortal em sua sedução. Tinha o poder de destruir os homens excitando-os e copulando com eles à noite contra a vontade deles. Lilith enfraquecia a vitalidade dos homens sugando seu sangue e drenando sua potência ao causar as poluções noturnas para gerar demônios que multiplicariam sua vingança. Súcubo e vampira, Lilith era rejeitada por aqueles que temiam e, portanto, negavam todas as experiências eróticas, exceto aquelas que levavam à concepção de crianças.

Quando a sombra Lilith é ativa na vida de um homem, e ele está projetando as suas próprias imagens demoníacas internas de Lilith sobre as mulheres, ele ficará intrigado e irresistivelmente atraído pela fêmea sombria, encantadora e proibida, a quem esse homem tenta então arrebatar e destruir por temer seu mortal poder sexual sobre ele. Tal homem vivencia a paixão de uma mulher como uma sexualidade voraz e exigente que faz com que sua masculinidade e sua ereção diminuam. Ele culpa a mulher Lilith por fazê-lo se sentir impotente e a difama como uma castradora agressiva. A rejeição de Lilith a Adão e seu voo para o sensual Mar Vermelho também aciona os medos de abandono dos homens e a perda da companhia e do apoio emocional da mulher. Mulheres como Lilith, que se recusam a nutrir os homens, ameaçam seu senso de sobrevivência.

Quando a sombra Lilith é ativa na vida de uma mulher, o ódio pela própria sexualidade pode levar à esterilidade, à frigidez, à frieza emocional e a um excessivo distanciamento. Mulheres Lilith não conseguem ter suas necessidades atendidas em relacionamentos que as restringem e as desvalorizam. Presas nesse tipo de abuso, em retaliação velada, elas usam sua sexualidade como uma arma com a qual controlam, manipulam e punem os outros. Levada a extremos, esse tipo de atividade sexual indiscriminada e destrutiva pode se voltar contra a pessoa, tornando-a vulnerável a contrair doenças sexualmente transmissíveis. Mesmo se uma mulher ainda é uma criança ou ingênua, ela pode de forma inconsciente magnetizar as imagens da sociedade sobre ela como a vampira, a puta ou a ninfomaníaca "que está pedindo por isso" e, por esse motivo, "merece o que recebe". O material da sombra de Lilith é, em geral, um tema subjacente na predisposição de uma mulher em repetir padrões de abuso sexual.

As mulheres que negam Lilith – suprimem sua sexualidade instintiva e, em vez disso, preenchem as expectativas patriarcais por aprovação masculina – a conhecerão em seu ódio e ciúme secreto das fêmeas atraentes e independentes que podem seduzir seus parceiros. Essas projeções ameaçadoras desafiam suas decisões de aceitar a obediência e a submissão pela segurança do casamento e da aceitação social. Lilith é temida como a "outra mulher", a divorciada, a prostituta, a mulher do escritório ou a vampira.

A sombra Lilith reivindica não apenas a vida dos homens, mas, como assassina de crianças, ela se vinga na prole deles e ameaça a sobrevivência da raça dos filhos de Adão com outras mulheres. Seus crimes incluíam matar ou ferir grávidas, mulheres na hora do parto e crianças recém-nascidas. Quando a sombra Lilith em nós é operante, ela pode emergir como a raiva assassina que sentimos algumas vezes por nossos filhos, quando nos sentimos presas e restritas por nossas responsabilidades para com eles e não temos nem tempo nem espaço para nós mesmas. Ela aparece naqueles indivíduos que odeiam crianças e que as prejudicam por meio de abuso sexual e físico. Imagens distorcidas de Lilith em nosso inconsciente podem contribuir para abortos espontâneos, padrões de abortos repetidos, nascimento de crianças deformadas e síndrome de morte infantil súbita. Para todas nós que carregamos a dor de nossa criança ferida cujas necessidades infantis foram sufocadas, Lilith é presente.

O significado mais profundo de Lilith como assassina de crianças reside na sua relação com o fluxo e o refluxo do ciclo menstrual de uma mulher. Como discutiremos de forma mais ampla no Capítulo 7, a Deusa Negra é a musa da menstruação. A Lilith mítica era vista como a bruxa assassina de crianças no período menstrual, quando o útero se enche de sangue em vez de ser preenchido com a prole, o que nega aos homens seus herdeiros.[30] O período menstrual também é um tempo em que a mulher instintivamente quer fugir das exigências dos outros e recuar para dentro de si. Se a ela isso não é permitido, Lilith protesta como a bruxa da TPM, a cadela furiosa. No seu aspecto menstrual, Lilith era odiada por se recusar a servir os homens ou conceber seus filhos.

Com base na perspectiva dos mistérios das mulheres, Lilith, que se envolveu em promiscuidade desenfreada nas praias do Mar Vermelho, o oceano de sangue vermelho, é uma deusa do sangue menstrual da mulher. A menstruação é a fonte do poder psíquico de uma mulher e era usada como um tempo para se envolver em práticas sexuais realizadas em rituais tântricos. Foi Lilith quem persuadiu Eva a fazer sexo com Adão durante seu período de sangramento e o iniciou nos mistérios do jardim.

Uma vez que a sexualidade da menstruação não leva à concepção em um sentido físico, ela "é o portal para a magia e a percepção extrassensorial".[31] A cabala afirma que Lilith é uma escada por meio da qual uma pessoa pode ascender os degraus da profecia.[32] O patriarcado rejeitou a sexualidade menstrual de Lilith porque ela não resultava no nascimento de crianças. Eles também temiam o poder psíquico de uma mulher no período vermelho. Ao difamar Lilith, a menstruação foi simultaneamente transformada em tabu para impedir que as mulheres descobrissem o poder de seu sábio sangue.

Nesse segundo estágio do exílio de Lilith, ficamos presas nas garras da sombra. Como o arquétipo de Lilith continua a ser reprimido ao longo das gerações, os modos pelos quais ela opera em nós tornam-se cada vez mais distorcidos e pervertidos. Essas imagens ocultas de Lilith como sedutora e assassina de crianças repousa enterrada em nossa mente inconsciente. Elas incitam e sustentam a guerra entre os sexos. A ferida original vem do nosso medo condicionado da sexualidade instintiva da mulher e de seu poder sobre os homens. Quanto mais esse aspecto do eu é rejeitado e não integrado, mais ficamos predispostas a viver a sexualidade como um destrutivo ato de violência.

E em nossa raiva silenciosa por nos ser negada a vivência da sexualidade como uma bênção do princípio vital criativo, a sombra de Lilith passa o seu tempo no exílio planejando nossa vingança e executando nossa retaliação. Nós, então, ficamos presas na teia das projeções distorcidas do patriarcado e tornamos reais seus piores medos do feminino demoníaco que tenta furiosamente reivindicar o que lhe é devido. Entretanto, a semente desses pensamentos e ações produz uma colheita por meio da qual continuamos a criar novos padrões de supressão e rejeição em nosso futuro.

LIBERAÇÃO E REDENÇÃO Quando Lilith é ativa em nossa vida, podemos nos ver presas no dilema de manter nossa integridade, o direito de nos expressar e agir de acordo com a nossa verdade, à custa de nos separarmos de relacionamentos e da exclusão da sociedade. O segredo da transformação alquímica de Lilith reside na escuridão do estágio final do seu processo triplo. Essa Deusa Negra que compartilha um nome com a lua negra astronômica relaciona-se com a Mãe Negra das tradições mitológicas do Oriente. Muitos amuletos antigos para proteção contra Lilith são em forma de facas, que representam a qualidade de Lilith de ir instintivamente direto ao ponto na natureza essencial das coisas. A Lilith hebraica, a "Chama da Espada Giratória", é uma aliada da Kali hindu e da Dakini Negra tibetana, o aspecto destruidor da Deusa Tríplice. Lançando fagulhas, ela brandia sua faca curva em uma das mãos e na outra segurava uma cabeça decepada. Isso simboliza cortar o apego à crença no ego em um eu separado.

A prática espiritual da Mãe Negra elimina as maneiras pelas quais perpetuamos nossas crenças equivocadas a respeito de nossa verdadeira natureza. No processo, ela nos guia para uma conscientização da unidade fundamental de toda a vida. Nós passamos a entender que toda vida é uma matriz de energia viva conectada universalmente, indiferenciada e sempre em mutação, e que não é separada por sua contenção nas formas físicas e nos conceitos mentais.

Com a sua faca curva, ela corta todas as nossas falsas imagens e pretensões que se acumularam em nosso passado reprimido individual e coletivo. Ela não tolera qualquer tentativa de nos falsearmos nem por um bom nem por um mau motivo; quando tentamos fazer isso, acaba em desastre. Ela destrói impiedosamente tudo aquilo que não for nossa verdadeira individualidade ou o caminho de vida apropriado. Ela não nos levará até a nossa meta revelando o que ela é, mas sim eliminando tudo o que ela não for. O aspecto negro de Lilith fecha todas as portas erradas com que nos defrontamos.

A claridade forçada da Lilith negra nos permite penetrar a ilusão de nossas falsas necessidades, que nos obrigam a desempenhar papéis que não estão de acordo com a nossa verdadeira individualidade. Sua ira piedosa nos possibilita ver quem nós realmente somos e nos força a ser verdadeiros conosco. A Lilith negra em nós não aceitará nada menos do que nossa própria individualidade, não no sentido de sua separatividade, mas no sentido de quem nós intrinsecamente somos. Quando estamos seguras em reconhecer e expressar nosso verdadeiro eu, não fingimos para ser aceitas pelos outros. Não somos, então, tão vulneráveis para ficar presas em situações que nos negam e nos desempoderam, que é onde o ciclo autodestrutivo de Lilith começa.

Para muitas de nós, no entanto, Lilith apresenta um dilema de como ser fiel à nossa integridade quando o sistema de valor patriarcal que permeia nossa sociedade continua a rejeitar esse aspecto da natureza feminina. A questão é agravada pela nossa reação condicionada de Lilith de escapar de confrontos problemáticos. Quando somos pegas na sombra de Lilith, não ficamos por perto tempo suficiente para desenvolver os instrumentos necessários a fim de resolver os conflitos. Esse padrão reforça a alienação, a amargura e a separação do relacionamento e da família que, em geral, se encontra na vivência com Lilith.

Na medida em que vivemos em uma realidade dualista na qual existe uma forte demarcação entre opressor e vítima, o grito angustiado de dor e raiva de nossa Lilith não pode ser curado. Por toda a vida nós vamos alternar entre esses dois papéis, dando e recebendo ultimatos de poder que insistem na exclusão do outro ponto de vista. Essa posição nos afasta do estado de plenitude.

Muitas tradições filosóficas chegam à conclusão de que é por meio da reconciliação de opostos que o caminho se abre para o equilíbrio, a integração e a plenitude. Lilith procura a reconciliação entre os sexos masculino e feminino, entre indivíduos que são violentamente opostos um ao outro e entre os vários aspectos conflitantes dentro de nossa própria psique. No reino de Lilith, o consenso é uma habilidade que podemos aprender para curar nossa separação da totalidade de nós mesmas e do resto da vida.

A visão de consenso abrange as qualidades de integração e síntese. A terceira solução criativa é a resolução para ambos os problemas que estão sendo analisados em uma perspectiva preto/branco ou isso/ou aquilo. O consenso não requer o tipo de compromisso que nos pressiona a abandonar nossos valores essenciais ao mediar com outra pessoa. Se acreditarmos que tal solução teoricamente exista, então o processo de Lilith é a disposição para procurar por essa solução. Se uma possibilidade não der certo, deixe-a para lá e não rejeite ou diminua a outra pessoa; tente outra alternativa até que possamos empiricamente chegar a uma solução que acreditamos que exista.

Praticando o consenso, podemos começar a sair de uma realidade dualista cuja natureza inerente é a polarização, a separação e a disputa por poder, com um lado inevitavelmente perdendo e sendo rejeitado – nesse caso, as qualidades da natureza feminina como representada por Lilith. O consenso na esfera de Lilith pode nos levar a um estado de graça chamado "unidade" pelos antigos, cujas qualidades são a inclusão e a aceitação. Dessa forma, podemos curar a rixa que perpetua nossas experiências de ser banidas e fugir para o exílio de nossas separações.

Depois de ir até a raiz e cortar fora todos os aspectos ocultos e distorcidos do eu sombra de Lilith, que perpetua o ciclo de conflito e separação, a Lilith negra coloca todos os nossos apegos do ego (ego no sentido de crença em um eu que existe separadamente) dentro do seu caldeirão da transformação. Ela, então, transmuta os acúmulos venenosos no néctar da sabedoria da lúcida percepção e da participação consciente na unificação. O pavão é visto como um pássaro de desgraça e está associado com a luz da lua, corujas e doença contagiosa, todos relacionados com o imaginário mítico de Lilith. No entanto, o pavão pode comer plantas venenosas; e, em vez de morrer, ele é capaz de transmutar o veneno mortal nas cores brilhantes de sua plumagem.

A Bíblia de Jerusalém afirma que Lilith retorna eternamente como sedutora e assassina de crianças e vai continuar a fazê-lo até que o Messias venha e remova da terra os profetas e o espírito imundo (Zacarias 13:2). Da perspectiva da Lilith negra, esse versículo pode ser interpretado como as qualidades curativas da Deusa Negra, que continuará a destruir e limpar suas imagens distorcidas de nosso fluxo mental. Podemos, então, recuperar a forma pura dessas partes rejeitadas de nós mesmas. A cura implica ir em direção a um estado de plenitude dentro de nós, e essa consciência precipita a compreensão de nossa conexão com todas as formas de vida. Ao aceitarmos Lilith em nossa mente, a qualidade de nossa vida passará de um estado de alienação no exílio para a expressão consciente de nossa individualidade e nosso propósito em um todo maior.

No processo arquetípico triplo de Lilith, ela primeiro nos mostra como e onde nós vivemos as questões de supressão, ressentimento, raiva explosiva, tomar uma posição pela nossa dignidade, apenas para ser rejeitada e forçada a fugir. Na segunda fase, ela nos leva para o exílio da desolação, onde sentimos angústia, alienação, medo e ódio por nossa sexualidade. Ela exige vingança concretizando os piores medos do patriarcado e adotando suas monstruosas projeções da sombra. Na fase final, podemos descobrir suas atividades transformadoras e curativas, à medida que ela corta fora nossas pretensões, os falsos papéis e as ilusões e nos ajuda plenamente a realizar nossa verdade e nosso eu essencial. Maxine Harris diz que só recentemente escritoras feministas defenderam a causa de Lilith e a proclamaram como a primeira mulher liberal, uma mulher que não quis aceitar uma posição de subserviência ao seu marido.[33]

Perguntas do Diário

1. Onde, em minha vida, eu me sinto reprimida e não reconhecida pelos outros? Eu me encontro em situações nas quais os outros me forçam a fazer coisas que não quero fazer e por isso ajo de maneiras que não são condizentes com meu verdadeiro eu? Minha raiva reprimida às vezes ultrapassa minha fachada e explode em lágrimas, acusações, fúria, raiva ou escapa quando revelo minha insatisfação? Em que medida sou então rejeitada, demitida, odiada e condenada ao ostracismo pelos outros

quando estou tentando ser eu mesma, falar minha verdade e agir pautada em minhas crenças?

2. Como eu me sinto a respeito da minha sexualidade? Qual é a minha relação com a mulher selvagem dentro de mim cuja sexualidade é instintiva, desinibida, desenfreada e animada? Eu acho que experiências eróticas são sagradas ou sujas? Eu permito ou meu(s) parceiro(s) permite(m) à mulher selvagem a sua expressão? Se nego, temo ou desaprovo esse aspecto em mim mesma, como eu reajo aos outros que abertamente o expressam?

3. Se sou um homem, me sinto secretamente atraído, mas abertamente eu denuncio as mulheres erotizadas? Eu as acho sexualmente manipuladoras e basicamente más ou perigosas de modo que eu precise me proteger contra o poder sexual delas? Se sou uma mulher, eu odeio sexo? Eu o considero degradante e humilhante? Eu sou incapaz de receber prazer ou sou sexualmente fria ou emocionalmente distante? Eu sou indiscriminadamente promíscua?

4. Fui uma vítima de estupro ou outras formas de abuso sexual ou emocional? Já fui considerada culpada por essas situações posteriormente e disseram que eu "estava pedindo por isso"? Em que medida sou atraída por amantes sombrios, intrigantes ou proibidos, cujo poder sexual sobre mim eu temo? Eu me refiro aos meus amantes como fascinantes ou sedutores? Como a aranha que faz amor com seu parceiro e então o mata, eu já fiz sexo com alguém e tentei feri-lo(a) ou destruí-lo(a)? Já fui vítima desse tipo de situação? Poderia ter algo a ver com o meu medo do poder sexual dessas pessoas?

Notas

1. Jonelle Maison. Do poema "A Hell of a Woman".
2. O *Zohar*, 5 vols., traduzido por Harry Sperling e Maurice Simon (Nova York/Londres: Rebecca Bennet Publishers/Socino Press, 1985), *Zohar*, vol. 2, 163 b.

3. Barbara Black Koltuv, *The Book of Lilith* (York Beach: Nicholas Hayes, 1986), p. 22. [*O Livro de Lilith*. 2. ed. São Paulo: Cultrix, 2017.]
4. Merlin Stone, *When God Was a Woman* (Nova York: Harcourt Brace Jovanovich, 1976), p. 158.
5. Raphael Patai, *The Hebrew Goddess* (Nova York: Avon Books, 1978), p. 180.
6. Noah Kramer, *The Sumerians: their History, Culture and Character* (Chicago: University of Chicago Press, 1963), pp. 199-205.
7. Avina Cantor Zuckoff, "The Lilith Question", *Lilith* 1 (junho de 1976).
8. Barbara Black Koltuv, *The Book of Lilith* (York Beach: Nicholas Hayes, 1986), p. 121.
9. *Alfa Beta di Ben Sira*, OM, 47, como encontrado em Raphael Patai, *Gates to the Old City* (Nova York: Avon Books, 1980), pp. 407-8.
10. *Idem*.
11. Maxine Harris, *Sisters of the Shadow* (Norman/Londres: University of Oklahoma Press, 1991), p. 172.
12. *Alfa Beta di Ben Sira*, OM, 47, como encontrado em Raphael Patai, *Gates to the Old City* (Nova York: Avon Books, 1980), p. 456.
13. Peter Redgrove, *The Black Goddess and the Unseen Real* (Nova York: Grove Press, 1987), p. 168.
14. *Alfa Beta di Ben Sira*, OM, 47, como encontrado em Raphael Patai, *Gates to the Old City* (Nova York: Avon Books, 1980), pp. 463–64.
15. O *Zohar*, como encontrado em Raphael Patai, *The Hebrew Goddess*, p. 196.
16. Naphtali Herz ben Jacob Elhanan, *Emeq Hamelekh* (em hebraico) (Amsterdam, 1648), 84d, como encontrado em Raphael Patai, *Gates to the Old City*, p. 467.
17. Moses Cordovero, *Pardes Rimmonim* (em hebraico) (Cracóvia, 1592 e Koretz, 1780), como encontrado em Raphael Patai, *Gates to the Old City*, pp. 458, 465.
18. Targum, Jó 1:15, como encontrado em Raphael Patai, *Gates to the Old City*, p. 465.
19. Barbara Black Koltuv, *The Book of Lilith* (York Beach: Nicholas Hayes, 1986), p. 121.
20. Peter Redgrove, *The Black Goddess and the Unseen Real* (Nova York: Grove Press, 1987), p. 69.
21. *Zohar*, vol. 3, 69a, como encontrado em Raphael Patai, *Gates to the Old City*, p. 468.
22. *Emeq Hamelekh*, como encontrado em Raphael Patai, *The Hebrew Goddess*, p. 221.
23. R. F. McGillis, "George MacDonald and the Lilith Legend in the XIXth Century", *Mythlore* (inverno de 1979).
24. P. B. Shelley, *Poems of Shelley*, organizado por Thomas Hutchinson (Londres, 1965), p. 759.
25. Dante Gabriel Rossetti, *Collected Poems*, organizado por W. M. Rossetti (Londres, 1906), vol. 1, p. 308.

26. Para mais informações sobre as três Liliths astrológicas, ver Demetra George, *Asteroid Goddesses* (San Diego: ACS Publications, 1986); Delphine Jay, *Interpreting Lilith* (Tempe: American Federation of Astrologers, 1981); e Marc Beriault, "The Dark Moon", *Considerations* (1987).
27. Barbara Black Koltuv, *The Book of Lilith* (York Beach: Nicholas Hayes, 1986), p. 19.
28. *Ibid.*, p. 22.
29. Maxine Harris, *Sisters of the Shadow* (Norman/Londres: University of Oklahoma Press, 1991), p. 171.
30. Peter Redgrove, *The Black Goddess and the Unseen Real* (Nova York: Grove Press, 1987), p. 117.
31. *Ibid.*, p. 167.
32. Emeq Hamelekh, como encontrado em Raphael Patai, *The Hebrew Goddess*, p. 215.
33. Maxine Harris, *Sisters of the Shadow* (Norman/Londres: University of Oklahoma Press, 1991), p. 172.

PARTE III

Ritos de Renascimento

....

Por que vós temeis a Rainha Negra, ó homens?
Ela é a vossa renovadora.
– Dion Fortune

PARTE III

Ritos de Renascimento

CAPÍTULO 7

A Deusa Negra como a Musa da Menstruação e da Menopausa

※

*Imagine-se parada reverentemente diante de sua vagina...
Você descobre que pode deslizar facilmente pela macia abertura...
Pelo portal vermelho para dentro do seu corpo... você se move
Facilmente pelos fluidos aveludados ao seu redor... as macias,
Róseas paredes envolvendo você faíscam e
Brilham... Veja quão adoráveis elas são...*
— JEAN MOUNTAINGROVE[1]

A mítica Deusa Negra continua a viver em cada uma de nós hoje. Podemos encontrar sua presença em nosso corpo físico e na força de nossa personalidade que nos guiam para dentro da escuridão na qual podemos encontrar as sementes para a nossa renovação. Como podemos reconhecê-la em nosso meio? Oculta sob o seu véu escuro, ela é misteriosa e evasiva. Mas, quando ergue o véu, ela revela uma face ardente, destemida e poderosa. Ao longo dos dias, meses e anos de nossas vidas, ela aparece de tempos em tempos para nós tão certamente quanto os ciclos da lua por meio de suas fases. O caminho mais direto para descobrir a natureza e os mecanismos da Deusa Negra é por meio da exploração do ciclo sexual feminino, que é regulado pelo ciclo lunar da Deusa.

Existem dois ciclos femininos principais na fisiologia do corpo das mulheres. Ambos os ciclos estão física e simbolicamente relacionados com o ciclo da lua. O primeiro é um ciclo mensal, marcado pela ovulação e pela menstruação, que reflete a dupla alternância das fases clara e escura da lua. O segundo é um ciclo de desenvolvimento para toda a vida, cujos três estágios de (1) menarca; (2) gravidez, parto e amamentação; e (3) menopausa correspondem às fases nova, cheia e negra da lua.

A Deusa Negra encontra-se na menstruação e na menopausa, as fases de lua negra de cada um dos seus respectivos ciclos. A rejeição patriarcal da Deusa Negra incluiu difamar as dádivas de seus mistérios de sangue, que foram represados no reino exilado e escuro do inconsciente coletivo. Essas fases de lua negra da vida de uma mulher eram consideradas bênçãos antes de elas se tornarem conhecidas como a "maldição". A palavra inglesa *blessing*, "bênção", vem do anglo-saxão *bloedsen*, ou *bleeding*, "sangrar". Vicki Noble escreve em *Shakti Woman* que as mulheres ocidentais esqueceram o significado espiritual do ciclo menstrual e precisam se reconectar para se empoderarem. Os mistérios de sangue do parto, da menstruação e da menopausa são o cerne do xamanismo feminino.[2] Ao reavaliarmos a escuridão, precisamos reconquistar as qualidades positivas, curativas e regenerativas que podem ser encontradas nas fases de lua negra dos ciclos sexuais mensais e vitalícios das mulheres.

A Deusa Negra e a Menstruação

O princípio da polaridade, que opera em nosso mundo como conjuntos de forças opostas complementares (masculino/feminino, *yang/yin*, claro/escuro),

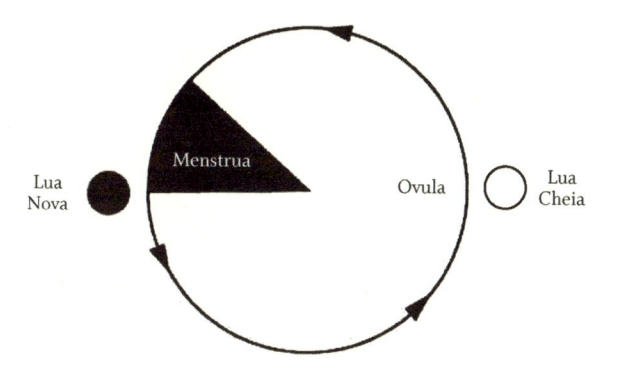

Figura 7.1   Ciclo Menstrual Mensal de uma Mulher.

é expresso no ciclo sexual da mulher como os dois polos da ovulação e da menstruação. O ciclo menstrual médio é de 29 dias e meio, que é a exata duração do ciclo da lua.

Como já vimos, as palavras para lua, mês e menstruação são todas derivadas da raiz *mens*. Ao sobrepormos o ciclo lunar ao ciclo sexual mensal de uma mulher, a fase clara da lua cheia corresponde à ovulação e a lua negra/nova é análoga à menstruação.

Quando as mulheres trabalham e vivem juntas, todas elas tendem a ovular e a sangrar ao mesmo tempo. Nas primeiras sociedades, as pessoas passavam muito de seu tempo fora de casa, sob a luz natural do sol e da lua, sintonizados com os ciclos naturais e vegetativos. Sob essas circunstâncias, as mulheres eram mais propensas a ovular na lua cheia e a sangrar na lua negra. Hoje, pelo fato de passarmos muito mais tempo em ambientes fechados, sob luz artificial, não é mais assim. É importante notar que, se uma mulher não sangra na lua negra, isso não é nenhuma aberração e nem motivo para alarme. No entanto, foi demonstrado que uma mulher pode regular seu ciclo expondo-se a mais quantidades de luz a cada noite que reproduzem os ritmos de aumento e diminuição das fases da lua.[3] Agora, vamos discutir brevemente os estágios fisiológicos do ciclo menstrual de uma mulher na medida em que ele se relaciona com o simbolismo das fases lunares.

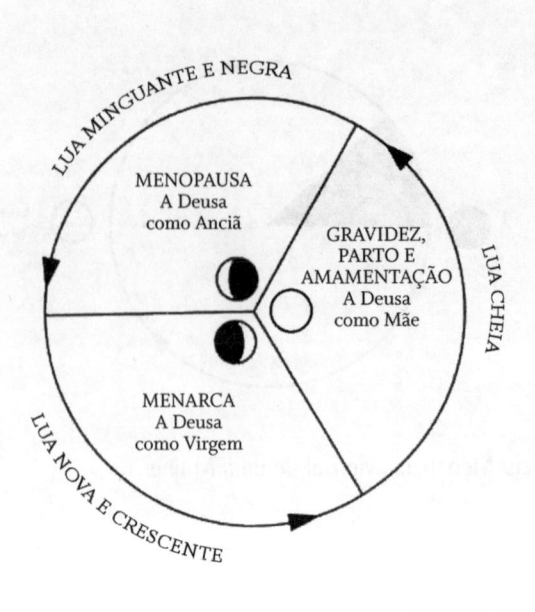

Figura 7.2   Ciclo Sanguíneo Vitalício da Mulher.

Vários hormônios aumentam e diminuem na corrente sanguínea de uma mulher a cada mês e causam mudanças em seu útero. Essas flutuações mensais acontecem de acordo com o mesmo ritmo de aumento e diminuição do ciclo da lua.

O estrogênio aumenta na corrente sanguínea durante a fase crescente do ciclo, quando a luz da lua está aumentando; enquanto a progesterona predomina durante a metade minguante, quando a luz está diminuindo.

O ciclo hormonal começa com a lua crescente. Nessa época, a glândula pituitária secreta o hormônio folículo-estimulante (FSH) para a corrente sanguínea. Isso estimula os óvulos a amadurecer nos ovários e dar o sinal para a produção de estrogênio. Níveis elevados de estrogênio provocam um acúmulo de tecido no útero e aumentam o suprimento de sangue para ele. O corpo usa o alimento de uma forma construtiva e assimiladora durante esse período; assim, as mulheres se sentem mais ativas, otimistas e emocionalmente expansivas. Esse é um período poderoso; as mulheres

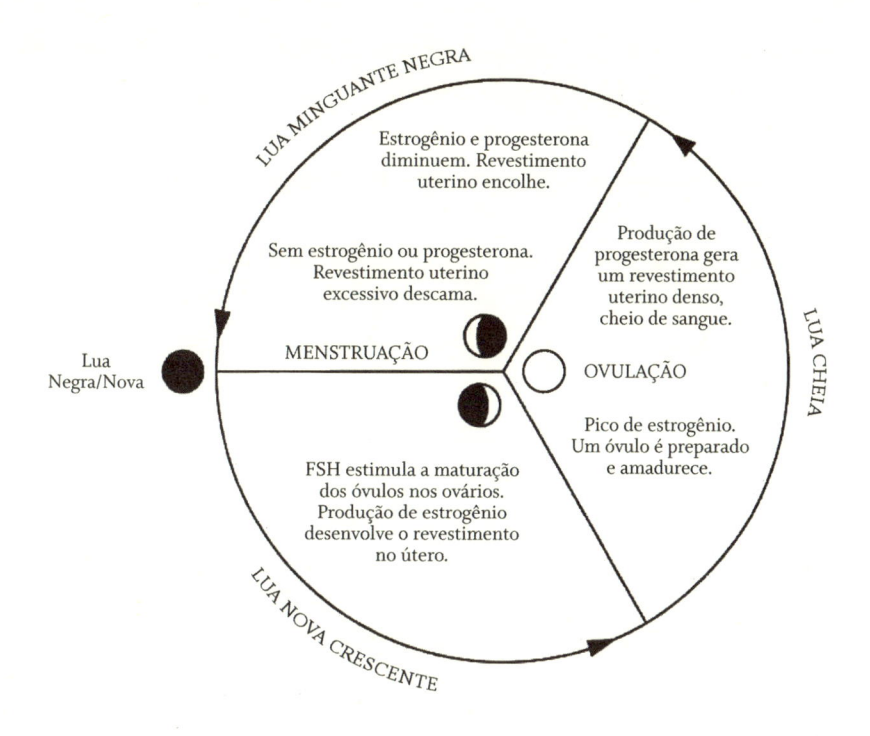

Figura 7.3 O Ciclo Menstrual e as Fases Lunares.

podem usar esse aumento de energia assumindo riscos e começando a agir para fazer as coisas acontecerem.

Com a aproximação da lua cheia, o nível de estrogênio vai chegando ao ápice. Isso bloqueia a produção adicional de FSH; e, no lugar dele, a glândula pituitária produz o hormônio luteinizante (LH), o que faz com que apenas um dos óvulos se desenvolva e amadureça. A mucosa vaginal se prepara para que o esperma entre no corpo. O desejo sexual aumenta, o corpo precisa de menos horas de sono e a visão noturna se torna mais aguçada. Essas mudanças estão relacionadas com o impulso noturno instintivo de acasalar. A receptividade e a disponibilidade de uma mulher também chegam ao ápice nesse período, pois seu corpo e suas emoções estão preparados para a concepção e a fertilização. A mulher pode utilizar a energia que chega com a iluminação máxima da lua para realizar seus desejos e concretizar o que ela começou na lua nova. Na lua cheia, a ovulação ocorre e o óvulo é liberado.

Alguns dias depois da lua cheia, o nível de estrogênio cai rapidamente; mas um outro hormônio, a progesterona, é então produzido nos ovários e começa a predominar. Os efeitos combinados desses dois hormônios produzem o crescimento ainda maior de um revestimento denso, esponjoso e cheio de sangue no útero, capaz de nutrir um óvulo fértil. Do ponto de vista emocional, a energia da mulher se direciona para um padrão de espera, em que ela quer se assentar e sentir-se mais estável.

Com a fase minguante do ciclo, se a concepção ocorreu, o ovo se implantará dentro do revestimento uterino e a gravidez começará. Do contrário, os níveis de progesterona e estrogênio caem abruptamente, fazendo com que o revestimento uterino encolha e se decomponha. A mulher pode, da mesma forma, sentir um abatimento emocional, como se estivesse preparada para um evento que não ocorreu. Depressão, tristeza, ansiedade e irritabilidade, todos os sintomas pré-menstruais clássicos, em geral ocorrem nesse período.

Com a fase negra da lua, a progesterona e o estrogênio atingem seus níveis mais baixos. A menstruação ocorre assim que o corpo elimina o revestimento excessivo que se descola do útero. O fluxo de sangue é um sinal de transformação dinâmica; o que foi construído está sendo agora derrubado e liberado. No escuro da lua, a mulher se volta para dentro emocional e fisicamente. Ela só quer dormir, tem menos interesse em assuntos externos e sente a necessidade de permanecer na quieta e tranquila renovação de seu período de sangramento. Com a lua minguante, as habilidades psíquicas da mulher são intensificadas. Esse é um momento privilegiado para ela engajar-se em todo tipo de trabalhos internos, assim como um período propício para completar e liberar o velho ciclo.

O fluxo da mulher começa na fase escura da lua e continua ao longo dos primeiros dias da lua nova, antes do primeiro vislumbre do crescente aparecer. Por volta de dois dias após o início da menstruação, o corpo começa a reagir à ausência de estrogênio na corrente sanguínea. É o sinal para a glândula pituitária passar a produzir FSH e começar um novo ciclo.

Os polos gêmeos da ovulação e da menstruação no ciclo sexual da mulher correspondem aos picos de máxima luz e máxima escuridão representados pelas fases cheia e negra do ciclo da lua. As emoções da mulher e o tipo de sexualidade que ela deseja também flutuam de acordo com esse padrão rítmico.

A lua cheia é mais receptiva para receber a máxima quantidade de luz do sol e durante o período de ovulação da mulher, correspondente à lua cheia, ela se sente mais aberta, atraente e carinhosa com os outros. Sua sexualidade se expressa como um desejo de ceder às investidas do parceiro e desfrutar da penetração vaginal. Esses sentimentos, influenciados pela atividade hormonal, são propícios para a união sexual. Esse é o período mais fértil do mês, quando a sexualidade pode resultar na concepção e assim promover a continuação da espécie. Na tradição da Deusa, essas qualidades da natureza feminina são personificadas como a Deusa Branca.

Em contrapartida, no período menstrual de lua negra, o fluxo energético da mulher não está mais voltado para o exterior visando a união com o outro, mas sim voltado para o interior. Ela sente mais necessidade de se nutrir e quer se afastar das exigências e expectativas de outras pessoas em sua vida. Seu desejo sexual chega ao ápice pouco antes da menstruação. Ela pode estar multiorgásmica e é mais provável que se masturbe nesse período. Sua sexualidade se torna diligente, ardente, assertiva, quer seja consigo mesma ou com um parceiro. A estimulação do clitóris, mais do que a penetração vaginal, é a sensação mais intensa, desejável e satisfatória, e esse tipo de sexualidade não leva à procriação. Todas essas qualidades do polo menstrual do ciclo da mulher são incorporadas nos conceitos da Deusa Negra.

A mentalidade patriarcal que equipara luz e crescimento com o bom e escuridão e diminuição com o ruim criou uma cisão em nossa percepção do aspecto dual do ciclo emocional e sexual da mulher. O feminino receptivo, rendido, ovulatório tornou-se um símbolo das qualidades desejáveis em uma feminilidade ideal. O feminino menstruado assertivo e ardente, que é autodirigido e não gestativo, abrangia tudo o que era censurável e ameaçador para os homens. Em *The Wise Wound* [*A Ferida Sábia*], Penelope Shuttle e Peter Redgrove contam que antigas fontes falavam de dois fluxos que vêm da vagina da mulher. O fluxo claro da ovulação era chamado de Rio da Vida em razão de sua natureza procriadora apoiada pelo sistema patriarcal. O proibido fluxo vermelho da menstruação era chamado de Rio da Morte em razão de a forte sexualidade que aflora na mulher nesse período não ter como finalidade a gravidez.[4]

Os arquétipos do feminino como a Deusa Branca e a Deusa Negra giram ao redor desses dois polos do ciclo da mulher, o branco polo ovulatório e o vermelho polo menstrual. No polo branco, nós encontramos deusas do amor como Afrodite e Ishtar, que estimulam os desejos sexuais; e deusas mães como Deméter e Ísis, os ventres fecundos da raça, que carregam e amamentam a criança. Essas deusas representam um aspecto da feminilidade da mulher que é aberto, desejoso e valoriza os relacionamentos. Ela busca agradar o seu parceiro, nutrir seus filhos, criar um ninho de conforto e de prazer para sua família, favorecendo o crescimento de todas as coisas vivas em seu ambiente. A Deusa Branca ovulatória nas mulheres que usam a sexualidade dela para atração, gravidez, parto e amamentação é mais aceitável na cultura ocidental.

Imagens da Deusa Negra menstruada constelam ao redor do polo vermelho do ciclo sexual da mulher. Deusas negras como Kali são retratadas como raivosas, com presas e línguas protuberantes, brandindo uma espada e cercadas por faíscas de fogo; ou como Lilith, a chama da espada giratória. Para a mente patriarcal, essas deusas não são sequer vistas como femininas, seu fluxo de sangue marca sua falha em conceber. O patriarcado percebe a Deusa Branca como a deusa da vida; mas a Deusa Negra que menstrua era a deusa da morte, agora apartada de seus poderes de renovação que se seguem à destruição.

A Deusa Negra no polo vermelho da natureza da mulher refere-se a um aspecto da feminilidade que é autodirigido, intransigente, poderoso e impessoal. Ela tem a audácia de focar em seu interior mais do que em se relacionar com os outros. No período menstrual, o poder da sexualidade erótica da mulher pode ser utilizado para transformação, renovação, divinação, cura e magia, mais do que para a procriação. À medida que o patriarcado crescia para atingir a sexualidade erótica do período de lua negra, procuravam separar as mulheres dessa fonte de seu poder. A mulher menstruada foi difamada como vadia, histérica, raivosa, furiosa e irracional enquanto elas estavam com a repulsiva e impura "maldição". Vamos analisar agora mais a fundo os mistérios menstruais da Deusa Negra e tentar recuperar os poderes mágicos de nossos períodos de lua negra.

De acordo com Shuttle e Redgrove, "É um parecer aceito na zoologia que o desenvolvimento do ciclo menstrual foi responsável pela evolução dos primatas e consequentemente das sociedades humanas".[5] A sexualidade para a maioria dos animais opera em função do ciclo estral no qual o impulso sexual está diretamente relacionado com a procriação. A fêmea fica "no cio" – ela se torna sexualmente interessada e ativa somente em períodos específicos. Ela tem um curto período de reprodução, apenas por alguns dias perto da ovulação, quando um pouco de sangue é liberado da sua vagina agindo como um sinal para o acasalamento.

Em contrapartida, as fêmeas humanas e símias desenvolveram um ciclo menstrual em que o sangue não ocorre na ovulação, mas sim no outro polo do ciclo. As fêmeas primatas podem ser sexualmente responsivas ao longo de todo o ciclo; e o pico máximo do desejo sexual ocorre pouco antes da menstruação, quando é muito improvável que a gravidez ocorra. Shuttle e Redgrove propõem que o significado desse passo evolutivo implica que o sexo era para ser usado agora para algo além da reprodução; e que esse tipo de fruição do sexo nos primatas deve ter se tornado benéfico e importante para o indivíduo (e daí para a espécie).[6] A questão que permanece é: "Que valor tem para a espécie ter desenvolvido uma sexualidade não procriadora cuja intensidade é concentrada por volta do período menstrual?".

Barbara G. Walker ressalta que a maioria das palavras usadas pelos antigos para a menstruação a honram e significam coisas como sagrada, sobrenatural e divindade. Os povos primitivos pensavam que o mistério da criação residia no sangue que flui das mulheres em harmonia com a lua. Muitas culturas acreditavam que, quando a mulher retinha essa matéria-prima da criação, ela se congelava para formar um bebê.[7]

Havia algo miraculoso e que provocava admiração na ideia de que a mulher podia sangrar regularmente sem ter sido ferida e sem morrer. Os mortos eram com frequência ungidos com ocre vermelho, símbolo do sangue menstrual doador de vida da Mãe Terra, que garantiria um renascimento físico. Esse sagrado elixir vermelho era valorizado por seu poder e considerado como fonte de inspiração e de divindade.

Em conexão com a longevidade e a imortalidade, o sangue menstrual era chamado de "vinho tinto sobrenatural" dado por Hera aos deuses. E no Egito, os faraós se tornavam divinos ao ingerir "o sangue de Ísis". Na Índia, Kali convidava os deuses "a banharem-se no fluxo sanguíneo de seu ventre e a dele beber; e os deuses, em sagrada comunhão, bebiam da fonte da vida e banhavam-se nela e davam graças aos céus".[8]

Os primeiros calendários que acompanharam os ciclos menstruais das mulheres eram baseados nas fases da lua. Na Grécia pré-clássica, as faculdades da lua de Hera, cujo nome significa "útero", eram instituições para estudar as fases da lua e relacioná-las com as mudanças no corpo. Esses povos primitivos adoradores da Deusa compreendiam que a fase escura da lua era o ápice menstrual da Deusa e que as mulheres nessa época ficavam mais mágicas, misteriosas e poderosas.

Durante o período menstrual, a mulher se volta para dentro e pode acessar com mais facilidade os mecanismos da sua vida interior e os poderes da psique. Existem evidências de que as sacerdotisas nas faculdades da lua de Hera podiam controlar a concepção e o parto por meio de profunda introspecção e controle dos sonhos.[9] Sensíveis ao seu período de maior abertura psíquica, elas podiam entrar em estados de transe procurando profundamente por movimentos em seus corpos. Essa prática leva ao desenvolvimento de habilidades em hipnose, auto-hipnose e controle yogue das funções corporais. As características pesadas e sonolentas do período menstrual ajudam a mulher a atingir estados meditativos profundos. Por meio de seus sonhos, ela pode receber informações sobre o funcionamento de seu corpo e de sua mente.

A capacidade da mulher para a profecia e a visão é ampliada quando ela está menstruando. Robert Briffault afirma que todos os xamãs que guiaram as sociedades primitivas eram mulheres. O xamanismo era conectado com a lua e, portanto, aos cultos menstruais.[10] O Oráculo de Delfos foi um dos maiores centros de profecia no mundo antigo, e *delphus* é uma das palavras gregas que significam "útero". As sacerdotisas oraculares das escolas sibilinas profetizavam uma vez ao mês, no período de sua mais intensa sensibilidade menstrual. Nenhuma ação política jamais era tomada sem as consultar. O tripé da Sibila pode ter sido originalmente um espéculo para observar o cérvix em busca do primeiro escoo de sangue.[11]

A histeria é agora considerada como um estado de irracionalidade fora de controle e de loucura atribuído às mulheres menstruadas. Essa é mais uma palavra grega relacionada ao termo útero – *hustera*, consciência uterina. Em tempos anteriores, a histeria era a condição da possessão xamânica e do transe extático que as mulheres cultivavam durante seu período menstrual para receber a visão ou a profecia.

Em culturas antigas, o sangue menstrual da mulher era considerado sagrado e venerado por seus poderes de cura e fertilidade. O sangue nos primeiros altares era sangue menstrual, não o sangue sacrificial de um animal ou de um humano. O sangue da primeira menstruação de uma garota era considerado um potente elixir de cura e alegava-se que era capaz de curar doenças incuráveis como a lepra. Roupas manchadas com o sangue menstrual da Deusa eram altamente valorizadas como amuletos de cura. Na Tesmofória, mistérios agrícolas das mulheres, as sementes de milho eram misturadas com sangue menstrual para fertilizá-las antes do plantio. Pensava-se que uma mulher menstruada poderia proteger uma colheita ao caminhar em volta do campo.[12]

A sexualidade que ocorre durante o período menstrual era aplicada de forma ritualística para êxtase, cura, regeneração e iluminação espiritual. Dizia-se que Hera gostava de "formas secretas de fazer amor" durante o escuro da lua. Isso pode ser interpretado como uma referência velada aos modos de fazer amor que não são orientados para fins de procriação. Quando uma mulher está menstruando, ela se torna, na maioria dos casos, liberta da ansiedade de uma gravidez indesejada. Portanto, ela pode se permitir vivenciar toda a gama de suas emoções e reações corporais sem se limitar por temer as consequências. Essa sexualidade multiorgásmica é vivida por si só.

Ela pode ser usada para fundir o amor e o vínculo entre adultos ou para moldar magicamente a energia liberada para a criação de filhos mentais.

As relações sexuais secretas também podem se referir a estimular uma relação mais profunda consigo mesma. Esse caso de amor por si mesma pode ocorrer no nível físico da masturbação, por meio da qual a mulher pode tomar a iniciativa pessoal de descobrir maneiras de dar prazer ao seu corpo. Isso também pode ocorrer no nível psicológico, em termos de união com o seu masculino interno. Na menstruação, existe a possibilidade do casamento alquímico, em que a mulher encontra seu "rei vermelho", seu sangue mensal, que do ponto de vista psicológico é o seu marido interno ou *animus* elevando-se em seu período menstrual. Ela pode muitas vezes sonhar com um homem desconhecido sombrio que oferece a ela a dádiva criativa do *animus*. Se uma mulher é capaz de usar de forma criativa a energia do seu período menstrual, explorando sua propensão para a cura e a visão, então o *animus* é honrado e ocorre o casamento com a *anima* feminina natural (rainha exterior).[13]

Algumas tradições falam das relações amorosas secretas entre duas mulheres que ocorrem durante a retração menstrual. Aqui a mulher pode honrar a Deusa aprofundando os laços de intimidade e sensibilidade com membros da sua própria irmandade.

Antigas práticas de tantra yoga incluem técnicas de intercurso sexual sagrado cujo propósito é o de iluminação espiritual. A época perfeita para dedicar-se a tais práticas é quando a mulher "detentora do poder" está menstruando e sua energia sexual vermelha está no ápice. A divindade evocada é o aspecto vermelho da Deusa e ela funciona como uma musa que desperta as energias adormecidas. Essas tradições continuam a lembrar e honrar as potentes qualidades rejuvenescedoras do sangue menstrual que flui na lua negra. Algumas tradições mágicas sustentam que o sangue é necessário para um ritual ser efetivo e o sangue menstrual é o único sangue obtido de uma forma ética.[14] O sangue menstrual da mulher, quando o seu poder psíquico é máximo, era o sangue sacrificial utilizado nos primeiros altares para rituais de cura, magia e profecia.

Em algumas tradições ocultas, o sangue menstrual da mulher e o sêmen do homem são as substâncias alquímicas que promovem a regeneração. Acreditava-se que a relação sexual sagrada durante o período menstrual, quando esses elixires vermelho e branco podem ser misturados e ingeridos, levava a um despertar por meio da iluminação extática. Em tradições tântricas, a gota da mistura das substâncias corpóreas vermelha e branca é chamada de *bodhicitta*, a união da sabedoria e da compaixão.

A sexualidade menstrual, seja ela usada para o prazer pessoal, o aprofundamento da relação ou ritualmente para regeneração, magia, cura ou crescimento espiritual, era mantida como sagrada. Os tabus envolvendo o intercurso durante o período de lua negra da mulher foram originalmente um dispositivo de proteção para garantir que essa energia vermelha mais potente não fosse degradada nem desperdiçada por meio de uma expressão sexual profana de uma simples liberação biológica.

Quando a lua desaparecia a cada mês, havia rumores de que ela estava no seu período menstrual. A palavra *sabbat* originalmente significava um dia de descanso, quando a Deusa estava menstruando. A Deusa Lua Hera retirava-se para o isolamento durante seu período negro secreto. Da mesma maneira, a mulher sente a necessidade de se retirar e ficar sozinha quando está menstruando. Nas antigas culturas da Deusa, existiam tendas menstruais tecidas com ramos de planta de Lygus, sagrada para Hera, cuja destilação de sua flor provocava a menstruação.

As mulheres recolhiam-se nessas tendas menstruais para garantir sua solidão enquanto entravam em transe, jejuavam e se comunicavam com sua sabedoria corporal instintiva. Pode-se imaginar a atmosfera de reverência e mistério que era criada quando uma comunidade inteira de mulheres se retirava, todas ao mesmo tempo praticando seus ritos mágicos durante o escuro da lua. A celebração dos Sabbats foi o começo do ritual e da religião.[15] Uma mulher menstruada continua a sentir um instintivo impulso para dentro, em direção a uma comunhão mais profunda com o seu próprio eu e seu mundo interno. Essa retirada do mundo externo é propícia para criar um espaço sagrado no qual a mulher pode receber os dons da menstruação: meditação, sonhos, profecia, sabedoria corporal, cura, regeneração e a sexualidade sagrada.

Como as bênçãos da menstruação passaram a ser temidas, desprezadas, consideradas maldições e tornadas um tabu, uma fonte de vergonha e constrangimento para as mulheres? Os mistérios menstruais situavam-se no núcleo da religião da Deusa e foram protegidos e escondidos dos olhos curiosos dos homens. As mulheres não usavam o aumento de sua poderosa energia sexual que resultava da menstruação a serviço dos homens nem para a procriação. À medida que o sistema social do patriarcado solidificava seu poder, os homens mostravam um medo quase histérico do sangue menstrual e do sangue do parto, mulheres menstruadas e, é claro, de sua patrona, a Deusa Negra. As mulheres menstruadas eram definidas como sujas, perigosas e uma ameaça à sociedade. Um exército de tabus foi instituído para proteger os homens da natureza ardente, assertiva e autoerótica do feminino sombrio e privar as mulheres do poder sexual, psíquico e mágico dos seus períodos de lua negra.

> O Senhor disse para Moisés e Aarão... Quando uma mulher tem uma descarga de sangue que é um corrimento regular do seu corpo, ela deve ficar em sua impureza por sete dias, e quem quer que a toque ficará impuro até o anoitecer. E qualquer coisa sobre a qual ela se deite durante sua impureza ficará suja; tudo também sobre o qual ela se sente ficará sujo. E qualquer pessoa que encoste em sua cama deverá lavar suas roupas e banhar-se na água, e ficará sujo até o anoitecer. E qualquer um que encoste em qualquer coisa sobre a qual ela se sente deverá lavar suas roupas e banhar-se na água, e ficará sujo até o anoitecer; seja na cama ou em qualquer coisa sobre a qual ela se sente, quando ele a toca, ele ficará sujo até o anoitecer. E se qualquer homem se deitar com ela e sua impureza ficar nele, ficará sujo por sete dias; e toda cama sobre a qual ele deitar ficará suja. (Levítico 15:1, 19-24)

O judaísmo, o cristianismo e o islamismo associaram a maldade da mulher à menstruação. A menstruação era conhecida como o visível sinal de sangue da serpente, o Diabo no corpo da mulher, e todo o mal fluía desse mal original: o sangue da lua.[16] As Leis de Manu, escrituras védicas reescritas pelos filósofos patriarcais brâmanes e budistas, diziam que se um homem sequer se aproximasse de uma mulher menstruada ele perderia sabedoria, energia, força e vitalidade. O Talmude dizia que se uma mulher menstruada caminhasse entre dois homens, um deles iria morrer.[17] Se um homem fizesse sexo com uma mulher menstruada, ele ficaria doente, especialmente com doenças venéreas; e uma criança concebida dessa forma nasceria deformada ou como um demônio. Todo tipo de doenças e desastres era atribuído a um encontro fortuito com uma mulher menstruada. Na Idade Média, muitas leis da Igreja proibiam a mulher menstruada de entrar em uma igreja para que ela não a profanasse com sua sujeira.

Shuttle e Redgrove propõem que o assassinato de 9 milhões de mulheres como bruxas durante a Idade Média foi uma enorme perseguição menstrual. Naquele tempo, a bruxaria era a arte natural das mulheres. Era a experiência subjetiva do ciclo menstrual que concedia os poderes das bruxas, o sábio conhecimento do sangue da parteira, a hipnose, a cura, a radiestesia, o estudo dos sonhos e a satisfação sexual.[18]

Em razão de o maior desejo sexual da mulher ocorrer próximo ao seu período menstrual, os homens ficaram apavorados com o que eles percebiam como sendo a assertividade e a sexualidade voraz feminina que iria devorá-los. Isso trouxe à tona seus medos de suas próprias inadequações sexuais e a visão do sangue sobre o pênis acionava os complexos de castração. Por outro lado, Esther Harding propõe que os homens não podiam resistir à atração sexual por uma mulher menstruada; eles ficariam enfeitiçados e incapazes de cumprir qualquer outra tarefa. Por essa razão, os homens segregariam a suposta fêmea perigosa para se protegerem desse devastador efeito de seus próprios desejos sexuais indomáveis.[19]

Como resultado, a mulher durante seu perigoso período era forçada à reclusão, segregada pela sociedade e limitada em seus contatos com o mundo externo. Ela era proibida de tocar qualquer alimento para que não o contaminasse. Não podia lavar nem escovar os cabelos, pois pensava-se que o poder de sua magia residia neles. As mulheres menstruadas eram banidas para as tendas menstruais, expulsas dos vilarejos para o mato, onde tinham que se virar sozinhas. Chamadas de impuras, sujas e uma abominação, elas eram uma ameaça ao homem, às suas leis e aos seus deuses.

De acordo com *A Ferida Sábia*, o ciclo menstrual da mulher foi um passo evolutivo crucial que deu início à sociedade e à cultura humana. Por representar os poderes criativos da fêmea evolutiva, o poder menstrual das mulheres era visto como uma ameaça à dominação masculina. A cultura patriarcal foi bem-sucedida em obliterar as memórias femininas da magia de seu tempo de lua. As mulheres agora se sentiam envergonhadas, ressentidas e enojadas com a dor e a humilhação de seu sangue menstrual, originalmente conhecido como a fonte de toda vida.

Agora, quando a mulher menstrua, ela é pressionada pela sociedade a se esconder e negar o aspecto central de sua natureza. Anúncios de revistas de "absorventes higiênicos" e absorventes internos em geral mostram que a aparência desejável da mulher menstruada é estar toda vestida de branco, negando totalmente sua energia vermelha e, ao contrário, evocando o seguro, puro e submisso ideal da Deusa Branca. Os absorventes internos foram projetados para ajudar a mulher a não ter que tocar ou olhar para o seu sangue menstrual. Protegida do constrangimento de um volumoso e revelador absorvente anunciando seu "período do mês", a mulher liberada podia agora usar *shorts*, nadar e praticar esportes. O uso de desodorante feminino é incentivado para que as mulheres encubram o odor do seu fluxo. Acima de tudo, não se supõe que a mulher possa permitir que suas reações sensíveis e biológicas interfiram nas suas tarefas mundanas, na escola, no trabalho ou em casa, cuidando de sua família. Ninguém deveria saber o que estava acontecendo, exceto o que era dito em sussurros abafados apenas para as amigas íntimas.

Todas essas mensagens encorajam a negação da mulher e da sociedade pelas funções corporais naturais e periódicas. E isso leva a mulher a acreditar que a menstruação é algo ruim, negativo, sujo e indesejável. Ela é rejeitada sexualmente nessa época do mês e considerada como repugnante. Sua autoconfiança e sua autoaceitação são minadas e ela associa seu período menstrual com restrição, falta de liberdade e de diversão. A sociedade transformou o poder natural da mulher em relação à menstruação em uma psicologia autodestrutiva.

Essa mesma negação e rejeição da menstruação é central na dor excruciante e no desconforto que muitas mulheres sentem antes e durante seu período menstrual. A raiva reprimida pela rejeição e desvalorização de um aspecto intrínseco da natureza feminina, na verdade a sede de seu poder pessoal, volta-se para dentro. Essa violência é, então, infligida sobre si mesma; e isso dói. As mulheres sentem essa raiva inconsciente autodirigida como dor física, cólicas, inchaço, letargia, irritabilidade emocional, depressão, mau humor e hipersensibilidade.

A Ferida Sábia discute a epidemia menstrual, em que mais de 90% das mulheres modernas sofrem de algum tipo de angústia. Elas esboçam sua observação de um "circuito inverso" no qual a mulher se sente horrível porque está incapacitada pelo desconforto físico. Ela é tratada como tabu pelos demais, o que a faz se comportar de maneira desagradável e, por fim, é posta de lado pela sociedade e desdenhada como se tivesse uma praga.[20]

A imagem estereotipada da mulher menstruada é a de que ela seja uma bomba-relógio ambulante que pode, a qualquer momento, explodir de raiva, histeria ou ter um incontrolável surto emocional. Desse modo, cabe ao homem ou à criança evitá-la. Muitas mulheres, de fato, desempenham esse papel gritando com os filhos ou o marido, explodindo em lágrimas soluçantes, fervilhando de ressentimentos quase incontroláveis e irritação e imobilizadas pela dor. Ao mesmo tempo que a mulher pode se sentir fisicamente debilitada, seu poder emocional é avassalador. Na medida em que a mulher não sabe como honrar e canalizar de forma criativa sua energia menstrual, o lado sombra de sua natureza rejeitado assume o controle, protestando como uma cadela feroz.

Esther Harding sugere que uma das razões para as dificuldades menstruais das mulheres e a TPM hoje é que a cultura moderna não provê nenhum tipo de ritual menstrual. A menstruação é apenas uma aflição particular de cada mulher, em que ela sofre sozinha; não tem nenhum valor positivo ou significado.[21] As mulheres foram privadas de se recolherem para as antigas tendas menstruais, nas quais podiam comungar com seus seres internos, sintonizarem-se com os ciclos cósmicos e compartilhar o conhecimento secreto transmitido na comunidade de outras mulheres sangrando.

Para recuperar seu poder menstrual e liberar seu corpo do sofrimento menstrual, as mulheres devem acompanhar o ciclo da lua negra que desaparece e entrar em um retiro voluntário durante seu período sagrado do mês. Irritabilidade, desconforto e dor são os modos pelos quais o corpo das mulheres continua a protestar contra as injustiças menstruais infligidas pela sociedade. O corpo instintivo das mulheres exige que elas prestem atenção em honrar os mistérios menstruais. A influência instintiva da fase de lua negra é deliberadamente retirar-se das demandas dos outros e das expectativas mundanas. Esse passo requer consciência e esforço em uma sociedade que é construída para negar e invalidar as necessidades especiais das mulheres durante seu período de lua.

Entretanto, se a mulher puder achar um meio de reservar um tempo para ficar sozinha, na banheira, na cama à deriva ou lendo, fazendo uma caminhada na natureza, rezando ou meditando em um santuário, ela pode reconectar-se com a mais profunda fonte de sua natureza feminina e vida psíquica. O anseio do corpo por adentrar a quietude e o silêncio é um movimento para acessar a riqueza da energia criativa interna que culmina nesse período. As mulheres têm a oportunidade de transformar essa energia psíquica em um fluxo de inspiração criativa. O tempo da lua da mulher não precisa ser uma experiência de esgotamento. É quando a mulher sufoca e bloqueia as suas correntes pulsantes, ardentes e vermelhas que a energia criativa potencial se transforma em dor e depressão. Em um espaço de recolhimento voluntário, a mulher pode naturalmente relembrar ou descobrir os meios de canalizar sua energia menstrual vermelha para uma vida mais plena e mais rica.

Para resgatar o dom de lua negra da menstruação, o dom da Deusa Negra, precisamos mudar nossas atitudes. Educarmo-nos sobre a verdadeira natureza da menstruação e as subsequentes camadas históricas de distorção e supressão acerca dos mistérios de sangue das mulheres é um ponto de partida. Podemos continuar o processo obtendo novas informações sobre os processos fisiológicos do corpo. Isso pode nos ajudar a sensibilizar novamente nossa consciência de nossas flutuações cíclicas. Esse conhecimento também pode nos capacitar a avaliar o conselho médico sobre o nosso desconforto. Podemos experimentar ervas, suplementos nutricionais, acupuntura, massagem e outras terapias alternativas de cura para aliviar os estressantes sintomas do nosso período de sangramento.

Nós podemos prestar atenção para identificar nossas atitudes negativas habituais em relação à menstruação, e essa consciência pode nos libertar da perpetuação da falsidade da sociedade. Podemos eliminar nossos conceitos da menstruação como algo sujo e desagradável ao tocar, cheirar e provar nosso sangue menstrual. Dessa maneira, podemos reestabelecer nossa conexão com os poderes curativos e rejuvenescedores do elixir vermelho da mulher.

No livro *Dragontime*, Luisa Francia sugere um amplo espectro de rituais, cerimônias e auxiliares para ajudar as mulheres a recuperar o poder e a magia do seu sangue menstrual e a usar melhor suas capacidades menstruais.[22] Acompanhar nossos ciclos menstruais e as fases da lua pode nos sintonizar com o ritmo mensal de nossas energias físicas e emocionais, pois elas são reguladas pelo ciclo lunar. Ao aprender técnicas de relaxamento e de meditação, nós podemos induzir estados de transe, profecia, inspiração, criatividade, lembrança dos sonhos, hipnotismo e visualização. Essas capacidades são direitos inatos da natureza feminina subjetiva que se realizam na menstruação. Por fim, podemos assumir os riscos de quebrar o tabu sexual em torno da menstruação educando nossos parceiros e, desse modo, abrir nossos relacionamentos para a extática e transformadora dimensão sagrada de fazer amor.

O Ciclo Vitalício dos Mistérios de Sangue da Mulher

O ciclo feminino de ovulação e menstruação ocorre mensalmente no corpo da mulher e espelha a dupla alternância entre as fases iluminada e escura da lua. O simbolismo da Deusa Negra é encontrado na menstruação, que corresponde à fase negra. Além deste, a mulher tem outro ciclo sexual importante, um que opera ao longo do curso do seu tempo de vida.

Esse segundo ciclo é um reflexo da tripla natureza das fases da lua, como nova, cheia e negra, e ele corresponde aos três estágios da vida da mulher que são marcados pela menarca, a tríade da gravidez, parto e amamentação e a menopausa. Esses são os três grandes mistérios de sangue da vida da mulher (ver Figura 7.2).

A lua nova crescente, personificada pelos antigos como a Deusa Virgem, reflete a vida de uma moça na época da menarca, o início da primeira menstruação de uma jovem.

A lua cheia, como a Deusa Mãe, era a mais influente durante a média de anos de vida da mulher, quando o seu corpo é orientado para dar à luz e alimentar os filhos.

A lua minguante negra, nesse contexto imaginada como a Deusa Anciã, era vista como a força predominante durante os anos finais, depois de a menstruação cessar e a mulher entrar na menopausa. Os antigos acreditavam que, após a menopausa, a mulher retinha seu sangue sábio e atingia seu ápice como detentora do poder da sabedoria. Hoje nosso conhecimento no que diz respeito à menopausa é ainda mais limitado, inacessível e proibido do que as informações sobre a menstruação.

Antes de prosseguirmos com nossa discussão é importante fazer uma distinção entre a Deusa Negra como a fase de transição final e escura do ciclo da lua e a Deusa Negra como a parte sombria, temida e rejeitada da natureza feminina. A Deusa Negra como anciã é a regente da menopausa; mas, como a sombra da Deusa Negra, também aparece nas fases nova e cheia da natureza cíclica da mulher. Vamos fazer uma pequena digressão para examinar o simbolismo das duas primeiras fases lunares da vida da mulher nesse contexto. Vamos considerar as projeções da sombra patriarcal do aspecto negro da donzela e da mãe antes de começar a analisar completamente a anciã na menopausa.

A Lua Nova e a Menarca

A natureza de uma jovem era semelhante àquela do fino crescente novo. Essa fase de lua nova, como espelhava o crescimento de uma jovem moça, atingia seu ápice no primeiro dos mistérios de sangue da mulher, o da menarca. A menarca simboliza a inocência, a esperança e o otimismo de uma jovem que está começando a entrar em seu poder menstrual. Nas antigas culturas e naquelas de hoje que relembram fragmentos dos velhos caminhos, a ocasião do primeiro sangramento de uma menina era celebrada com uma cerimônia ritualística, e ela era então homenageada e presenteada pela comunidade. Como um ritual iniciático, a jovem moça em geral se colocava voluntariamente em reclusão e esperava ter uma visão. A menarca, como um rito de passagem, marcava a sua transição da infância e sua iniciação nos segredos de ser mulher.

A menarca indica que o ciclo de ovulação e menstruação começou a operar no corpo da jovem mulher, que agora tem a capacidade de conceber uma criança. Ela também sinaliza que a moça "chegou à idade" de ser sexualmente ativa. O fluxo do seu sangue também significa que as correntes de sua energia psíquica agora estão ativas e podem ser desenvolvidas. Hoje, esse grande evento na vida de uma mulher costuma ser ignorado. Pode-se sussurrar sobre ele no banheiro, enquanto uma mãe constrangida conta à sua perplexa e, em geral, assustada filha o lugar onde esconde seus absorventes.

A menarca é o portal para a prontidão da mulher em relação à atividade sexual. No inconsciente coletivo masculino existe uma obsessão por deflorar a virgem, por ser aquele que vai iniciar jovens garotas na sua primeira experiência sexual. O aspecto sombrio e escuro da Deusa Virgem da Lua Nova surge da psicodinâmica da florescente sexualidade da donzela e da fantasia masculina de violar sua inocência.

Na medida em que os homens temem o poder e o desejo da sexualidade da mulher madura, eles vão gravitar em torno da inocência e da maleabilidade da jovem moça que aceitará totalmente qualquer coisa que eles façam. Isso é evidenciado nas revistas masculinas que idealizam mulheres de meados da adolescência até os vinte e poucos anos nas suas páginas centrais. A donzela da lua nova encarna muitas das fantasias sexuais dos homens, nas quais eles se imaginam sendo o primeiro a desfrutar dos prazeres da jovem, núbil e sensual ninfeta sem nenhuma experiência anterior pela qual ela possa avaliar seu desempenho.

Entretanto, quando confrontados com a realidade de suas fantasias, alguns homens não conseguem ter ereção na ocasião, e outros ficam apavorados com o que eles percebem ser a perda de seu controle. A subsequente raiva em relação ao feminino, percebido como sedutor só para depois confrontar um homem com suas inadequações, levou ao ataque dos homens a mulheres cada vez mais jovens, que são totalmente indefesas. Os antigos, para protegerem as jovens moças desse tipo de violação, apelavam para as Deusas Virgens Ártemis/Diana, que eram as protetoras das garotas pré-adolescentes. Dizia-se que essas deusas vagavam pelas florestas com seu bando de ninfas castas, matando com seu arco e flecha qualquer homem que fosse pego olhando fixamente para elas.

O aumento na demanda por pornografia infantil e as alarmantes estatísticas a respeito de abuso sexual de garotas novas indicam a profundidade da insegurança sexual masculina acerca de sua sexualidade. Uma desculpa masculina comum para estupradores é que "ela estava pedindo por isso" ou "ela me levou a isso", absolvendo assim a si mesmos de qualquer culpa. Como resultado, o lado sombra negro da Deusa da Lua Nova, conforme projetado pela mentalidade patriarcal, tornou-se aquele da feiticeira que encanta e seduz um homem contra a sua vontade. Deusas como Lilith, Medusa, Circe e as sereias carregam essa dimensão arquetípica do feminino.

A Lua Cheia e a Gravidez, Parto e Amamentação

Com o crescimento da lua em direção à plenitude, da mesma maneira a esbelta jovem donzela amadurece para a sexualmente madura mulher de seios fartos e encorpada. Ela agora está pronta para exercer o seu papel de mãe. A lua cheia corresponde à próxima fase de desenvolvimento da vida de uma mulher, na qual as funções do seu corpo e suas emoções são direcionadas para o segundo dos mistérios de sangue feminino, o ciclo de gravidez, parto e amamentação. Nesse mistério, a mulher é considerada como nada menos do que miraculosa, pois escolheu criar uma nova vida, transformando seu sangue vital em uma criança e em leite para amamentá-la.

Uma mulher pode entrar na fase de lua cheia materna de seu ciclo vital sem ter que dar à luz uma criança física. Ela pode, em vez disso, deixar para trás a descontraída e autônoma inocência da donzela ao assumir a responsabilidade por uma carreira, relacionamentos com compromisso, compartilhando a criação do filho de seu parceiro ou comprando uma casa. Ela dedica a próxima fase de sua vida a nutrir e manter os filhos mentais e criativos que ela gerou.

Conforme discutimos antes, a mulher grávida e amamentando, dando continuidade às gerações da espécie, era imaginada pelos homens como a feminilidade ideal da Deusa Branca. Seu lado positivo era o da piedosa, carinhosa, envolvente, aquiescente, farta, generosa, mãe doadora. No início, um homem pode se sentir atraído por tal mulher, buscando por total compreensão, cuidado e apoio dela. Entretanto, em algum momento ele começa a entrar em pânico ao perceber sua crescente dependência em relação a essa mulher. Ao regressar a um estado de incapacidade infantil, ele pode se tornar impotente em sua vida sexual e material. De novo, nesse momento, o patriarcado projetou seu medo do lado sombra da Deusa Mãe da Lua Cheia como a Mãe Terrível.

O arquétipo da Mãe Terrível controla, exige, domina, subjuga, critica, bate, abusa, negligencia e ignora seus filhos e seu marido. Seu poder é ilimitado e espantoso. Como Deméter, ela interrompe toda a produção de alimento da terra até o retorno de sua filha. Como Kali, ela era retratada devorando os filhos e agachando-se triunfantemente sobre o cadáver de seu marido, Shiva. E, como Medeia da Grécia clássica, ela matou os filhos como vingança contra a traição de seu marido, Jasão. Nossas imagens da Deusa Negra como a sombra rejeitada e raivosa no arquétipo da mãe na lua cheia dão origem às nossas atitudes negativas a respeito dos modos pelos quais nós odiamos nossas mães. E, quando essa raiva é reprimida e introjetada, ela contribui em grande parte para o desconforto da gravidez e da dor do parto.

Enquanto o patriarcado idealizou a imagem da mãe grávida, a realidade de suas funções corporais traz à tona seu terror irracional. Nos tempos modernos, todo o espectro da gravidez, do parto e da amamentação foi difamado, constrangido e escondido. À mulher foi negado o pleno acesso à informação e até dado conselhos perigosos e errôneos sobre seus órgãos reprodutores. Nós também sentimos a sombra da Deusa Mãe em todas as formas pelas quais o patriarcado rejeitou o processo de parir feminino.

Em geral, as mulheres grávidas se sentem constrangidas em situações sociais e públicas e muitas pessoas experimentam desconforto na presença de um corpo feminino inchado com uma vida. Nossa sociedade desaprova uma mulher amamentando seu filho em público, considerando a visão dos seus seios nus indecente e ofensiva (em oposição aos seios em uma página central sendo vistos como desejáveis). A mulher amamentando é pressionada a se esconder recolhendo-se para o quarto ou o toalete de um restaurante. Com o advento da medicina moderna, as mulheres foram informadas a não amamentar seus filhos – fórmulas farmacêuticas sintéticas eram mais saudáveis para eles. Estamos redescobrindo agora que o leite materno é, sem dúvida, o alimento perfeito e ele contém muitos anticorpos naturais que previnem doenças durante o frágil primeiro ano de vida do bebê.

Parteiras, leigas cuidando de outras mulheres com remédios naturais durante a gravidez e o parto, têm sido proibidas em muitos estados. Com o controle do parto nas mãos, na maior parte das vezes, de médicos brancos, tem sido negado às mulheres a participação consciente em seu trabalho de parto. Elas têm sido excluídas de testemunhar um dos mais sagrados mistérios de todos, o parto de seus próprios filhos. Em vez disso, elas têm sido drogadas até o esquecimento, amarradas em estribos, cirurgicamente abertas com episiotomias e privadas de seus bebês logo depois do nascimento.

Os altos índices de cesarianas, histerectomias e mastectomias, muitas vezes desnecessárias, aponta para o medo do patriarcado e a rejeição aos órgãos e processos reprodutivos da mulher. Dessas maneiras, eles têm tentado privar as mulheres de seu poder procriador. A restrição da informação a respeito de contracepção segura e as dificuldades que as mulheres enfrentam em conseguir abortos seguros e de baixo custo também servem para restringir o direito de controle da mulher sobre suas funções reprodutivas.

Em algumas áreas, estamos vendo agora uma mudança. Na esfera do parto, o renascimento da Deusa emergiu nas primeiras organizações, como as aulas de treinamento em parto Lamaze, que ensina métodos para um parto natural sem drogas, e na Liga La Leche, que encoraja e apoia mulheres em seus esforços pelo aleitamento materno. Tendo discutido brevemente os aspectos sombra das fases nova e cheia do ciclo vital de sangue da mulher, vamos agora voltar nossa atenção para examinar mais a fundo o auge das atividades da Deusa Negra como a musa das anciãs na menopausa.

A Deusa da Lua Negra como a Musa da Menopausa

Quando a lua começa a minguar, a mulher entra no terceiro grande mistério de sangue de sua vida, a menopausa, que marca o fim da menstruação. Para a maioria das mulheres, essa "mudança de vida" começa por volta dos 50 anos; e, em razão do aumento da longevidade, as mulheres podem esperar viver mais uns 25 anos – quase um terço de suas vidas. Assim como a menarca marca a transição da fase donzela da lua nova para a fase mãe da lua cheia da vida da mulher, a menopausa sinaliza seu movimento para fora da maternidade e para dentro do estágio anciã da lua negra.

Do ponto de vista biológico, a mulher entra na fase anciã de sua vida quando vive além de seus anos de parto. Para algumas mulheres, entretanto, o movimento para a velhice não é necessariamente determinado pelo início da menopausa. Esse estágio também pode ocorrer como uma estrutura psicológica da mente, quando uma mulher começa a colher a safra de sabedoria que vem de todas as suas várias experiências de vida. Se uma mulher escolheu a maternidade, sua fase anciã pode chegar quando seu último filho sai de casa ou quando ela se torna avó. A velhice também pode ser marcada pela aposentadoria de uma carreira ou emprego principal, ou pela morte de seus pais ou esposo. Quando, por fim, uma mulher é capaz de pensar em suas próprias necessidades depois de anos focando principalmente nas de seus filhos, sua família, seu relacionamento ou sua carreira, ela passa para o terceiro grande mistério de seu ciclo de vida.

Em culturas mais antigas, esse rito de passagem iniciava as mulheres em seus papéis como *Elders*, líderes religiosas, guardiãs do conhecimento, da profecia e dos rituais. As pessoas acreditavam que a retenção do poderoso elixir menstrual era a fonte da sabedoria da anciã. Tendo cumprido suas responsabilidades materiais para com sua família, a anciã da lua negra podia mais uma vez viver para si mesma e seguir seu caminho espiritual. Um período aberto de sua vida em que ela poderia, agora, devotar-se exclusivamente a moldar seu sangue vital retido em filhos mentais e espirituais em vez de físicos.

A antiga mulher sábia anciã era a representante terrena da Deusa Negra para a sociedade. Ela era venerada como *Elder* procurada para aconselhar, como vidente convocada para profecia e como curandeira solicitada para atender os enfermos. A anciã atuava como ponte para a transição da lua negra para a lua nova; ela era a sacerdotisa fúnebre que ajudava o velho a morrer e a parteira que auxiliava o novo a nascer.

O patriarcado temia o feminino muito mais por seu papel no nascer e no morrer do que por sua associação com o sexo. A sábia anciã foi transformada na bruxa feia e raptora mortal. É essa imagem horripilante que condicionou nossas atitudes na cultura patriarcal com relação à mulher mais velha, nos seus anos da menopausa, vista como uma criatura repulsiva e indesejável, algo a ser descartado e escondido. Desse modo a humanidade foi privada da sabedoria natural da anciã, um sistema de crença que constituía uma ameaça às novas religiões patriarcais. A autoimagem negativa associada à menopausa também serviu para separar as mulheres de uma fonte interior de criatividade que não era direcionada para a maternidade. Uma exceção à negação da anciã só ocorria se ela continuasse exercendo suas atividades nutridoras como avó e cuidasse dos netos.

Em uma sociedade na qual se sustenta que a função primária da natureza feminina é a de dar à luz e cuidar da família, quando a mulher chega ao estágio de seu ciclo de vida em que seus processos reprodutivos não são mais operantes, essa sociedade a descarta como inútil. Hoje, as mulheres na menopausa não são honradas; ao contrário, são ridicularizadas, rejeitadas e ignoradas.

Até recentemente, havia pouca literatura abordando as questões da menopausa. Não apenas houve um bloqueio ao descrever os desafios psicológicos e espirituais e as dádivas da menopausa, mas também há escassez de informação a respeito das mudanças psicológicas que ocorrem no corpo da mulher. A maioria dos médicos considera a menopausa como uma doença ou deficiência para a qual eles prescrevem doses de estrogênio a fim de deter os sintomas da "mudança".

Enquanto a mulher está menstruando, a quantidade de estrogênio continua a aumentar e a diminuir na corrente sanguínea, atingindo o auge na ovulação e diminuindo na menstruação. Por volta dos 40 anos, os níveis de estrogênio começam a se nivelar e estabilizam em um nível reduzido. A ovulação se torna menos frequente e os períodos menstruais tendem a ocorrer em intervalos irregulares. Mais ou menos aos 50 anos de idade, os ovários param quase toda a produção de estrogênio e a ovulação e a menstruação cessam. A mulher sente muitos sintomas biológicos com o início da menopausa. Seu corpo começa a se ajustar ao nível reduzido de estrogênio e a outras mudanças hormonais em seu sistema quando ela entra na terceira e última fase de sua vida.

É difícil distinguir entre os sinais da menopausa e os sinais do envelhecimento; a menopausa em si é um indício do envelhecimento do sistema reprodutor da mulher.[23] Um sintoma que é claramente ligado a essa transição é o fenômeno das ondas de calor. As ondas de calor são sentidas como um súbito aumento do calor se espalhando por todo o corpo e, em geral, são acompanhadas por sudorese e rubor da pele. Não é incomum para a mulher acordar no meio da noite febril e encharcada de suor, necessitando trocar os lençóis e as roupas. Essas repentinas e inesperadas ondas de calor são uma fonte de grande ansiedade, pois a mulher nunca sabe quando elas vão ocorrer em público. Essa reação física incontrolável anuncia para o mundo, que sentirá pena dessas mulheres, que elas estão agora na menopausa.

Nós estamos apenas começando a recuperar o valor positivo da sabedoria natural de nosso corpo. Uma recente pesquisa científica mostra que o câncer reage terapeuticamente a uma temperatura corporal aumentada; as ondas de calor são um mecanismo de defesa interno contra doenças degenerativas, tão comuns depois da meia-idade.[24] De uma perspectiva mítica, os fogachos indicam o toque da ardente Deusa Negra, cujo calor significa as brasas brilhantes de sua energia vermelha à medida que ela move a mulher por sua iniciação no envelhecimento.

Outra mudança corporal que ocorre com a menopausa e a redução dos níveis de estrogênio é uma alteração na vagina. O enfraquecimento das paredes vaginais, a perda de elasticidade e menos secreções podem levar à secura e à coceira que contribuem para a dor e a irritação durante a relação sexual. O uso de lubrificantes, como géis comerciais ou óleos vegetais podem ajudar a aliviar o desconforto, mas evidências sugerem que a excitação regular por meio de qualquer tipo de atividade sexual é a melhor forma de manter a produção continuada dos lubrificantes vaginais próprios do corpo. Muitas mulheres nesse estágio descobrem que preferem a estimulação clitoridiana do que a penetração vaginal.

As mulheres na pós-menopausa desenvolvem outras características de envelhecimento que a sociedade moderna considera feias: pelos faciais, rugas, manchas senis, verrugas, cabelos mais finos e grisalhos na cabeça e na região púbica, voz mais grossa, perda de tônus muscular, ganho de peso e perda óssea (osteoporose). Ao enfrentarem essas mudanças, que não são validadas pela sociedade, é importante para elas lembrarem que não existe nenhum crescimento sem mudança. A menopausa é um estágio crucial no amadurecimento psíquico da mulher.

Nossa cultura em geral ignora esse fato. Nossa noção da feminilidade ideal é vinculada com a procriação sexual e a menopausa é tratada como o fim da identidade sexual da mulher. Vista como sexualmente indesejável, ela é muitas vezes preterida pelos outros por uma mulher mais jovem. Essa rejeição ocorre em uma época na qual o seu desejo sexual em geral aumenta. Uma vez cumprido seu papel como mãe e parceira sexual, ela passa a ser desprezada e tratada como um fardo pela sociedade. A mulher na menopausa, como anciã, é ridicularizada, rechaçada, ignorada, trancafiada, demitida, divorciada e abandonada.

Não é de se estranhar que uma mulher enfrente esse estágio da vida com estremecimento e medo. Ela se sente emocionalmente desesperada, irritadiça e deprimida. Pode ser dominada por vergonha, raiva e desgosto consigo mesma à medida que seu corpo começa a mostrar as mudanças que a levam ao ostracismo pela sociedade. Alguns estudos indicam que mulheres que se identificavam primeiramente como as mães de seus filhos ou parceiras sentiam maior dificuldade em se ajustarem às demandas fisiológicas e psicológicas que o rito da menopausa traz para esse terceiro estágio da vida da mulher.

Em nossa tentativa de reavaliar o escuro, como podemos recuperar as dádivas da menopausa da Deusa Anciã da Lua Negra? Existem relatos de que a antropóloga Margareth Mead teria dito que a maior força criativa no mundo é uma mulher na menopausa com entusiasmo.[25] O propósito da vida de uma mulher não termina em seus anos férteis. Ainda existe outro terço da potencialidade da natureza feminina que reside na fase minguante negra do ciclo de vida da mulher. Se ela estiver consciente da miríade de oportunidades que espera por ela na escuridão, ela pode "afirmar-se" durante os anos de pós-menopausa de sua vida. Ela pode colher e assimilar sua safra de sabedoria, simbolicamente encontrada em seu sangue menstrual retido.

Esse é um período em que a mulher, livre da responsabilidade de criar sua família, pode usufruir de uma liberdade maior, de independência e controle de sua vida. A iniciação da viuvez carrega a promessa de uma vez mais ter a vida para si mesma depois de passar pela dor do luto. Viajar, voltar a estudar, realizar serviço comunitário, uma autoexpressão criativa, a mudança de ocupação e o desenvolvimento espiritual são alguns dos caminhos que podem se abrir desimpedidos para a anciã. Toda a força vital da mulher pode ser agora canalizada para dar vida e forma a seus filhos mentais e espirituais.

Ao confrontar as mudanças em seu corpo e as transformações no seu estilo de vida, a anciã compreende que sua velha identidade está, sem dúvida, morrendo. Ela pode ficar perdida quanto ao que fazer depois e sobre como fazê-lo. Pode ser que tenha se passado tanto tempo desde que ela se concentrou em suas próprias necessidades e seus desejos que talvez tenha se esquecido de como fazê-lo. Então ela pode se sentir despreparada para enfrentar os desafios dessa próxima fase de sua vida. Para as anciãs tornarem reais os potenciais disponíveis para elas, devemos confrontar e dissolver as enormes barreiras que o patriarcado construiu a fim de manter as mulheres mais velhas pobres, impotentes, solitárias, desempregadas, sem autoconfiança, indefesas e doentes.

No nível físico, as mulheres devem se informar sobre suas mudanças biológicas e ter conhecimento para avaliar os modelos de tratamentos médicos estabelecidos. Nesse processo, elas passam a entender que a terapia de reposição de estrogênio e histerectomias que os médicos recomendam como uma "cura para a sua doença" são precisamente as causas do aumento dos riscos de câncer de mama e de útero que se tornam mais frequentes durante os anos da menopausa. Esses remédios artificiais interferem nos processos naturais do corpo e evitam a maturação bioquímica das correntes psíquicas da anciã.

Para lidar com os sintomas desconfortáveis, as mulheres devem investigar abordagens não médicas, incluindo exercícios, dieta, suplementos vitamínicos e terapias herbais. Massagem, yoga e atividade sexual podem ajudar a manter o corpo flexível e com fluidos nessa idade. Ao aprender técnicas de relaxamento, a anciã pode entrar mais facilmente em estados meditativos nos quais ela pode receber suas visões proféticas, sonhos e outras fontes de sabedoria interior.

A participação em grupos de apoio para mulheres é uma importante fonte de força para a mulher na meia-idade, um local para obter informação e compreensão. O apoio e a amizade vindos desses encontros podem reduzir a sensação de isolamento da anciã e reconectá-la com o seu poder. Estamos vendo agora o início de programas sociais e educacionais para a "donas de casa deslocadas" que disponibilizam suas habilidades para ingressar ou reingressar na economia com sua força de trabalho. O número crescente de círculos no movimento da Espiritualidade Feminina mostra outra fonte de afirmação para a anciã, relembrando e reinvestindo as mulheres mais velhas com sua sabedoria e seu poder.

Entretanto, a área que precisa de mais atenção na reavaliação da anciã na menopausa são as atitudes que nós temos em nossa mente. Precisamos descondicionar nossa percepção do fato natural do envelhecimento como algo que parece feio, e mais feio ainda nas mulheres do que nos homens. No sistema de valores da nossa sociedade, quando o homem chega aos 50 anos ele é visto como alguém que alcançou o ápice do seu poder e a ele são dados respeito e autoridade. Um homem envelhecendo não é considerado sexualmente indesejável; na verdade, sua idade e seu poder são, em geral, vistos como um aumento em seus atrativos. É nessa mesma idade, no entanto, que a mulher que chega ao seu poder da menopausa é rejeitada como desagradável de se olhar ou de se ter por perto.

Na cultura de hoje as mudanças do envelhecimento no corpo da mulher são vistas como pouco atraentes. Essa rejeição de um estágio natural do corpo feminino faz com que a mulher desenvolva um ódio por seu corpo, que a está traindo. Muitas mulheres, em seu desejo por aceitação social, ficam desesperadas por esconder os sinais do envelhecimento. O nosso culto pelo *glamour* da juventude aproveita-se dos medos de envelhecer da mulher no *marketing* de massa das tinturas de cabelo, dos cremes antirrugas e da cirurgia plástica.

É importante que as mulheres aprendam a se mover graciosamente para os anos de anciã de suas vidas, permitindo às mudanças corporais que procedam de maneira natural sem tentar escondê-las ou negá-las. Esse é um passo corajoso a se tomar em meio a um sistema patriarcal que define a face da anciã como feia. No papel de cocriadoras da realidade, as mulheres podem fazer a escolha consciente de se recusar a manter e perpetuar essas formas de pensamento negativas. Em uma sociedade na qual o patriarcado domina, as mulheres não podem forçar diretamente uma mudança nas atitudes dos homens em relação à aparência da anciã. Mas um caminho – e definitivamente o caminho mais poderoso – pelo qual uma mulher pode realizar uma mudança social na percepção da anciã é começar com suas próprias atitudes.

Removendo as camadas de distorção patriarcal das imagens internas que a própria mulher tem de si mesma como anciã, ela pode passar a ver a beleza inerente ao desdobramento natural de seu corpo envelhecendo e do poder que ele continua a ter para ela. As mulheres podem, assim, deixar para trás todos os cosméticos artificiais e as cirurgias plásticas cujo propósito é esconder e não realçar a verdadeira face da anciã. Desse modo, todas nós podemos nos reconectar com a mágica, mística e misteriosa terceira fase da vida de uma mulher.

A anciã na menopausa nos leva pela fase de lua negra da Deusa que reside dentro de nós. No reino da Deusa Negra, os sinais da idade são compreendidos como os sinais da aproximação da morte. O papel mais importante desempenhado pela antiga anciã era ajudar as pessoas na sua passagem de transição para a morte. "A menopausa é um período para encarar a morte enquanto ainda existe tempo para viver... Medo da menopausa natural, medo da anciã, se traduz em um pavor da morte."[26] Por isso o bloqueio social da menopausa e sua rejeição pelas mulheres mais velhas estão diretamente relacionados com nosso temor e nossa negação da morte. Ao voltarmos a honrar a Deusa Negra da menopausa, seus ensinamentos ajudarão a nos libertar dos medos de mudança e transição, envelhecimento e morte.

A literatura mítica repetidamente nos diz que as vidas da virgem e da anciã estão entrelaçadas, e seus papéis são com frequência confundidos, como nas estórias de Ártemis e Hécate, primas por parte de mãe. A anciã, como sacerdotisa funerária, extingue o velho ciclo e, como parteira, ajuda o novo a nascer. A anciã e a virgem ficam de costas uma para a outra nos portais da morte e do nascimento.

O Arquétipo da Deusa Negra

Qual é a face da Deusa Negra? Como podemos reconhecer sua antiga presença quando ela continua a agir em nós hoje? A Deusa Negra está associada com a fase escura de qualquer processo cíclico que opera em nossa vida. Por essa razão, as mulheres podem ver mais facilmente a sua face quando estão menstruadas. Ela flui ao redor e através da vida das mulheres com o fluxo do sangue mensal. E ela permanece como a principal companheira das mulheres na fase final da vida quando, após a menopausa, como elas retêm seu sangue menstrual, ela as guia para a sua maturidade psíquica como anciãs. E para homens e mulheres ela aparece sempre que passamos por uma importante mudança, perda e transformação. Sabemos que a Deusa Negra está nos tocando naqueles momentos extremos quando estamos pulsando com nosso poder ardente assim como naquelas horas de nosso mais profundo desespero.

Quando somos capazes de entrar em contato com a natureza genuína da Deusa Negra dentro de nós, sentimos como se estivéssemos em nosso pleno poder. Somos fortes, assertivas, psíquicas, proféticas, criativas, sexuais, livres e sem limites. Sua escuridão flamejante é o poder do útero, exortativo, ativo e transformador. A cultura patriarcal rejeita esses aspectos da natureza da mulher que surgem da sua energia vermelha da lua negra, sentindo que são perigosos para a dominação masculina e, então, o rotulam de não feminino.

A Deusa Negra, na sociedade moderna, incorpora todas as qualidades femininas que vieram a intimidar os homens na cultura patriarcal. Como tal, ela representa aqueles aspectos da totalidade da natureza da mulher que fomos condicionadas e pressionadas a renunciar em nós mesmas para sermos aceitas e valorizadas pelos homens. Como o feminino rejeitado, a Deusa Negra irrompe como a sombra, a sua agora distorcida face, contorcida pela raiva, ventilando sua fúria por sua repressão. E, se ficarmos bem quietas, centradas no olho do seu furacão, poderemos senti-la soluçando. Sua beleza, sua força e sua sabedoria estão aprisionadas por trás da máscara de ira por meio da qual ela é agora percebida pelos outros.

Nessas situações em que a Deusa Negra vem a nós – na menstruação, na menopausa, durante perdas e transições –, se não estamos conscientes dos dons profundos e de renovação que ela oferece, nós geralmente a sentimos como uma tempestade. Ela brota do nosso interior mais profundo em um frenesi de histeria que em tempos antigos nós honraríamos como uma visitação xamânica. Mas, na medida em que esquecemos sua natureza intrínseca, nós a vemos como que destruindo ativamente todas as nossas estruturas de vida e relacionamentos que são baseados em nossa aceitação da imagem feminina patriarcal "boa, submissa e agradável". Ou, se obtivermos sucesso em conter e suprimir dentro de nós essa monumental energia vermelha no auge, sentiremos a Deusa Negra como a depressão, o desespero e a dor insuportável da desolação, da sujeição e da falta de sentido de nossa vida.

Quer vejamos a Deusa Negra dançando extaticamente em um turbilhão de chamas vermelhas, ou envolta em névoa contemplando as lagoas internas da sua consciência psíquica, ou palpitante com sua energia orgástica mágico-criativa, ou nos abraçando em nossa tristeza, ou furiosamente enraivecida, gritando, chorando ou retirando-se desesperadamente em um estupor de negação ou entorpecimento, seu propósito principal em cada uma dessas formas é o mesmo. Ela destrói para renovar. A Deusa Negra da lua negra é a dama da transformação e ela existe em todo lugar em que há mudança.

Ela absorve o desgastado para dar-lhe outra forma para o renascimento. A Deusa Negra dentro de nós exige que descartemos tudo o que não é mais necessário em nossa vida, em nossos relacionamentos, posses materiais e estruturas de vida que cumpriram seu propósito em nosso crescimento e nosso desenvolvimento. Se não atendermos ao seu chamado, ela vai manter sua ameaça com o aumento da pressão, destruindo impiedosamente qualquer coisa em nossa vida que esteja atrasando as mudanças que vão nos mover por nossos padrões de renovação cíclica.

A Deusa Negra representa aquelas terríveis agitações em nossa mente que parecem a morte para o nosso ego consciente. De repente ela aparece, em uma postura raivosa, brandindo sua espada, cortando em pedaços nossos apegos egoicos. Ela ameaça nossa integridade, nossa autoimagem, nossos valores, nossas conquistas e nossas acumulações. E nós somos jogadas em uma crise. Toda crise contém a possibilidade para que façamos uma mudança em nossa vida. A mudança é o processo que nos permite continuar a viver. Não mudar é estagnar e verdadeiramente morrer. Uma crise, entretanto, não é uma calamidade terrível. Ela deriva da palavra grega *krino*, "decidir"; e significa simplesmente um momento de decisão. Toda vez que somos presenteadas com a oportunidade de uma mudança disfarçada em uma crise e não tomamos uma decisão, nossos padrões habituais inconscientes instintivos são aprofundados. "O que começa como um sulco na infância, mais tarde se transforma em um buraco e, finalmente, em nossa sepultura."[27]

Por não compreendermos a escuridão, vemos a ação destrutiva da Deusa Negra como negativa e maligna. Esse é um erro fundamental. Pelo veículo da crise, a Deusa Negra destrói o velho. Isso nos força a mudar e, assim, nos apressa em direção a uma nova vida. Sem ela não haveria motivação nem desafio ao crescimento da consciência. No fim, o que nós temíamos como sua maldade acaba sendo parte do processo vital necessário para transformar nossa vida em algo de maior valor e significado.

Com todo o seu incrível poder, ela fica no limiar da morte, nos chamando em direção à nossa jornada para o submundo do nosso inconsciente. Aqui podemos encontrar as aparições de tudo o que nós negamos em nossa vida e nossa mente inconscientes. Quando a lua desaparece de vista, a Deusa

Negra nos chama para longe do nosso mundo exterior e nos guia para encontrar nosso eu essencial que reside no centro de nosso ser.

Vicki Noble escreve que:

> A Deusa Negra não é peso-leve. Ela promete problema e acaba criando o que conhecemos como a morte do ego [...] Ela é impessoal, ainda que irrompa do fundo da psique humana com inesperada paixão e fúria. Ela é transformação ao extremo e seu poder é regenerativo e curador. Como uma trapaceira, ela nos liberta das armadilhas que nos prendem aos nossos pequenos mundos pessoais; como uma faca que corta fora tudo o que é sem importância e não confiável. Ela abala as estruturas, desintegra a personalidade, destrói a forma. Ela libera e salva, cura e liberta. Agora é o tempo dela e as mulheres são os seus receptáculos.[28]

A Deusa Negra mexe com a nossa psique no nível mais profundo de nosso ser, e ela nos catalisa para encararmos o que repousa oculto e esquecido nas escuras fendas de nossa mente. Somos geralmente empurradas para o seu reino por meio de um trauma, quando violentas convulsões em nossa vida, como estupro, abandono, violação, términos ou morte, abalam nossa realidade segura e conhecida. À medida que ela mergulha em nossa escuridão interna, nossa busca interior por meio dela nos envolve em um diálogo sobre todas aquelas questões que nós preferíamos não enfrentar nem reconhecer. Ela traz à tona nosso sofrimento por todos os problemas sombrios em nossa vida que nós mantemos em negação, e ela nos faz encarar nossos medos e tabus trancados em nosso inconsciente. Ódio por nosso corpo, raiva dos pais, dependências debilitantes de substâncias ou de relacionamentos pessoais, inveja e ciúme em relação aos nossos entes queridos, inadequações e aberrações sexuais, nossa eventual morte e não existência e o nosso medo principal de que acabemos sozinhas, assustadas e sem amor encontram-se na esfera do submundo da Deusa Negra.

A Deusa Negra nos conduz pelo labirinto de nossa inconsciência. Aqui, ela nos dá força e coragem para enfrentarmos nossos demônios pessoais que proliferam na negação, no medo e na rejeição. Nossos demônios, assim como nossas atitudes negativas, subversivamente minam a positividade do nosso mundo externo por meio de nossos comportamentos autodestrutivos inconscientes. Em nossa tentativa de curar esses problemas dolorosos mantidos na escuridão da nossa psique, devemos limpar a nossa mente das percepções equivocadas sobre as energias negras que a sociedade nos ensinou a crer como verdadeiras.

Nesse processo, a Deusa Negra nos força a olhar para nós mesmas com total honestidade. Para muitas de nós isso é muito assustador – nos ver despidos de nossas ilusões e falsas pretensões. Como Inanna, que tinha que descartar uma peça de roupa ou um ornamento a cada portal do submundo, quando descemos até a escuridão devemos jogar fora tudo o que não for verdadeiro sobre nós e nossa vida. A Deusa Negra nos faz exigir a verdade das coisas – de nossas famílias, nossos parceiros, grupos e governo. Ela é impiedosa em destruir quaisquer das nossas estruturas de vida ou nossos relacionamentos que sejam construídos sobre uma base de decepção. E os líderes de qualquer sociedade que se desenvolve com base em mentiras não recebem bem a Deusa Negra em seu meio.

Conforme descemos para as escuras profundezas de nossos seres ocultos, podemos descobrir nossa frustração, nosso ressentimento e nossa raiva que ficam enterrados sob as camadas da nossa *persona* "boa e normal" socialmente condicionada. Encontros com a Deusa Negra nos deixam insatisfeitas com a parte de nossa vida que nos força a negar nossos sentimentos verdadeiros. Ela é a Deusa Guerreira da revolução que cria rupturas perturbadoras ao nos levar a protestar contra aqueles que têm um grande interesse em nos manter submissas e subservientes.

A Deusa Negra é uma Deusa do Eu, não no sentido de egoísmo ou separatividade, mas de uma postura de defesa da integridade individual. Ela se recusa a nos apoiar em qualquer relacionamento que seja injusto, humilhante, enganador ou empobrecido; ela corta e elimina tudo o que for mesquinho e apegado em nossa vida. Ela nos permite recuperar nosso poder de dizer: "NÃO! Já chega. Não mais", quando nos deparamos com o estupro, o abuso, a falsidade, a dominação e a repressão. É a mesma força quer seja dito por mulheres para homens, por pessoas negras para seus opressores brancos ou por nações do Terceiro Mundo para as superpotências.

A Deusa Negra é forte, quente e poderosa em sua sexualidade. Ela vive na selva de nossa psique separada da civilização. Ela representa aquele aspecto de nós que fugiria para locais secretos ocultos na floresta onde poderíamos soltar os nossos cabelos e dançar nuas com o selvagem abandono. Sua sexualidade ilimitada é livre, pertencente apenas a ela mesma e ela se posiciona contra as amarras das expectativas monogâmicas e contra servir apenas para agradar seu parceiro. Sua sexualidade não é submissa, passiva ou procriadora; e quando ela está ativa, nós, instintivamente, resistimos e recuamos desses tipos de encontros íntimos. A Deusa Negra nos impulsiona a alcançar nossos próprios picos de sensações eróticas e, em nosso êxtase, nossa energia sexual pode ser utilizada para curar a nós mesmas e aos outros. Contido na natureza sexual do feminino sombrio está o poder de regeneração, e a regeneração é o domínio da Deusa Negra.

Ela pulsa em um ritmo sexual desinibido, animado, latejante que emerge do âmago do nosso ser. Ele, então, se espalha para fora e, por meio da liberação do orgasmo, nós podemos ressoar com a vibração do universo. A grande e poderosa serpente *kundalini*, o principal animal totem da Deusa Negra, encarna seus mistérios de rejuvenescimento sexual e iluminação cósmica. A serpente enrolada repousa adormecida no chakra sexual na base da coluna em cada pessoa e nas entranhas da terra. A serpente representa os fogos sexuais da transmutação e o calor sagrado que cura. Uma vez erguida, a *kundalini* utiliza as ardentes energias sexuais para despertar o potencial curativo dentro de cada célula de nosso corpo. Ela se eleva por meio de outro centro de energia, emergindo para fora pelo topo da cabeça como iluminação cósmica. Imagens da Deusa Negra com sua cabeça coroada com uma guirlanda de cobras simbolizam a elevação da sabedoria da serpente rumo à meta da iluminação. A sexualidade da Deusa Negra nos leva a uma unificação com o cosmos por meio do êxtase orgástico.

A Deusa Negra dentro de nós é a força que move nossa vida da minguante para a crescente, do velho para o novo, da destruição para a criação e da morte para o nascimento. Para manter o ciclo sempre girando, ela corta nossos apegos ao velho, seguro e conhecido porque ela é o próprio movimento da mudança e transformação em si. Ela nos inspira com um poder que surge das profundezas de nosso útero e nos invoca a falar a verdade, defender nossa integridade, protestar contra as injustiças e exaltar nossa curadora sexualidade extática. Ela nos incita a expor o mal, acabar com a falsidade e exigir a verdade dos outros sempre que encontramos dominação e opressão.

A lua negra encobre a atividade secreta da Deusa Negra, cujo poder reside em seu sábio sangue. Podemos honrar a Deusa Negra dentro de nós aprendendo como moldar e canalizar de maneira habilidosa nossa energia vermelha menstrual mensal, a qual permanece conosco continuamente depois de passarmos pela menopausa. Conforme o sangue da Deusa Negra flui pelo nosso corpo, ele carrega seus dons de poder pessoal, iluminação espiritual, sensibilidade psíquica, êxtase sexual, cura, regeneração e, acima de tudo, a promessa da nova vida que surge do adubo em decomposição do velho.

Ao descascarmos as camadas de percepções equivocadas que foram incrustadas em nossa visão da Deusa Negra, veremos que ela não representa nenhuma ameaça à nossa sobrevivência. Ela é a chave para uma consciência muito mais expandida. A escuridão do ciclo da lua oculta seu grande mistério, o da renovação e do renascimento.

Perguntas do Diário

1. Se sou uma mulher, eu penso sobre o meu período menstrual como "a maldição" e eu a considero como uma fonte de vergonha e constrangimento? Eu tenho TPM ou outros tipos de dor ou desconforto perto da menstruação? Quando sangro, eu me permito um tempo de descanso e afastamento das necessidades dos outros? Ou eu ignoro esse período especial, me entorpeço com medicamentos e continuo no ritmo frenético da minha vida como se nada estivesse diferente? Eu me sinto irritadiça, deprimida, histérica ou agressiva nesse período?

2. Como me sinto a respeito do sangue menstrual? Eu olho para ele, sinto o cheiro dele e o toco? Acho isso ofensivo? Consigo percebê-lo como um elixir da vida? Se sou uma mulher, posso associar meu período menstrual com épocas de consciência aumentada, *insights* profundos ou inspiração criativa? Se sou um homem, eu consigo fazer amor de bom grado com uma mulher menstruada e sentir prazer nisso? Ou prefiro não fazer – considerando isso embaraçoso ou repulsivo?

3. Se sou uma mulher, eu temo a menopausa, associando-a com tornar-se velha e não mais desejável? Eu estou tentada a fazer terapia com estrogênio para deter os sintomas da "mudança"? Posso considerar que a menopausa traz uma dádiva de sabedoria e anuncia o tempo em que terei minha vida de volta para mim mesma novamente? Eu consigo me imaginar de formas positivas como uma sábia anciã?

4. Em que medida estou consciente dos mecanismos da Deusa Negra entre nós? Consigo ver o valor em ter velhas partes de minha vida e minha identidade destruídas para que o novo possa nascer? Sou grata pela atuação da Deusa Negra, que me leva a acabar com falsidades, dizer minha verdade e manter minha integridade? Eu posso reconhecê-la nos meus momentos de ardente e assertivo êxtase sexual?

Notas

1. Jean Mountaingrove, "Menstruation: Our Link to Ancient Wisdom, A Meditation", *Woman of Power 8* (inverno de 1988).
2. Vicki Noble, *Shakti Woman* (San Francisco: HarperSanFrancisco, 1991), p. 11.
3. Penelope Shuttle e Peter Redgrove, *The Wise Wound: Myths, Realities, and Meanings of Menstruation* (Nova York: Bantam Books, 1990), pp. 176–77. Até a publicação deste livro, a sociedade como um todo não tinha começado a reconhecer as verdadeiras implicações do tempo da lua das mulheres. Outro livro revolucionário que nos ajudou a recuperar nosso conhecimento sobre a menstruação e que preparou o caminho para *Wise Blood* foi *Menstruation and Menopause*, de Paula Weidigger (Nova York: Knopf, 1975).
4. *Ibid.*, p. 11.
5. *Ibid.*, p. 150.

6. *Ibid.*, p. 151.
7. Barbara G. Walker, *The Woman's Encyclopedia of Myths and Secrets* (San Francisco: Harper & Row, 1983), p. 635.
8. *Ibid.*, p. 636.
9. Penelope Shuttle e Peter Redgrove, *The Wise Wound: Myths, Realities, and Meanings of Menstruation* (Nova York: Bantam Books, 1990), p. 16.
10. *Ibid.*, p. 213.
11. *Ibid.*, p. 166.
12. Barbara G. Walker, *The Woman's Encyclopedia of Myths and Secrets* (San Francisco: Harper & Row, 1983), pp. 636, 644.
13. Alan Bleakley, *Fruits of the Moon Tree* (Bath: Gateway Books, 1988), p. 246.
14. Lawrence Durdin-Robertson, *The Cult of the Goddess* (Enniscorthy: Cesara Publications, 1974).
15. Diane Stein, *Casting the Circle: A Woman's Book of Ritual* (Freedom: The Crossing Press, 1990), p. 71.
16. Monica Sjöö e Barbara Mor, *The Great Cosmic Mother* (San Francisco: Harper & Row, 1987), p. 192.
17. Barbara G. Walker, *The Woman's Encyclopedia of Myths and Secrets* (San Francisco: Harper & Row, 1983), p. 641.
18. Penelope Shuttle e Peter Redgrove, *The Wise Wound: Myths, Realities, and Meanings of Menstruation* (Nova York: Bantam Books, 1990), p. 229.
19. Esther Harding, *Woman's Mysteries* (Nova York: Harper & Row/Colophon, 1976), p. 60.
20. Penelope Shuttle e Peter Redgrove, *The Wise Wound: Myths, Realities, and Meanings of Menstruation* (Nova York: Bantam Books, 1990), capítulo 2.
21. Monica Sjöö e Barbara Mor, *The Great Cosmic Mother* (San Francisco: Harper & Row, 1987), p. 186.
22. Luisa Francia, *Dragontime*, traduzido por Sasha Daucus (Woodstock: Ash Tree Publishers, 1991).
23. Boston Women's Health Collective, *The New Our Body Our Selves* (Nova York: Simon & Schuster, 1984), p. 446.
24. Vicki Noble, *Shakti Woman* (San Francisco: HarperSanFrancisco, 1991), p. 36.
25. Genia Pauli Haddon, *Body Metaphors: Releasing God-Feminine in Us All* (Nova York: Crossroad, 1988), p. 157.
26. *Ibid.*, p. 160
27. Alexander Ruperti, *Cycles of Becoming* (Sebastopol: CRCS Publications, 1978), p. 8.
28. Vicki Noble, "The Dark Goddess: Remembering the Sacred", *Woman of Power* 12 (inverno de 1989), p. 57.

CAPÍTULO 8

Os Mistérios Iniciáticos de Deméter e Perséfone

Afunde, afunde, afunde mais e mais profundamente
No sono primordial e eterno.
Afunde, esqueça-se, fique quieto e afaste-se
Para o coração mais secreto do interior da terra.
Beba das águas de Perséfone,
A fonte secreta ao lado da árvore sagrada.

Eu sou a Rainha secreta, Perséfone.
Todas as marés são minhas e a mim respondem.
Marés dos ares, marés do interior da terra,
As silenciosas e secretas marés da morte e do nascimento –
Marés das almas e dos sonhos e destino dos homens –
Ísis velada e Reia, Binah, Gê.
— **Dion Fortune**[1]

A lua, rodando em suas fases, deu aos povos antigos uma imagem do cíclico nascimento, da morte e da renovação de todas as coisas. Os antigos conceituavam sua consciência desse grande mistério em um conjunto de estórias mitológicas que transmitiam de maneira simbólica sua compreensão das grandes verdades. Entretanto, simplesmente contar a lenda foi apenas, até certo ponto, explicar o real significado da estória. O modo pelo qual um indivíduo pode depois absorver a essência do mito era por meio do ritual. O ritual é a encenação do mito em uma situação altamente estruturada.[2] Vários rituais eram agendados de acordo com certas transições nos ciclos naturais e sazonais. Por meio do ritual, um indivíduo podia ter uma experiência pessoal direta de uma verdade espiritual e essa realização tinha o poder de transformar a vida dele ou dela.

Deméter e Perséfone, que refletem as fases clara e escura da lua, são os aspectos duais da Deusa da Vida e da Morte. A estória delas foi um dos principais mitos ritualizados no mundo antigo e fazia parte de uma religião de mistério conhecida como Ritos dos Mistérios de Elêusis.[3] Esses ritos foram celebrados por mais de 2 mil anos no mundo antigo mediterrâneo.

A estória de Deméter e Perséfone era de perda e retorno, morte e renascimento. A Deusa Mãe Deméter perdeu sua filha para os reinos do submundo. Perséfone foi raptada e estuprada por Plutão, o Senhor da Morte. A tristeza e o sofrimento inconsoláveis de Deméter com a sua perda e a posterior reunião alegre entre a mãe e a filha estavam no cerne dos Mistérios Eleusinos. Esses ritos honravam a Deusa Mãe, que paria e nutria a nova vida, assim como a Deusa Filha, que recebia as almas dos mortos a fim de prepará-las para o renascimento. A estória dessas duas deusas é também o drama arquetípico que todas as mulheres humanas continuam a reencenar na sagrada relação de renovação que transpira entre a mãe e a filha.

Os Mistérios Eleusinos

Os Mistérios Eleusinos eram um ritual que encenava a estória de nascimento, morte e renovação. Eles foram realizados do século XIV A.E.C. até o

Figura 8.1   Deméter e Perséfone.

século V e.c. e estavam entre os mais famosos das antigas religiões de mistério. Baseado em ritos agrários mais antigos celebrados na época da semeadura do outono (equinócio de outono), os Mistérios Eleusinos mais provavelmente vieram do Leste e do Egito (relacionados ao culto de Ísis) pelo caminho de Frígia, criando raízes primeiro na Trácia. De acordo com o Mármore de Paros, esses ritos foram trazidos para Elêusis por volta do ano 1350 a.e.c., com o culto a Deméter.

Os Mistérios Eleusinos eram abertos a todos os homens, mulheres e crianças que falassem grego, e escravos que não tivessem matado uma pessoa, ou que tivessem sido ritualmente expiados de tal morte. Pessoas comuns, rainhas, reis e filósofos vinham de toda parte do mundo para serem iniciados nesses ritos. Os rituais abordavam os medos da humanidade e as preocupações a respeito da morte e ofereciam aos participantes uma "garantia de vida sem medo da morte, de confiança em face da morte".[4]

A exata natureza dos Mistérios era um segredo muito bem guardado, e os participantes faziam votos de silêncio para não revelar o que tinha ocorrido. Por causa da admiração e do medo sentidos pelos participantes durante os vinte séculos dos ritos, até hoje não sabemos exatamente o que acontecia. George Mylonas comentou que o segredo morreu com o último iniciado. O que os modernos estudiosos conseguem juntar dos fragmentos de informações que sobreviveram em esculturas, pinturas de vasos e referências em escritos clássicos é que os mistérios eram essencialmente uma experiência emocional que dava às pessoas uma esperança para o futuro.

Sófocles disse a respeito desses Mistérios: "Três vezes abençoados os homens que, após terem visto os ritos, vão ao Hades. Apenas eles viverão lá; os outros terão todos os males".[5] Incorporando uma linhagem precursora anterior aos Mistérios da Ressurreição da Páscoa, eles eram a forma helênica de permitir que as pessoas vivenciassem durante seu tempo na terra os mistérios do que elas encontrariam na passagem entre a morte e o renascimento. Os iniciados participavam em um rito místico no qual eles se tornavam aquele que morreria e renasceria. Por meio dessa experiência, eles entravam em um estado de união com o divino.

Vamos agora analisar a estória das duas deusas e ver como seus ritos muniam os povos antigos com um modo de vivenciar diretamente o grande mistério da morte e do renascimento. No mundo moderno, a descida de Perséfone ao submundo é uma metáfora para nossa descida ao nosso inconsciente, por meio da qual podemos também participar no grande mistério de transformação e renovação. Ao lermos a estória atemporal delas, vamos nos lembrar de que os antigos ritos de passagem agora foram introjetados e assim eles podem ser vividos como estágios de transformação psíquica.[6]

A Estória de Deméter e Perséfone

Há muito tempo, Deméter e sua amada filha Perséfone andavam juntas pela terra. Elas eram tão felizes na companhia uma da outra que abençoavam a terra com uma estação de colheita perpétua. Nessa Era de Ouro, o mundo não conhecia privação, não havia inverno.

O RAPTO DE PERSÉFONE Perséfone cresceu para ser tão bonita como sua mãe e era muito desejada pelos homens, assim como pelos deuses. O amor entre mãe e filha era tão forte, entretanto, que elas não desejavam ser separadas uma da outra. Assim, todos os pretendentes eram rejeitados e mandados embora.

Um dia, longe do olhar sempre vigilante de Deméter, Perséfone caminhava com suas amigas pelos campos Nisianos. Lá estava ela irresistivelmente atraída pela adorável e perfumada beleza de centenas de narcisos em flor. Enquanto Perséfone os colhia e inalava sua fragrância inebriante, a terra subitamente se abriu e formou um abismo profundo do qual emergiu Plutão, Deus do Submundo, que havia muito cobiçava a bela Perséfone. Montado em sua dourada carruagem de fogo puxada por quatro cavalos negros relinchantes, Plutão capturou a donzela aos gritos, arrebatou-a e levou-a para o reino dos mortos para ser sua noiva e rainha. A terra aberta, então, imediatamente se curou, não deixando as evidências do incidente.

Quando Deméter retornou para o agora tranquilo campo, ela não conseguiu encontrar vestígios de sua filha. Enquanto corria pelos campos e montanhas, chamando o nome de Perséfone, a ansiedade de Deméter se transformou em desespero e pânico quando ela percebeu que ninguém sabia do paradeiro da filha. Por nove dias e nove noites a agoniada Deméter recusou-se a comer ou tomar banho. Em vez disso, ela vagou pela terra com tochas em chamas procurando pela filha em toda parte. No décimo dia, Deméter encontrou a Deusa Anciã Hécate; esta lhe sugeriu que consultasse o Deus Sol Hélio, que tudo vê.

De Hélio, Deméter soube do rapto realizado por Plutão, que agiu com a aprovação de seu irmão Zeus. Aparentemente Zeus havia considerado Plutão um valoroso marido para Perséfone, a quem ele queria ver governar como Rainha do Submundo. Ao ouvir as notícias, Deméter furiosamente arrancou o diadema de sua cabeça e enrolou-se em roupas de luto. Cheia de ódio por Zeus e sua traição, ela se retirou do Monte Olimpo para evitá-lo e a seus compatriotas. Disfarçando sua verdadeira identidade, ela então vagou como uma velha enlutada, buscando refúgio nas cidades da humanidade.

DEMÉTER EM ELÊUSIS Depois do que deve ter parecido uma eternidade, Deméter, de coração partido e cansada, procurou refúgio em uma cidade chamada Elêusis. Ela foi encontrada perto da fonte pelas quatro filhas do rei Celeus, que a convidaram para retornar com elas ao palácio. Lá ela encontrou a rainha Metanira, que acolheu a forasteira e deu a ela a incumbência de cuidar de seu filho recém-nascido, Demofonte.

Sob os cuidados de Deméter, a criança cresceu como um deus. Em seu desejo de tornar o jovem príncipe imortal, como Perséfone, Deméter o alimentava com ambrosia de dia e o colocava nas brasas do fogo toda noite para queimar sua mortalidade. Uma noite, a rainha Metanira flagrou Deméter segurando seu filho nas chamas e gritou de terror. Deméter, ultrajada por ser contrariada em sua tentativa de dar à criança eterna juventude, tirou o garoto do fogo e o jogou no chão. Ela então revelou sua verdadeira identidade como uma deusa e ordenou que um templo e um altar fossem construídos para ela, onde pudesse continuar em seu luto.

O Retorno de Perséfone   Deméter então se retirou para o seu templo, onde continuou a lamentar a perda de sua amada filha. Em sua ira, ela preparou para a humanidade um cruel e terrível ano: a terra se recusaria a fazer brotar qualquer colheita, plantações no solo seriam destruídas e frutos iriam apodrecer nas árvores. Se ela, a Deusa da Fertilidade, tinha que viver sem sua filha, então a humanidade sofreria de fome e inanição.

Em desespero, os povos da terra rezaram para Zeus intervir. Zeus entendeu que, se a humanidade toda morresse, não existiria mais ninguém para adorar os deuses, e mandou Íris convocar Deméter para o Olimpo. Deméter se recusou a ir. Cada um dos deuses ofereceu a Deméter um presente e implorou a ela para mostrar piedade, mas ela se recusou. Cederia apenas se a filha fosse libertada.

Aceitando sua derrota, Zeus ordenou que Hermes descesse até o submundo e ordenasse Plutão a libertar Perséfone. Perséfone, em sua beleza gelada, vinha acompanhando o jejum do luto da mãe, recusando-se a comer e beber. Plutão, com astuta bondade, concordou em deixar Perséfone ir, mas primeiro tentou sua grande sede oferecendo a ela várias sementes de romã. Como a romã é o símbolo da consumação sexual, Perséfone consentiu em tornar sua união matrimonial com ele indissolúvel.

Ao voltar para o mundo da luz, Perséfone foi alegremente reunir-se com a mãe em Elêusis. Deméter imediatamente perguntou se a filha havia consumido qualquer comida dos mortos enquanto esteve no submundo. Quando Perséfone revelou o que tinha ocorrido, Deméter entendeu que ela havia sido enganada; sua filha ainda era prisioneira de Plutão. Mais uma vez ela se recusou a suspender sua maldição sobre a terra.

Para evitar que Deméter e Plutão destruíssem o mundo que ele havia criado, Zeus, com a ajuda da mãe deles, Reia, exigiu que os dois chegassem a um acordo. Seu decreto ordenou que, para cada semente de romã ingerida por Perséfone, ela ficaria uma parcela de cada ano como noiva de Plutão no submundo. Os meses restantes poderiam ser passados com sua mãe sobre a terra.

E, a partir daí, a cada primavera Perséfone emerge do submundo e reúne-se com Deméter, que permite que a terra frutifique. As sementes brotam, as flores desabrocham, as plantas crescem e as lavouras preenchem os campos. O verão segue e a terra continua a florescer até a chegada do outono, quando Perséfone deve retornar ao submundo de Plutão. Depois da partida de sua filha, Deméter põe suas mãos pesarosas sobre a terra e a torna estéril. E deserta ela fica por todo o inverno até a chegada de Perséfone na primavera seguinte.

Antes de deixar Elêusis, Deméter expressou sua gratidão pela cidade dando a Triptólemo, o filho mais velho do rei e da rainha, o primeiro grão de milho. Então, ela o instruiu a transmitir sua sagrada arte da agricultura para toda a humanidade. Por fim, ela ensinou ao povo de Elêusis seus ritos sagrados e os iniciou no seu divino culto:

> [...] Os quais são impossíveis de transgredir, ou de intrometer-se, ou de divulgar: pois tão grande é o temor de alguém pelos deuses que isso paralisa a língua. Feliz é aquele homem, dentre os homens da Terra, que testemunha essas coisas. E qualquer um que não seja iniciado nos ritos, qualquer um que não participe deles, não compartilha o mesmo destino quando morre e afunda numa sórdida escuridão.[7]

A estória anterior é derivada do "Hino a Deméter", de Homero, escrito no século VII a.e.c. e é a versão mais completa do rapto de Perséfone para o submundo. Mas esse mito tem uma derivação muito mais antiga, que remete às civilizações micênica, cretense e neolítica. As versões anteriores não fazem menção ao estupro de Perséfone; sua descida era voluntária. A versão pré-helênica é como se segue:[8]

Nos primórdios dos tempos, Deméter e Kore (nome de Perséfone antes de ela adentrar o submundo) percorriam o mundo inteiro, inspirando todas as plantas vivas a brotar, florescer, frutificar e semear. Em suas andanças, Perséfone encontrou os perplexos e perdidos espíritos dos mortos. Ela expressou sua preocupação para a mãe de que no submundo não houvesse ninguém para receber os recém-mortos, para aconselhá-los e guiá-los em sua jornada pelas passagens escuras. Deméter admitiu que o reino dos mortos era seu domínio, mas que o seu trabalho mais importante era alimentar os vivos.

Perséfone então decidiu por vontade própria ir ao submundo para receber, abençoar e iniciar os mortos nos mistérios do útero e da renovação. Deméter, no mundo de cima, lamentou a ausência da filha. Seu sofrimento era tão penetrante que seu poder foi retirado de toda a vida vegetal, que logo ressecou e morreu. Depois, seu lamento a paralisou e ela sentou-se imóvel em um estupor e esperou.

Um dia, brotos verdes de açafrão despontaram no solo, animadamente sussurrando que Perséfone estava voltando. Assim que a mãe abraçou a filha perdida, sua energia renovada ressurgiu em toda a vida vegetal adormecida, despertando-a para um novo crescimento. Todo ano, Deméter e Perséfone voluntariamente repetiam esse drama com a mudança das estações.

Em um nível externo, a estória do desaparecimento e do retorno anual de Perséfone era uma alegoria da germinação das sementes dormentes do inverno na primavera, explicando a mudança das estações para os camponeses. Em um nível interno, a reencenação desse drama ritual fazia com que a humanidade acessasse os temas arquetípicos da perda e do retorno. E em um nível secreto, celebrado pelos iniciados nos Mistérios Eleusinos, esse ritual revelava o grande mistério da transformação: o ciclo de nascimento, morte e renovação.

Dizemos que Deméter deu dois presentes para a humanidade: o grão e os Ritos Eleusinos.[9] Acreditava-se que fora Deméter quem trouxera os segredos da agricultura para o povo grego. Reverenciada como a Deusa do Grão, ela ensinou a humanidade a plantar e a cultivar as colheitas em vez de sair procurando alimentos na natureza, e assim ela efetivou a transformação da Grécia de uma civilização nômade em uma civilização agrária. Isso localiza as origens de Deméter no período de transição da cultura paleolítica para a neolítica, quando a descoberta da agricultura, a vivência do ciclo de lunação da Deusa (como vimos no Capítulo 3), levou ao desenvolvimento da civilização. Em um ritual apenas feminino, chamado Tesmofórias, mulheres casadas empoderavam as sementes para germinarem misturando-as com seu sangue menstrual. Esse ritual era celebrado no plantio do outono para expressar gratidão a essa deusa pela dádiva do abastecimento constante de comida.

Uma espiga de milho era erguida no ponto alto dos Ritos Eleusinos, o segundo presente de Deméter para a humanidade. Na época em que os Ritos Eleusinos eram formalmente praticados na Grécia, por volta de 1400 a.e.c., muitas pessoas já tinham sido influenciadas pela mentalidade patriarcal que negava o renascimento cíclico. Por 2 mil anos esses ritos preservaram os mistérios da Deusa Lua, nos quais toda a vida era interconectada e a morte era parte da vida. Os Mistérios Eleusinos foram abolidos e o templo foi destruído no século IV e.c., ao mesmo tempo que o Concílio de Niceia baniu a reencarnação, denunciando-a como heresia.

Os Mistérios Maiores e Menores

Existiam dois níveis de iniciação: os Mistérios Menores e os Maiores. No primeiro rito, chamado de *myesis*, os olhos dos iniciados eram fechados. No segundo rito, a *epopteia*, os iniciados tinham uma visão e se tornavam aqueles que "viram".

Os Mistérios Menores eram celebrados anualmente na primavera (o mês de Anthesterion, nosso fevereiro, e Candlemas no simbolismo da Roda do Ano*) em um santuário chamado Agra, perto do rio Ilissos. Eles eram

---

* Data definida pela Roda do Ano do Hemisfério Norte. (N. do T.)

celebrados em honra a Perséfone e serviam como preparação para o que viria depois. Após a purificação e a instrução, as cerimônias culminantes representavam o drama sagrado do estupro e do rapto de Perséfone para o submundo. A donzela, brincando pelos campos, foi tentada por Eros, Deus da Paixão Sexual, a inalar a inebriante fragrância do narciso, flor do desejo. Naquele momento, a terra subitamente se abriu em um buraco do qual saiu Plutão, em uma carruagem de fogo guiada por cavalos pretos relinchantes, capturando e sequestrando a moça. Em meio ao terror e aos gritos de Perséfone por socorro dirigidos à sua mãe, tudo mergulhou na escuridão.

Isso concluía os Mistérios Menores, com os neófitos simbolicamente passando com Perséfone para o submundo. O véu de *myesis* era colocado sobre seus olhos. Da tradição órfica veio um elemento adicional para os ritos, no qual Perséfone dava à luz um filho homem como resultado de seu rapto por Plutão. Essa criança era muitas vezes identificada com Dionísio, sobretudo nos períodos clássicos. Muitos comentaristas sugerem que o desenvolvimento dos temas sexuais é central para os Mistérios Menores.[10]

Os Mistérios Maiores, que aconteciam em Elêusis, no mês de Boedromion, nosso setembro, baseavam-se em cultos agrários anteriores que honravam o equinócio de outono. Eles duravam nove dias, em memória dos nove dias de andanças de Deméter procurando sua filha. Cada dia tinha seu nome e sua cerimônia especiais. Durante esse segundo nível de iniciação, a *epopteia*, os olhos dos participantes eram abertos por meio da revelação de uma experiência visionária.

No primeiro dia dos Mistérios, o décimo quarto dia do mês, uma grande procissão saía de Elêusis e marchava pelo Caminho Sagrado para Atenas, distante aproximadamente 22 quilômetros e meio. Ela incluía a Alta Sacerdotisa, o Hierofante (alto sacerdote), o Dadouchus (portador da tocha) e as sagradas sacerdotisas da Deusa, com a da frente carregando uma caixa de objetos sagrados sobre a cabeça. Os *hiera* (objetos sagrados) eram depositados no Eleusinion, o santuário de Deméter, na Ágora, em Atenas.

O dia seguinte, o décimo quinto do mês, *Agyromus*, era considerado o primeiro dia oficial dos Mistérios. Oficiantes liam em voz alta uma proclamação convocatória que reiterava as qualificações necessárias. Os iniciados, vestidos em túnicas de puro branco, separavam-se do resto da multidão e inclinavam a cabeça para receber a bênção divina da luz da Deusa.

No dia seguinte, um grito era ouvido pela manhã: *Halade mystai* ("Vão para o mar, iniciados"). Uma procissão era formada e todos se dirigiam ao Phaleron para purificarem-se no Mar Egeu, que ficava próximo. Cada participante levava um leitão sacrificial com o qual ele ou ela tomavam o banho de purificação. O leitão era, então, sacrificado e seu corpo, enterrado em covas fundas como uma oferenda às deidades do submundo. O sangue de um leitão era considerado o mais puro dentre o de todos os animais e ele tinha o poder de limpar a alma do ódio e do mal, separando ritualisticamente o iniciado da sua vida profana anterior. Como animal sagrado de Deméter, o leitão era ligado aos cultos dos mortos.

O quarto dia dos ritos, o décimo sétimo de Boedromion, *Hiereia devro* ("Aproximem-se as vítimas"), era destinado a preces e sacrifícios adicionais. No dia seguinte, acontecia a *Asclepia*, uma celebração especial para Asclépio, o Deus da Cura, que também tinha ido para o submundo. Esse dia ainda afirmava a antiga prática de permitir que importantes figuras públicas entrassem atrasadas nos ritos, como o próprio Asclépio já teria feito.

Então, na manhã do décimo nono dia do mês, *Iacchus* ou *Pompe* ("Procissão"), os iniciados se reuniam para começar a procissão de 22 quilômetros e meio pelo Caminho Sagrado para Elêusis. Esse dia marcava o início do rito de segredo. Os iniciados eram coroados com grinaldas de murta e carregavam ramos entrelaçados chamados *bacchus*, símbolo da morte da vida velha e do nascimento da nova. Uma estátua de madeira de Iaco (Dionísio/Baco), o menino-deus cujo nascimento seria o evento culminante nos ritos secretos, era carregada na frente. Os celebrantes alegremente cantavam seu nome em uma visão de sua salvação. A longa jornada era pontuada com muitas cerimônias de homenagem ao longo do caminho, como ao pé da figueira sagrada, com danças, cantos e oferendas.

Na ponte sobre o rio Kefisos, a procissão era entretida por uma exibição humorística de anedotas sexuais chamadas "gracejos da ponte". Esses gracejos eram reminiscentes da gargalhada de Baubo, a Deusa do Ventre, que levantou as saias e expôs sua vulva em uma tentativa de animar o espírito triste de Deméter em prantos. Os Eleusinos, cobertos por lençóis, começavam a zombar e a insultar os iniciados, mesmo as mais importantes autoridades, revelando segredos e verdades humilhantes sobre cada pessoa, que ouvia o abuso sem poder responder. Assim exposto, o velho eu literalmente morria de vergonha.

A procissão chegava a Elêusis ao cair da noite. Embora todos estivessem cansados, com fome e cobertos de poeira, celebravam a noite toda, com as tochas acesas, festivais de dança e canto para honrar a donzela Perséfone e sua sagrada mãe, Deméter. Uma grande pista de dança cercava o Poço de Callichoron. Nesse lugar, de acordo com o mito, a Deusa refrescou seus lábios sedentos ao término de suas desesperadas peregrinações. Adoráveis donzelas eleusinas encenavam, com movimentos ritualísticos, a chegada de Deméter a Elêusis depois de nove dias de buscas infrutíferas por sua filha.

O ápice dos ritos ocorria no vigésimo e no vigésimo primeiro dias do mês, *Mysteriotides nychtes*, as Noites dos Mistérios. O núcleo principal dos mistérios ocorria nas duas noites seguintes, dentro do Telesterion. Pouco é conhecido definitivamente sobre esses ritos porque os iniciados eram impedidos, por juramento e sob pena de morte, de revelar qualquer coisa do que tivessem visto. Por escritos antigos, fica claro que algo era visto dentro do santuário e que essa visão constituía a essência do Mistério.

Antes de entrar no Telesterion, eram feitos mais sacrifícios e oferendas de pão perto da Caverna de Hades, no Distrito de Plutão. Na entrada dessa caverna havia um *omphalos*, o umbigo do mundo, que marcava a transição do mundo da luz para o mundo da escuridão. Esse momento e esse local marcavam a descida de Perséfone para o submundo. De um cálice especial os iniciados recebiam uma bebida chamada *kykeion*, feita de farinha de cevada e hortelã. Um estudo recente sugere que o aperitivo de cevada continha um fungo alucinógeno que crescia nos grãos e induzia visões.[11]

Os iniciados eram preparados para uma revelação sagrada por meio do jejum, da longa marcha diária para Elêusis e do consumo da cerveja *kykeion*. As palavras que eles deveriam proferir antes de entrarem no templo eram: "Eu jejuei; eu bebi o coquetel".[12] Os Mistérios Menores terminavam com os gritos de Perséfone por socorro enquanto os místicos simbolicamente passavam com ela para a escuridão do submundo. Agora, os Mistérios Maiores retomavam o fio da estória no escuro Telesterion. Lá, em um estado de expectativa hipersensível, os iniciados começavam a atravessar o reino da morte.

O que acontecia lá provocava medo e terror, de acordo com Clemente de Alexandria, que chamava os acontecimentos no Telesterion de um "drama místico": "O templo tremeu; visões aterrorizantes e espectros apavorantes mostravam o horror de Hades e o destino que esperava o homem mau".[13] Os iniciados experimentavam os sintomas físicos do medo – náusea, tremor e suor frio. Phasmata, medonhas aparições de espíritos, apareciam por toda a sala da iniciação e deixavam os participantes em um estado contínuo de angústia e terror.

Depois desse terrível espectro da morte, eles eram inundados por uma agradável e doce luz, apaziguadora para os espíritos e anunciadora da vinda da Deusa. Todos sentiam como se ele ou ela tivessem retornado do Hades ou renascido. A cena final era a de Triptólemo partindo em sua longa jornada para ensinar os povos da terra os segredos da agricultura e do cultivo das lavouras. A cerimônia terminava com as palavras *Pax konx*, cujo provável significado é: "Que seus desejos possam ser realizados".[14]

A noite do vigésimo primeiro era a *epopteia*, o mais elevado estágio dos Mistérios. Apenas aqueles que haviam sido iniciados no ano anterior podiam participar. Os ritos se desdobravam em três formas: coisas ditas (*legomena*), coisas realizadas (*dromena*) e coisas reveladas (*deiknymena*). Existem referências a um casamento sagrado no trono do submundo entre Zeus e Deméter, ou, alternativamente, entre Hades e Perséfone, que era encenado pelo Hierofante e a Suma Sacerdotisa nos papéis de Deus e Deusa. O clímax das cerimônias ocorria em algum ponto da noite em meio a címbalos batendo e uma grande explosão de luz de fogo ardente, quando uma voz de trovão gritava um brado: "A grande deusa produziu uma criança sagrada: Brimo produziu Brimos".[15] A própria rainha dos mortos deu à luz em chamas um poderoso filho.[16] O nascimento dessa criança divina, também conhecida como Iaco (Baco/Dionísio), simbolizava o conhecimento de que da morte surgia a vida renovada.

Durante essas cerimônias, os conteúdos sagrados das cestas eram mostrados e os iniciados seguravam e sentiam os objetos sagrados. "Eu o tirei da *cista* (pequeno baú), trabalhei com ele e então o coloquei na cesta e o tirei da cesta para a *cista*."[17] Robert Graves sugere que os objetos eram um símbolo do coito e talvez os iniciados encenassem o implante da semente da vida dentro da fértil Deusa da Terra.[18] Algumas fontes acreditavam que os objetos sagrados na *cista* eram vários tipos de bolos, uma serpente, romãs, folhas e caules, papoulas e um modelo dos genitais da mulher.[19]

Em uma revelação final, suprema, o Hierofante silenciosamente mostrava uma espiga de milho cortada. Nesse momento impressionante, os iniciados compreendiam que a semente de cereais continha o segredo da vida em suas formas visíveis e invisíveis. Eles gritavam seus agradecimentos, olhando para o céu com o canto: *Ye* (chuva), aclamando Zeus como o Deus do Céu; e então, olhando para a terra, cantavam: *Kye* (dê à luz) para Deméter, Deusa da Terra, por sua dádiva do grão que nutre a humanidade. Esse canto invocava o céu a dar chuva e a terra a ser fértil. Essa fórmula, que também é traduzida como "flua e conceba", poderia ter sido conectada com a consumação ritual do Casamento Sagrado e a fecundação da Mãe Natureza.

Em seguida, os iniciados saíam do grande salão e entravam na escuridão, guiados pela luz de uma tocha e se reuniam em um prado próximo a fim de cantarem, dançarem e festejarem. Essa experiência, que tinha aberto seus olhos para um novo modo de ver e para sua renovação, os libertava de suas antigas vidas de escuridão.

O último dia dos Mistérios, no vigésimo segundo do mês, *Plymochoai*, era dedicado a relembrar os mortos. Os iniciados purificados honravam os mortos com libações e vasos especiais eram preenchidos com uma doce bebida desconhecida. Ela era derramada ao leste e ao oeste para refletir a unção da terra nas direções do nascimento e da morte.

A natureza dos Mistérios era uma experiência essencialmente emocional que dava aos iniciados esperança para o futuro. George E. Mylonas, um especialista nos Mistérios, conclui:

Qualquer que fosse o conteúdo e o significado dos Mistérios, permanece o fato de que o culto de Elêusis satisfazia os mais sinceros anseios e mais profundos desejos do coração humano. Os iniciados voltavam da sua peregrinação a Elêusis cheios de alegria e felicidade, com menos medo da morte e uma esperança fortalecida de uma vida melhor no mundo das sombras.[20]

Mesmo assim, com o crescente poder do cristianismo, os Mistérios foram finalmente banidos pelo imperador bizantino Teodósio porque eles conflitavam com as visões cristãs sobre o destino da alma após a morte. Por fim, Alarico, rei dos Godos, invadiu a Grécia em 396 E.C. e destruiu completamente o santuário de Elêusis.

Comentário sobre os Mistérios

Belo, sem dúvida, é o Mistério dado a nós pelos abençoados deuses:
A morte não é mais para os mortais um mal, mas uma bênção.
– Inscrição encontrada em Elêusis[21]

O segredo dos Ritos Eleusinianos permanece um mistério. Pela sua própria natureza, ritual não é algo que possa ser comunicado em palavras. É essencialmente uma experiência emocional, não um discurso intelectual. Ao proporcionar esse tipo de vivência, o ritual faz para muitas pessoas o que não pode ser feito por meio de questionamentos filosóficos ou devoção. A culminante *epopteia* era uma visão que resultava em um estado de "ter visto". E por isso todas as tentativas modernas de decodificar o significado dos Mistérios inevitavelmente ficarão aquém de seu objetivo, pois o significado transcende a capacidade do que a nossa consciência clara e a mente racional possam compreender. Mas nós podemos tentar apontar para o que a natureza dos Mistérios pode sugerir, na esperança de estimular o inconsciente obscurecido, que tem o poder de se aproximar da maravilha do incompreensível.

A Grande Deusa Lua brilhando nos céus da noite deu aos povos primevos as primeiras noções sobre o mistério do nascimento, da morte e do renascimento. Acreditava-se que a lua era a fonte de fertilidade que acelerava a vida na semente adormecida e que os primeiros ciclos da agricultura eram baseados em um calendário anual que refletia o ritmo das lunações. A Tesmofória e a Eleusínia têm suas raízes nos primeiros ritos agrários, cujo propósito era promover a fertilidade do grão depositado na terra. Honrando a Deusa que lhes revelou o segredo da agricultura, eles esperavam obter suas bênçãos contínuas de abundância das safras.

Ritos agrários da Grécia pré-helênica que antecederam os Mistérios Eleusinos também eram celebrados anualmente na época da semeadura do outono. Essas cerimônias celebravam a ocasião de trazer à tona o milho dos silos subterrâneos, onde ele havia sido armazenado depois da debulha de junho. O grão era, então, plantado na terra e renascia para simbolizar uma nova vida além-túmulo. A terra era tanto a revitalizadora das plantações quanto o depósito de seus mortos. Deméter, a Deusa do Grão, era também a Deusa dos Mortos, que eram chamados *demetreioi*.

Enquanto as fases da lua forneciam o protótipo para o padrão na sua globalidade, era na terra que os povos antigos vivenciavam diretamente o mistério da renovação dos grãos. Desse modo, o ciclo das fases da lua marcava os ciclos sazonais e ambos os ciclos, lunar e agrícola, tornaram-se vinculados com a ideia de renovação. Os ritos da Deusa da Agricultura, que regia a morte e o renascimento da semente, depois se desenvolveu nos ritos de morte e renascimento da alma humana. Os Mistérios Eleusinos não eram apenas sobre a renovação da fertilidade agrícola. A agricultura era a linguagem simbólica dos Mistérios; mas o que ela indica é o mistério maior da própria vida, um mistério que é, em última análise, expresso na imagética agrária feminina.[22]

Expandindo-se a partir da sabedoria que vem de observar a natureza, a consciência dos povos evoluiu de celebrar os ciclos sazonais de crescimento e decadência da terra para a formulação de ritos que se dirigiam aos seus medos a respeito de seu próprio nascimento, morte e ressurreição. Eles intuíram que o grande mistério da vida reside na morte. Joseph Henderson escreve que, onde quer que encontremos o tema da morte, seja em mitos recorrentes ou em sonhos modernos, ele raramente está sozinho. A morte é universalmente considerada como sendo parte de um tema envolvendo morte e renascimento ou morte e ressurreição. Nesses mitos, também existem fartas evidências de outro tema, o da iniciação. "A iniciação provê o padrão arquetípico pelo qual a psique, quer em indivíduos ou em grupos de pessoas, seja capaz de fazer uma transição de um estágio de desenvolvimento para outro, trazendo a questão da morte e do renascimento para uma relação estreita com problemas de educação em um sentido religioso ou laico."[23]

A lenda de Deméter e Perséfone, ritualizada como os Ritos de Mistérios Eleusinos, encarna os pensamentos da humanidade sobre nascer e morrer. Eles antecipam a Páscoa (na qual a vida e a morte coexistem) e o Natal (a época do renascimento anual e da esperança).[24] Medo da morte é basicamente medo do desconhecido. Os Mistérios Eleusinos eram um dos principais ritos de iniciação do mundo antigo, por meio dos quais as pessoas ganhavam uma vivência que os capacitaria para superar seu medo da morte. Tanto sazonais quanto pessoais, os Mistérios eram rituais de morte e renascimento. Assim como a semente morria esperando a germinação, o iniciado morria para o seu velho eu; e como a semente germinando, a nova alma renascia na companhia daqueles que haviam partido antes, os *epoptai*.[25]

No âmbito do drama arquetípico de perda e retorno, os Mistérios Eleusinos, em sua totalidade, levavam os iniciados pela estória de Deméter e Perséfone. Primeiro, a estória da Deusa era contada; e então, nos Mistérios Menores, os participantes gradativamente identificavam-se com a ação. Por fim, os Mistérios Maiores conduziam os iniciados a uma visão e a uma compreensão de que o grande drama mítico acontecia dentro deles mesmos. Na moderna psique, o medo da morte está relacionado ao medo da mudança. Nesse antigo rito de iniciação, podemos encontrar uma metáfora contemporânea para o ciclo psicológico de separação, perda, iniciação e retorno que marca os estágios psíquicos de transformação pelo qual vivenciamos uma morte do velho eu e um renascimento do novo.

A maioria dos ritos de iniciação que facilitam a transição do velho para o novo envolve estágios de purificação, procissão pelo labirinto, sacrifício, isolamento na escuridão e uma epifania final na luz.²⁶ Os iniciados Eleusinos jejuavam e se purificavam no mar, sacrificavam o animal sagrado de Deméter, o leitão, e o ofereciam às deidades do submundo; e faziam a sinuosa e tortuosa jornada partindo de Atenas. Era, entretanto, no isolamento da escuridão dentro do Telesterion que a visão miraculosa ocorria. A maioria dos pesquisadores concorda agora que os participantes não viam uma peça de teatro; e os arqueólogos não descobriram nenhuma câmara secreta ou passagens subterrâneas no Telesterion. O mistério reside no que era visto. Nessa iniciação sem palavras, por meio da visão e da intuição imediatas, os participantes subitamente compreendiam uma grande verdade.

Existe uma certa confusão dentre os estudiosos modernos sobre o que, especificamente, possibilitava que os muitos milhares de participantes ao longo dos séculos tivessem uma previsível experiência visionária. Wasson, Ruck e Hofmann propõem que a cerveja *kykeion* que os iniciados bebiam antes de entrar no Telesterion continha um fungo alucinógeno que provocava essa jornada psicodélica. Na Figura 8.1, uma estela* do século V A.E.C. em Pharsalus, Grécia, Deméter e Perséfone são mostradas oferecendo um cogumelo uma a outra. Nas tradições de mistérios antigos, não é incomum encontrar referências ao compartilhamento de substâncias naturais como a bebida *soma* na Índia ou as folhas de louro mastigadas pelas sacerdotisas délficas que produziam estados xamânicos de êxtase permitindo a comunicação com as deidades. É por meio do processo de desintegração psíquica de nossos limites normais de consciência racional que podemos efetuar a descida para a vivência da morte-renascimento. Dessa perspectiva, os Mistérios Eleusinos podem ser interpretados como uma visão xamânica que era induzida por substâncias alucinógenas.

Os iniciados entravam no Telesterion na primeira noite dos mistérios e, ao atravessarem a escuridão, embarcavam em uma jornada pelo submundo. O estágio inicial da passagem para a morte era dominado pela

---

* A palavra "estela" provém do termo grego *stela*, que significa "pedra erguida" ou "alçada". A palavra entrou para o vocabulário comum da arquitetura e da arqueologia designando objetos em pedra individuais, ou seja, monolíticos, nos quais eram feitas esculturas em relevo ou inscritos textos. Fonte: pt.wikipedia.org. (N. do T.)

phasmata, as assustadoras aparições e os espíritos, que faziam com que os iniciados ficassem fisicamente doentes como um resultado do seu terror avassalador. Essas imagens coléricas eram similares àquelas descritas no *Livro Tibetano dos Mortos* e no *Livro Egípcio dos Mortos*, em que, após a morte, a consciência atravessa um corredor de visões assustadoras.

De uma perspectiva psicológica, essas visões, como a *phasmata*, emergem de dentro de nossa própria mente. Elas são as projeções de nossos padrões de pensamento negativos, como raiva, ódio, ganância, ciúme e ignorância, que nos empurram para os delitos. Na tradição budista, para que a consciência passe para o mundo espiritual, ela deve primeiro reconhecer esses fenômenos assustadores como emanações da própria mente, não possuindo nenhuma realidade inerente e, portanto, nenhum poder externo sobre nós.

No filme *Linha Mortal (Flatliners)*, dos anos 1990, um grupo de estudantes de medicina realiza um experimento em que eles induzem quimicamente uns aos outros a um estado de morte por alguns minutos e depois trazem a pessoa de volta à vida. A memória da experiência com a morte inclui um encontro com alguém com quem eles tinham errado no passado. Então o "espírito" daquela pessoa passa a assombrá-los; e apenas por meio da expiação e do pedido de perdão eles podem se libertar desse estado de possessão demoníaca. Os Ritos Eleusinos possibilitavam aos iniciados, enquanto em vida, atravessar esse primeiro estágio da morte, em que eles se encontram com as imagens de seus próprios erros. Depois de atravessar esse estágio assustador, eles eram por fim impregnados em uma agradável, doce e clara luz que os acalmava, curava e os deixava seguros.

A primeira noite dos Mistérios levava o iniciado pelo corredor da morte; mas a segunda e ainda mais impressionante noite revelava os segredos do renascimento. Fragmentos históricos sugerem que ocorresse um Casamento Sagrado, no qual os representantes do Deus e da Deusa praticavam o intercurso sexual. O momento mais dramático do ritual ocorria nesse ponto em meio ao ressoar de címbalos e grandes explosões de luz. Os iniciados, em uma visão beatífica, contemplavam a Rainha dos Mortos dando à luz no fogo a uma divina criança que era concebida no submundo.

Era esse acontecimento incrível que tornava a esperança possível; a compreensão de que da morte vem a nova vida. A morte nada mais é do que o útero da concepção e o portal para o renascimento. A Rainha da Morte teve um filho com o Senhor da Morte; e, no ato, o destruidor dela era visto simultaneamente como o seu renovador e o da humanidade. Os iniciados chegavam a um entendimento de que depois de passar pelo assustador espectro do corredor da morte e para dentro da penetrante e suave luz, o próximo estágio da jornada no submundo os levava a ser concebidos no abraço sexual de seus futuros pais. Karl Kerényi propõe que a mensagem para os iniciados era de que as piras funerárias eram os veículos do nascimento mais do que da morte.[27] Valendo-se do dom do humor a fim de levantar os espíritos, Baubo ergueu suas saias expondo sua vulva para lembrar a enlutada Deméter dessa grande verdade.

A suprema revelação ocorria quando o Hierofante silenciosamente erguia uma espiga de milho cortada. A experiência iniciatória era destilada no segredo do grão que sintetizava a continuidade da vida em suas formas visíveis e invisíveis. No simbolismo do grão das duas deusas, Deméter representava a terra fértil que alimenta o desenvolvimento da safra, o grão maduro da colheita no mundo superior. Perséfone representava o gérmen do grão, que é enterrado no mundo inferior durante os áridos meses de inverno e depois emerge como a jovem vegetação da primavera. O crescimento do grão para a utilização é o símbolo Eleusino do renascimento. A colheita é a criança concebida no outro mundo.[28] A imagem de Perséfone ressurgindo anualmente na primavera como a semente germinando dava às pessoas a promessa da sua própria renovação e sua regeneração.

Em pinturas de vasos retratando o retorno de Perséfone para o mundo superior, ela é com frequência mostrada em meio a plantas e carregando uma criança. Como Rainha do Submundo, Perséfone recebia os mortos durante a escura estação do inverno de suas vidas e depois os preparava para o renascimento. Quando ela retornava ao mundo superior na primavera, ela emergia como Kore, a donzela, carregando a recém-nascida essência vital do antigo eu de uma pessoa. A volta de Perséfone para sua mãe com sua criança divina concebida e nascida no submundo dava uma perspectiva de vida após a morte. No momento da reunião delas, os iniciados sentiam-se libertados dos seus medos da escuridão da morte ao serem também renascidos para a luz.

Ao permitir que sua única filha amada fosse para o mundo dos mortos, ano após ano, Deméter mostra à humanidade sua fé na certeza do futuro retorno de sua filha. O drama mítico de Deméter da separação, da perda e da reunião com a sua criança torna-se um símbolo da continuidade da vida que circula e conecta o mundo dos vivos ao mundo dos mortos. O tema básico dos Mistérios era a eterna chegada da vida pela morte; a celebração repetida desses mistérios dava continuidade a esse evento cósmico.[29]

As duas deusas que presidem os ritos da renovação cíclica da terra, Deméter e Perséfone, refletem as fases de luz e escuridão da Deusa Lua. A face iluminada e visível da lua cheia da Deusa é Deméter, que acima da terra concede a dádiva do alimento para nutrir os vivos. A invisível face de lua negra da Deusa é Perséfone, que, sob a terra, dá o presente da renovação para regenerar os mortos. Sêneca escreveu: "Existem coisas sagradas que não são comunicadas todas de uma vez: Elêusis sempre reserva algo para mostrar àqueles que retornam".[30]

Os Mistérios da Lua Negra entre Mãe e Filha

Não podemos concluir o capítulo sem uma discussão sobre Perséfone, Rainha do Submundo, como uma Deusa da Lua Negra; e a respeito do relacionamento entre Deméter e Perséfone como a base para o mistério de renovação entre mãe e filha. Seu drama de separação, perda e reunião reside no cerne das relações mais fundamentais de uma mulher: seu papel como filha de sua mãe e seu papel como a mãe de uma filha. Quando a inevitável separação ocorre entre elas, o que é uma parte intrínseca e necessária do seu processo, isso desestrutura suas vidas. Mãe e filha estão ambas imersas na escuridão do medo e do terror, lamentando a perda da pessoa amada.

Entrar na personagem de Deméter significa "ser perseguida, ser roubada, estuprada, falhar em entender, sentir raiva e chorar, mas depois reaver tudo e nascer de novo".[31] A estória de Deméter, como mãe, é a do amor pela criança, do sofrimento inconsolável pela perda de sua filha e da alegria por sua volta. A estória de Perséfone, como filha, é a do terror por seu rapto e seu desamparo, encontrando as profundezas de si mesma na escuridão, e de fazer a mediação entre sua mãe e seu marido. A estória de todas as mães e filhas é a de seus distanciamentos e reaproximações.

A mãe dá à luz uma bebê menina, que ela nutre com seu amor. Ela vê o significado da sua vida se desdobrar com o crescimento de sua bela filha. Ela é sempre vigilante, temendo pela segurança de sua criança, e sobretudo pela violação sexual da filha. A filha inicialmente desfruta da segurança e do aconchego do abraço protetor de sua mãe; mas, quando ela "atinge certa idade", em geral briga com a mãe, a quem ela vê estar tentando limitar e controlar sua vida. A agora florescente moça anseia por experimentar os mistérios da sexualidade, mas seus desejos crescentes de mulher só servem para provocar ainda mais o terror da mãe e a subsequente restrição à sua liberdade.

A mãe reza para que a primeira iniciação sexual da filha não aconteça de forma prematura nem seja violenta, insensível ou degradante. Se ela ocorrer fora do casamento, ela espera que a filha não seja rotulada ou marginalizada pela sociedade, nem fique sozinha, rejeitada e grávida. Depois do primeiro encontro sexual de uma jovem, ela perde sua inocência e nunca mais poderá ser exclusivamente a *kore* de sua mãe, a pura e intocada menina.

Em algum momento no padrão arquetípico, a jovem deve ser separada da mãe. A filha pode deixar a mãe ao ir para uma escola, morar sozinha ou se casar. Ou pode ser uma súbita e violenta separação, em que depois de brigas sérias e palavras rancorosas a filha, com raiva, foge de casa, cortando todo o contato. Ela pode fugir com um namorado ou ser levada por um marido furioso na forma do sombrio amante-demônio Hades (Plutão). A mãe também pode perder a filha para a morte, um sequestro ou divórcio, em que a custódia passe para outra pessoa.

No momento em que nós, como mães, passamos pela perda de nossa criança, em geral isso se parece com um rapto e entramos na fase de lua negra do mistério. Christine Downing pergunta: "Quanto da maternidade é perda?".[32] Deméter como mãe aflita vive a perda de sua filha como a perda de si mesma. Nós, a princípio, ficamos em pânico quanto ao bem-estar de nossa filha, apresentando sintomas físicos de angústia da mesma forma que a própria Deméter não conseguiu comer, dormir ou tomar banho durante os nove dias de sua busca frenética por sua criança perdida.

Para uma mãe, abrir mão de sua criança é mais do que ela pode suportar, ainda que ela deva fazer isso. Sua desesperança se transforma em um sofrimento imenso que deprime seu espírito vital. Ela se sente vazia, desprovida de propósito; buracos aparecem em sua vida, que certa vez já foi preenchida com as risadas e atividades de sua filha. Paralisada pela depressão, ela pode ficar tão derrotada pela tristeza que nada mais importa. Ela não consegue lidar com suas responsabilidades e permite que sua vida desmorone. Tanto a estória de Deméter quanto o trabalho sobre sofrimento de Elizabeth Kübler-Ross falam sobre o valor redentor da raiva, por meio da qual podemos acessar as reservas mais profundas de nossa força a fim de atravessar o muro da depressão e, mais uma vez, recomeçar uma vida produtiva.

A perda de sua filha sinaliza para a mãe a perda de sua identidade com a natureza de lua cheia do seu ser. A angústia do ninho vazio é a iniciação da mãe na fase de lua negra de sua vida, em que ela deve fazer agora a transição da mãe para a anciã. É um tempo de grande mudança na vida da mulher, em que ela é desafiada a usar suas energias nutridoras para parir e nutrir os filhos mentais e espirituais de sua vida interior.

Perséfone também vivencia o terror do desamparo quando é violentamente arrancada para longe dos cuidados amorosos e da proteção de sua mãe. Quando as filhas passam pela situação de serem as mães a terem que deixá-las sozinhas e desprotegidas, elas têm um tipo diferente de jornada sombria para trilhar do que se fossem elas que estivessem abandonando as mães. A filha também pode perder a mãe para a morte, para um vício em álcool ou drogas ou para uma doença debilitante. Uma criança pode ser dada para adoção ou para ser cuidada por outra pessoa, ou levada embora por causa de um divórcio. Uma filha pode sentir sua mãe desistindo dela emocional ou psicologicamente se ela é negligenciada ou espancada ou com a chegada de um novo padrasto. E a traição emocional mais devastadora que uma filha pode passar é quando sua mãe não a protege de abusos físicos ou sexuais por parte de outros membros da família.

O que acontece com crianças Perséfone (meninos ou meninas) que estavam crescendo quando perderam a mãe de maneira prematura em uma devastadora separação física ou psicológica, e sua mãe não está mais lá para cuidar delas? A descida para a escuridão em uma idade tão prematura pode deixar marcas para a vida toda. O trauma de serem abandonadas em um submundo predispõe as crianças a se sentirem totalmente despreparadas para enfrentar, conforme estão crescendo, o que elas veem como confusões, incertezas e inseguranças da vida. Isso explica parte da depressão, o isolamento e a falta de amor-próprio e autoestima que as pessoas carregam quando Perséfone é um arquétipo ativo em suas vidas. Mas ainda assim, no nível arquetípico, é exatamente essa descida que abre a pessoa para a riqueza do mundo interior e os segredos da renovação.

Pode ser tentador ver o rapto de Perséfone para o submundo como um ato de violação de uma jovem moça inocente, do qual ela se recuperará. Entretanto, fazer isso obscureceria o significado mais profundo desse evento. Ao perder a mãe, Perséfone encontra a si mesma. "Quando uma mulher é presa em uma identificação inconsciente com sua mãe, então ela tem que ser violentamente tirada dessa identidade antes de conseguir encontrar sua própria individualidade"; esse é o significado do rapto de Perséfone para o submundo.[33] Isso não significa sugerir que o estupro físico seja sempre um método aceitável de provocar o crescimento da consciência. Isso se refere mais a um estado de violação psicológica – uma ação chocante que abala as formas de apegos da pessoa a dependências infantis e a mergulha na descida escura do processo de individuação.

Quando uma jovem é iniciada nos mistérios do sexo, a donzela inocente morre ao sentir a profundidade e a intensidade de sua vida emocional. Se tiver sido ensinada a temer e a reprimir sua sexualidade, ela pode ter que projetar inconscientemente a imagem do amante-demônio sombrio que vai arrebatá-la, levá-la embora contra a sua vontade, para encontrar o êxtase nos braços de seu amado. Uma mulher anseia por entrar em contato com as profundezas de sua paixão, mas essa jornada ao cerne de sua sexualidade pode parecer um rapto porque ela raramente se sente inteira e confiante o bastante para ir até lá por conta própria. Mas, uma vez que tenha sentido a intensidade da sua paixão sexual, a donzela transformada em mulher não fica mais focada em sair das suas profundezas emocionais e retornar para sua mãe. Perséfone engoliu as sementes de romã e entregou-se a Plutão como sua consorte e noiva. O medo e a raiva em relação a seu raptor transformam-se em amor e ela escolhe permanecer com ele.

A relação de Perséfone com Plutão assegura-lhe que por um período de cada ano ela pode reinar como Rainha do Submundo. O tempo que ela passa no reino subterrâneo permite que ela desenvolva seu poder, que vem do fato de ela ter penetrado os mistérios da escuridão e ter tocado a riqueza oculta do submundo. Como guia e iniciadora da alma dos mortos, Perséfone aprende a conversar com os espíritos e a conduzi-los ao renascimento. Nossa descida para o reino de Perséfone da mesma maneira nos dá uma oportunidade de sentir o terreno das dimensões inconscientes de nossa psique. Aqui podemos viajar pelo mundo interno, descobrir nossas capacidades psíquicas e desenvolver um relacionamento com as forças em nosso inconsciente. A passagem de lua negra de Perséfone, que começa com perda, terror, confusão e depressão, em última instância, a leva a descobrir nessas profundezas um novo senso de identidade. Só depois que é arrebatada, penetrada e fecundada pelo masculino criativo, a renovação e a nova vida podem ser concebidas pela natureza feminina. Assim ela promete nova vida psicológica para todos aqueles que atravessam seu reino subterrâneo.

Ao afirmar o poder de sua sexualidade, sua habilidade em comungar com as forças sombrias do inconsciente e ministrar para elas sua abundância de sensibilidade psíquica, Perséfone encontra sua força em sua identidade como mulher e como mediatriz. Ela nunca mais poderá voltar para sua mãe e reassumir seu antigo papel de inocência e dependência. Ela partiu como uma criança, mas agora volta como uma mulher que conhece a sexualidade, o poder psíquico, a separação e a morte. Ela se aproxima de sua mãe carregando um bebê, que simboliza seu nascimento para um novo senso de individualidade.

Tanto para mães quanto para filhas seu período de separação é muitas vezes cheio de culpa, remorso, recriminação, raiva, acusação e julgamento. Durante esses períodos, quando mães e filhas não podem compreender a vida uma da outra, elas se afastam cortando a comunicação e o contato. Acusações, sentimentos de mágoa, palavras de ódio, anos de negligência, amargura, ressentimento e quebras de confiança separam mães e filhas, deixando ambas suspensas em um prolongado intervalo de lua negra de seu relacionamento.

Uma filha pode lutar por toda a sua vida adulta tentando desembaraçar-se do poder emocional que ela sente que sua mãe continua a exercer sobre ela. Pode temer que um retorno para sua mãe seja uma regressão e implique uma derrota em sua busca por autonomia e individualidade. Uma mãe que sente como se ela tivesse devotado os anos mais importantes de sua vida para cultivar o crescimento de sua filha pode abrigar profundos ressentimentos pela criança que se mostre indiferente, ingrata ou desrespeitosa quanto ao seu sacrifício. Ela pode ficar desanimada achando que todos os seus esforços foram em vão se a filha não abraçar seus valores e suas opiniões e pode desmerecer-se como um fracasso se a filha escolhe um estilo de vida que contradiga ou desafie suas crenças. Uma mãe também pode esconder inveja da sensualidade feminina florescente da filha e de um futuro de possibilidades enquanto ela começa a entrar nos anos da menopausa em sua vida.

Na estória arquetípica de Deméter e Perséfone, a jornada da filha por fim a leva de volta para sua mãe. Seu drama mítico acaba com elas em uma alegre reunião; uma esperança que jaz adormecida, às vezes não expressa e irrealizada, no coração de toda mãe e filha que se distanciaram. Perséfone chega do submundo carregando uma criança. É comum quando uma jovem mulher tem seu primeiro filho que ela possa retornar para sua mãe e curar as feridas da separação. Esta pode ser uma criança física do seu corpo ou uma criança psicológica de seu ser criativo que permite a ela se reaproximar da mãe com uma postura de mulher. No abraço delas, a cura começa: a filha pode começar a apreciar a mãe e a mãe pode reconhecer as forças da filha. A vegetação desabrochando na primavera é a celebração da reunião anual delas.

A donzela Perséfone agora tem sua própria criança e atravessou o limiar da maternidade. Deméter deve se afastar para assumir seu papel como avó. É importante para uma mulher curar as feridas do seu distanciamento da mãe. Se não puder, ela provavelmente vai transmitir o mesmo padrão disfuncional doloroso para a filha. "Toda mãe contém sua filha em si mesma, e toda filha contém sua mãe; toda mulher prolonga-se para trás em direção à sua mãe e para a frente em direção à sua filha."[34] O mito de Deméter e Perséfone ensina as mulheres que suas vidas são estendidas por gerações.

Deméter mostra às mulheres que ao se recusarem a aceitar a maturidade da filha e ao invalidar sua necessidade de um período de separação em que ela possa seguir seu próprio caminho, elas sem querer impedem que o crescimento ocorra. Assim como a própria Deméter, que em sua raiva e seu sofrimento, ao insistir no retorno da filha, causou o fim de toda a produção da lavoura sobre a terra. A sábia mãe compreende que a filha deve se entregar às forças do submundo para garantir uma estação de renovação. Sem o arrebatamento de Perséfone, Deméter, como a Mãe Terra, é estéril.

O movimento cíclico da filha em direção à mãe e depois a deixando para reunir-se ao seu marido ou *animus* criativo é o ritmo das mudanças do ciclo. E a donzela que agora é mãe deve, por sua vez, sacrificar a filha. Os ensinamentos iniciáticos de Deméter e Perséfone continuam a ser encenados na vida de mães e filhas, cujo relacionamento sagrado contém o mistério da renovação na escuridão.

Perséfone como uma Deusa da Lua Negra

Perséfone, filha abençoada do Grande Zeus, filha única
de Deméter, venha e aceite este gracioso sacrifício.
Muito honrada esposa de Plutão, discreta e doadora de vida,
Você comanda os portais do Hades nas entranhas da
    terra,
Praxidike,* de lindas tranças, pura flor de Deo,

---

* Deusa da punição judicial, a executora da vingança. (N. do T.)

>Mãe das fúrias, rainha do mundo inferior,
>A quem Zeus gerou em clandestina união.
>Mãe do rugido alto e Eubuleus* de muitas formas,
>Radiante e luminosa parceira de jogos das Estações,
>Augusta, onipotente, donzela rica em frutos,
>Brilhante e cornífera, só tu és adorada pelos mortais.
>Na primavera, tu te alegras nas brisas dos campos
>E tu mostras tua sagrada figura nos brotos e frutos verdes.
>Tu foste feita noiva de um raptor no outono,
>E só tu és vida e morte para os mortais laboriosos,
>Ó Perséfone, por tu sempre nutrir a todos e matá-los, também.
>Ouças, ó abençoada deusa, e mandes os frutos da terra.
>Tu que floresces em paz, em suave saúde,
>e em uma vida de plenitude que leva na barca os velhos no conforto
>Para o teu reino, Ó rainha, e para aquele do poderoso Plutão.
>– "Hino a Perséfone"[35]

Perséfone tem uma posição única como uma Deusa da Lua Negra. Ela é a Rainha dos Mortos, que guia as almas para o renascimento. Mas, diferentemente de outras deusas negras, a literatura mítica patriarcal não a demonizou em uma figura monstruosa de terror ou a imaginou como uma velha e feia bruxa. Ela permanece sempre jovem, quase congelada na qualidade de donzela de gelo da sua beleza cristalina. Perséfone é a personificação daquele ponto preciso no ciclo lunar quando a lua negra se torna a lua nova e a velha anciã renasce como a jovial donzela.

Na seção anterior, fizemos a seguinte pergunta: "O que acontece com a criança cuja vida foi influenciada pelo arquétipo de Perséfone? Nem sempre é um caminho fácil para uma pessoa ter Perséfone como uma musa

---

* Eubuleus é um deus conhecido principalmente pelas inscrições devocionais das religiões misteriosas. O nome aparece várias vezes no *corpus* das chamadas tábuas de ouro órficas, escritas de várias maneiras, com formas que incluem Euboulos, Eubouleos e Eubolos. Fonte: Wikipedia. (N. do T.)

primária. Ao mesmo tempo que ela promete a riqueza da vida interior, a estrada para os seus tesouros é normalmente uma iniciação pela tragédia. Perséfone encontra seu rito de passagem para o mundo subterrâneo quando ainda é uma jovem criança. Essa deusa costuma chegar cedo na vida de suas iniciadas, algumas vezes de formas violentas ou devastadoras, sacudindo-as para fora da sua inocência infantil. Ela pode vir camuflada nas vestes da morte ou na disfunção de um dos pais, na ruptura de uma família, no abuso sexual ou em uma doença ruim ou um acidente que deixe uma prolongada incapacidade. A criança imatura é subitamente confrontada com uma terrível situação de partir o coração que está além da capacidade emocional do menino ou da menina para lidar com ela.

Para uma criança sensível, com um ego frágil, o trauma que acompanha o sentimento de abandono ou da perda de um ambiente protetor e seguro deixa uma marca indelével. O mundo externo é visto como um lugar ameaçador, cheio de incerteza e terror; e a criança se sente forçada a recolher-se para o seu mundo interno. Ela aprende a encontrar um refúgio seguro retraindo-se para dentro de si e começa a chamar de "lar" o imenso vazio emocional deixado pela perda do amor e da segurança. A tragédia obriga a criança Perséfone a refugiar-se no mundo do faz de conta da vida interior, mas esse fato também leva a um encontro com as forças psíquicas do inconsciente.

Reclusas e altamente reservadas, as crianças Perséfone desenvolvem uma aura de mistério em torno delas ao crescer. Elas precisam com frequência de muito tempo sozinhas; é no seu isolamento que elas se reconectam com o útero de seu acalento infantil. Projetando uma qualidade efêmera, como se elas estivessem em algum outro lugar, elas encontram alívio e significado em um reino que não é reconhecido ou validado pela sociedade. Assim elas se sentem alienadas, inseguras de si mesmas e desejando ser invisíveis.

Elas são levadas a reentrar continuamente na escuridão do seu mundo privativo. Se tiverem sorte suficiente para descobrir a riqueza oculta do inconsciente, elas podem se beneficiar por entrar em contato com essa profunda reserva de poder desconhecido. Acessar a intuição, detectar os movimentos da psique, compreender o significado dos sonhos, comunicar-se com espíritos em esferas de outras dimensões, dialogar com as vozes da sombra, perseguir conhecimentos do passado e dos mistérios esotéricos e praticar uma meditação espiritual são alguns dos dons que Perséfone oferece a seus iniciados.

Mergulhando no reino do submundo por meio de um ato do destino, a pessoa guiada por Perséfone é aos poucos levada a encontrar uma vocação nas artes psíquicas, em cura alternativa, em trabalhar com a morte e o morrer e ajudar aqueles que sofreram muitas tragédias em suas vidas. Como psicoterapeutas e conselheiros eles são hábeis em facilitar a travessia das pessoas por crises de vida e morte, transformações psicológicas e renascimentos.

Entretanto, nem todas as crianças Perséfone são capazes de se mover facilmente por sua dor e exercer suas verdadeiras vocações. Como adultos, muitos continuam a se sentir vítimas indefesas de um trágico destino do qual eles nunca se recuperaram. Uma criança assustada e insegura que ainda é assombrada por demônios do sombrio submundo agora habita um corpo adulto. Aqueles que permanecem imobilizados pelo seu trauma e ainda não passaram pelo estágio do luto de sua perda primordial, em geral, relutam em penetrar os reinos escuros da psique.

Essas pessoas podem tentar adiar o confronto com o inconsciente anestesiando-se com um amplo espectro de comportamentos viciantes, incluindo drogas, álcool, sexo, trabalho, comida ou televisão. Para elas, o sombrio é uma batalha contra os demônios da depressão, da loucura, do desespero, das fantasias suicidas, da dissociação – uma luta na qual elas, inevitavelmente, são as perdedoras. Essas pessoas ficam presas no corredor da aterrorizante *phasmata*, o estágio inicial da passagem da morte.

Depois de um tempo, muitas crianças Perséfone que permanecem perdidas, assustadas e confusas começam a progredir na sua miséria. Elas passam a acreditar que não têm nenhum poder para mudar a tristeza e a inutilidade de suas vidas, que qualquer tentativa de fazer isso resultará em fracasso. A autoimagem se desenvolve ao redor de um núcleo de derrota, fracasso e impotência. Elas têm medo de se posicionar com receio de serem nocauteadas e relutam em se impor para que não sejam vencidas. Encontram sua segurança ao projetar uma personalidade passiva, inativa e descomprometida que é sujeita a agir de acordo com a vontade firme dos outros. Elas se beneficiam de sua impotência, sua vitimização e sua inocência.

Enquanto algumas das crianças Perséfone podem estar familiarizadas com os poderes do mundo interior, as que estão perdidas são totalmente desconectadas do poder no mundo exterior. As frágeis crianças adultas que emanam um brilho juvenil são com frequência atraídas por personalidades fortes que tomarão as decisões por elas, tomarão conta delas e preencherão todo o vazio, as lacunas de suas vidas. Elas pensam que desejam uma vida recatada sob as asas protetoras de um poderoso parceiro, progenitor, chefe ou qualquer figura de autoridade. Mas isso em geral se volta contra elas.

Sua passividade faz com que elas se desconectem de seu poder e fiquem vulneráveis a entregá-lo ou projetá-lo sobre os outros. Na medida em que temem seu próprio poder e sua vontade, elas atraem muitas vezes situações em que se tornam vítimas de dominação e abuso. O suposto protetor se torna o opressor e elas inevitavelmente se machucam.

Para a criança Perséfone adulta a questão do sexo é algo tão difícil de lidar quanto a questão do poder. A sexualidade é vista como uma violação, um estupro, uma dolorosa e indesejada invasão na sensibilidade do corpo e da psique. Intensos e íntimos encontros com outros mergulham essas pessoas na escuridão e na confusão de suas profundezas emocionais inconscientes. Não é incomum para essas pessoas sofrerem de uma compreensão reprimida em relação à própria sexualidade. Elas agem de modo a evitar a intimidade ou se contraem em frígida rigidez ou impotência quando a penetração sexual lhes é solicitada.

A vida fantasiosa inconsciente de um povo que reprime e rejeita seus desejos sexuais toma a forma da sombra do amante obscuro que violenta a inocência da pessoa contra sua vontade. Esse se torna o único modo aceitável de contatar as profundezas das paixões da pessoa. Esse é o tema principal da maioria dos "livros de romance", na vida real os finais não são tão felizes. A negação da sexualidade de uma pessoa quando projetada leva com frequência ao estupro, à violência sexual e à degradação. Isso resulta em um círculo vicioso no qual os piores medos da pessoa constantemente tornam-se reais e são reforçados.

É importante para as crianças Perséfone perdidas que continuam presas no submundo de suas dores da infância procurar ajuda terapêutica. Embora retirar-se da vida seja a defesa das pessoas sensíveis contra um mundo hostil, a realidade interior delas, um mundo inferior assombrado pela morte, pelo desespero e por espíritos assustadores, não é muito mais segura. É somente com um guia que seja familiarizado com o terreno da descida para a transição da morte que elas podem ser conduzidas pela passagem escura de sua renovação. O significado da vida interior vai atormentá-las até que elas possam lidar bem com os tesouros escondidos da escuridão. Sua busca é por obter o poder que vem da compreensão e do domínio do desconhecido.

Como uma Deusa da Lua Negra, Perséfone pode se tornar um arquétipo ativo em nossas vidas não apenas na infância, mas em qualquer idade em que passarmos por um trauma violento que leve a finais, perdas e transições. Ao realizarmos nossa descida para a escuridão, Perséfone nos aguarda no reino cinzento subliminar onde ficamos suspensas entre o fim de uma fase importante de nossa vida e o começo da próxima. Guia para o nosso inconsciente, ela nos leva a uma descoberta da nossa perspectiva de renovação nas vastas, profundas e silenciosas águas da psique subterrânea. A deusa Perséfone ungia os mortos e os iniciava nos ritos do renascimento. Seus mistérios atemporais continuam a ser encenados hoje dentro de cada uma de nós quando nos movemos por nossas transformações psicológicas na esperança de renascermos.

Perguntas do Diário

1. Como me sinto em relação à inevitabilidade da minha morte? Tenho sido capaz de viver a vida confiante em face da morte ou a encaro com medo e apreensão? Alguma vez já fui exposta a quaisquer rituais ou ensinamentos que me mostraram o que esperar e como transitar melhor pela passagem da morte?

2. Se sou uma progenitora, eu já senti a perda física ou emocional de uma criança ou ente querido? Em caso afirmativo, posso reconhecer minhas

reações de pânico, raiva, luto e depressão na mitologia de Deméter? De que maneiras recebo o eventual retorno, de uma forma similar ou diferente, daquilo que eu perdi?

3. À medida que fui crescendo, de que maneiras eu vivenciei uma luta por poder com minha mãe quando tentei obter mais liberdade e autonomia, sobretudo na área de relacionamento com o sexo oposto? Eu senti que ela não me compreendia ou confiava em mim? Como uma progenitora, que medos e preocupações eu tive quando minha filha "chegou na idade", mostrando os sinais de desenvolvimento e interesse sexual? De que maneiras eu tentei protegê-la? Como reagi à resistência dela aos meus valores e regras?

4. Essa disputa por poder entre mãe e filha resultou em um distanciamento? Nós fomos capazes de nos reconectar? De que formas eu havia mudado quando finalmente fui capaz de me reunir com minha mãe ou filha?

5. Passei por algum evento trágico na minha infância que me levou à perda da segurança física ou emocional na vida? Eu me senti abandonada ou desprotegida pela minha mãe? Reagi me retraindo e sobrevivi criando uma vida fantasiosa? Eu consigo ver como esse processo me deu a oportunidade de me tornar mais sensível às sutilezas do mundo interior? Fui capaz de concretizar minhas habilidades psíquicas ou empáticas latentes ou eu tentei me dissociar da dor da minha vida pregressa por meio de padrões de comportamento ou substâncias viciantes?

Notas

1. Dion Fortune, *Moon Magic* (San Francisco: Throsons, 1990).
2. Eleanor Gadon, *The Once and Future Goddess* (San Francisco: Harper & Row, 1989), p. 149.
3. Os Mistérios Eleusinos de Deméter foram uma dentre várias religiões de mistério no antigo Mediterrâneo e no Oriente Médio. Cultos de mistério também foram associados com Cibele, Dionísio, Hermes-Thoth, Ísis, Mitra, Orfeu e Os Cabeiri--Discuri da Samotrácia.

4. Karl Kerényi, *Eleusis: An Archetypal Image of Mother and Daughter*, traduzido por Ralph Manheim (Nova York: Schocken Books, 1977), p. 15.
5. *Ibid.*, p. 14.
6. Nor Hall, *The Moon and the Virgin* (Nova York: Harper & Row, 1980), p. 85.
7. *The Homeric Hymns*, traduzido por Charles Boer (Irving: Spring Publications, 1979), p. 133.
8. Charlene Spretnak, *Lost Goddesses of Early Greece* (Berkeley: Moon Books, 1978), pp. 103-10.
9. Jane Ellen Harrison, *Religion in Ancient Greece* (Londres: Archibald Constable and Co., 1905), p. 51.
10. Richard Gelhard, *The Traveler's Key to Ancient Greece* (Nova York: Knopf, 1989), p. 237.
11. Gordon Wasson, Carl Ruck e Albert Hofmann, *The Road to Eleusis* (Nova York: Harcourt Brace Jovanovich, 1978).
12. Clemente de Alexandria, *Exhortation to the Greeks*, 2.21, em Karl Kerényi, "Kore", em *Essays on a Science of Mythology*, traduzido por R. F. C. Hull (Princeton: Princeton University Press, 1973), p. 138.
13. Katherine G. Kanta, *Eleusis*, traduzido por W. W. Phelps (Atenas: Traveler's, 1979), p. 15.
14. *Ibid.*, p. 16.
15. Hippolytus, *Elenchos*, V, 8, em Kerényi, *Essays*, p. 143.
16. Karl Kerényi, *Eleusis: An Archetypal Image of Mother and Daughter*, traduzido por Ralph Manheim (Nova York: Schocken Books, 1977), p. 93.
17. Clemente de Alexandria, *Exhortation to the Greeks*, 2.21, em Karl Kerényi, "Kore", em *Essays on a Science of Mythology*, traduzido por R. F. C. Hull (Princeton: Princeton University Press, 1973), p. 138.
18. Robert Graves, *The White Goddess* (Nova York: Farrar, Straus e Giroux, 1966), p. 327.
19. Clemente de Alexandria, *Exhortation to the Greeks*, 2.22, em *The Ancient Mysteries*, organizado por Marvin Meyer (San Francisco: Harper & Row, 1987), p. 19.
20. George Mylonas, *Eleusis and the Eleusinian Mysteries* (Princeton: Princeton University Press, 1961), p. 284.
21. Samuel Angus, *The Mystery Religions and Christianity* (Londres, 1925), p. 140.
22. Roger J. Woolger e Jennifer B. Woolger, *The Goddess Within* (Nova York: Fawcett Columbine, 1989), p. 317. [*A Deusa Interior*. São Paulo: Cultrix, 1993.]
23. Joseph Henderson e Maude Oakes, *The Wisdom of the Serpent* (Nova York: Collier Books, 1971), p. 4.

24. Michael Grant, *The Myths of the Greeks and Romans* (Nova York: Mentor Books, 1964), p. 136.
25. Richard Gelhard, *The Traveler's Key to Ancient Greece* (Nova York: Knopf, 1989), p. 230.
26. *Idem*.
27. Karl Kerényi, *Eleusis: An Archetypal Image of Mother and Daughter*, traduzido por Ralph Manheim (Nova York: Schocken Books, 1977), pp. 92-3.
28. Gordon Wasson, Carl Ruck e Albert Hofmann, *The Road to Eleusis* (Nova York: Harcourt Brace Jovanovich, 1978), p. 107.
29. Clemente de Alexandria, *Exhortation to the Greeks*, 2.21, em Karl Kerényi, "Kore", em *Essays on a Science of Mythology*, traduzido por R. F. C. Hull (Princeton: Princeton University Press, 1973), p. 149.
30. Sêneca, *Naturales Quaestiones*, VII, 31.
31. Clemente de Alexandria, *Exhortation to the Greeks*, 2.21, em Karl Kerényi, "Kore", em *Essays on a Science of Mythology*, traduzido por R. F. C. Hull (Princeton: Princeton University Press, 1973), p. 123.
32. Christine Downing, *The Goddess: Mythological Images of the Feminine* (Nova York: Crossroad, 1981), p. 39.
33. Marion Woodman, *Addiction to Perfection* (Toronto: Inner City Books, 1982), p. 148.
34. Carl G. Jung, "Psychological Aspects of the Kore", em *Essays on a Science of Mythology* (Princeton: Princeton University Press, 1973), p. 162.
35. *The Orphic Hymns*, traduzido por Apostoios Athanassakis, em Meyer, *The Ancient Mysteries*, p. 105.

O Poder de Cura da Escuridão Lunar

CAPÍTULO 9

> O submundo foi canalizado para o inconsciente e se tornou até mesmo o inconsciente. É na psicologia profunda que hoje nós encontramos os mistérios iniciáticos, a longa jornada do aprendizado psíquico, o culto aos ancestrais, os encontros com demônios e sombras bem como os sofrimentos do inferno.
> — JAMES HILLMAN

A fase de lua negra do processo cíclico nos leva da morte ao renascimento. É um processo de transformação que nos permite acessar uma fonte profunda de ideias e poder psíquico. O propósito principal da escuridão é trazer cura e renovação para a nossa vida.

Nossos ancestrais ritualizavam essa passagem pelos corredores escuros da renovação nos ritos de suas religiões de mistério. Codificados em mitos e rituais, a sabedoria antiga revelava o grande mistério da transformação que afirmava a existência contínua da vida renovada depois da morte. Os indivíduos tinham a oportunidade de participar de uma experiência que os capacitava a encontrar os segredos da morte enquanto ainda estavam vivos. A estrutura básica do ritual incluía a visita ao reino dos mortos, a comunicação com os espíritos e o retorno para o mundo dos vivos com esperança renovada para o futuro.

A nossa cultura hoje encontra-se separada de suas raízes nas tradições de mistério da Deusa. Não temos mitos nem estórias que falem da morte e restaurem o significado e a esperança em um mundo conturbado. James Hillman escreve: "O que está mais morto e enterrado em cada um de nós é a negligência cultural da morte".[1] Herdamos um mundo que nega a possibilidade de nova vida depois da morte; no entanto estamos passando agora por um grave período de lua negra em que o povo e o ambiente estão morrendo em razão do acúmulo de nossos próprios resíduos tóxicos. Com as implicações de câncer, aids, doenças cardíacas, radiação nuclear, o buraco na camada de ozônio, alimentos tóxicos, florestas morrendo e águas poluídas permeando a consciência dominante, devemos encarar cada vez mais a nossa relação com a morte.

Hoje, o ritmo da mudança em nossa sociedade é mais rápido do que nunca. As pessoas não podem mais esperar um futuro previsível e, em muitos casos, nem mesmo um futuro seguro e garantido. Essa falta de estabilidade na vida de cada indivíduo e nas estruturas sociais obriga as pessoas em todas as esferas da existência a passar por um processo acelerado de mudança em que elas precisam encarar a morte do velho. Como cultura, temos sido condicionadas a temer esse grande e sombrio desconhecido e temos pouco conhecimento e quase nenhuma ferramenta que nos ensinem os mistérios desse rito de passagem.

Por não compreendermos o propósito da fase negra e sermos ignorantes sobre o seu terreno, resistimos à morte e ao desapego a alguns aspectos do passado para abraçar o novo. Ficamos aterrorizadas e em pânico quando consideramos a morte física do corpo e do planeta, ou a morte psicológica de um relacionamento, um modo de vida, um vício, uma identidade ou um sistema de crença. O estresse dos tempos negros em nossa vida pode nos tornar dependentes de vícios químicos ou nos compelir a tomar atitudes desesperadas. As pessoas buscam por orientação enquanto lutam com seus sentimentos de luto, de depressão, de ansiedade, de raiva e de loucura ao lidar com suas perdas – as imediatas na estrutura da vida diária e a suprema perda de um ser amado ou sua própria morte iminente.

A Deusa emergiu agora de uma fase de lua negra de um ciclo lunar de longa duração em que a humanidade está passando coletivamente por uma fase negra na era precessional do ciclo solar. Com o renascimento da Deusa, nos está sendo dada a oportunidade de recuperar seu aspecto negro. E a Deusa Negra da Lua Negra guarda os ensinamentos que podem nos guiar pelos mistérios da morte e da renovação. Seu recente despertar dentro da psique humana corresponde a pesquisas e novas descobertas nas dimensões inconscientes da mente, assim como um ressurgimento do interesse na morte e no morrer.

Apenas no último século os povos modernos na cultura ocidental começaram a explorar o conhecimento oculto nas profundezas da mente. Sigmund Freud e Carl Gustav Jung ajudaram a fomentar o surgimento de uma psicologia que procura compreender os mecanismos do inconsciente. Hoje, muitas técnicas psicoterapêuticas estão construindo paradigmas para experiências incomuns da consciência humana. Profundas terapias atuais, como *Rebirthing*, a Terapia do Renascimento, *Rolfing*, Respiração Holotrópica, Terapia do Grito Primal, Terapia Bioenergética, aconselhamento xamânico e análise dos sonhos, possibilitam que as pessoas atravessem a ponte em direção aos mecanismos e à sabedoria do inconsciente. Essas técnicas estão sendo utilizadas agora para ajudar as pessoas a acessarem suas vivências da infância, do nascimento e da morte, curarem as feridas de suas almas e viajarem para as dimensões sutis de outros reinos. Regressão e hipnose estão ajudando as pessoas a examinar suas vidas passadas e memórias traumáticas reprimidas.

A presença renovada da Deusa Negra em nosso mundo é evidenciada também pela proliferação de informações sobre a morte e o morrer, o que está trazendo a tão necessária orientação e a compaixão para ajudar a preparar os indivíduos para a fase final de suas vidas. Abrigos, como centros de passagem para doentes terminais, estão surgindo como importantes instituições sociais. Essa fase negra do ciclo de vida humano também tem sido iluminada por muitos livros novos com pesquisas sobre a "vida após a morte" e a disseminação dos ensinamentos orientais sobre o karma, as causas do sofrimento e a reencarnação.

Para os antigos, os ritos iniciáticos eram as técnicas usadas para a descida ao submundo, pela qual uma pessoa pode descobrir o grande mistério da morte e do renascimento. Entretanto, os deuses e as deusas de outrora, que iniciaram a humanidade nos ritos de transformação, não nos abandonaram. Nós internalizamos a presença deles em nossa vida como as forças arquetípicas em nossa personalidade que habitam nas partes ocultas de nossa psique. Os povos modernos vivem agora esse antigo rito de passagem como a descida psicológica para dentro do inconsciente, por meio da qual podemos sentir a transformação alquímica que dá à luz a nova vida psicológica.

Os psicanalistas têm feito conexões entre esses ritos antigos e as modernas psicoterapias, pois elas veem os símbolos de um antigo processo iniciático repetidamente emergir nos sonhos e nas fantasias de seus pacientes.[2] De acordo com James Hillman: "O submundo foi canalizado para o inconsciente e se tornou até mesmo o inconsciente. É na psicologia profunda que hoje nós encontramos os mistérios iniciáticos, a longa jornada do aprendizado psíquico, o culto aos ancestrais, o encontro com demônios e as sombras bem como os sofrimentos do inferno".[3]

Como a sociedade está imersa nessa fase de lua negra, existe um movimento em massa de indivíduos e da sociedade passando por muitas transformações físicas e psicológicas. A descida para o submundo sempre começa com uma morte, seja a morte física do corpo ou a morte psicológica de um aspecto de nós mesmas. Uma vez que a maioria de nós não compreende mais o papel da morte no processo cíclico e passou a crer que ela representa um estado de absoluta finitude, tememos nossas iniciações modernas de transformação psicológica. Resistimos a todo tipo de mudança que traz a perda do que nós conhecemos como segurança e evitamos relembrar qualquer acontecimento que traga memórias traumáticas que nos cristalizam em padrões de comportamento negativos e autodestrutivos. E em nossa resistência à mudança, que é a verdadeira fonte da renovação, nós estagnamos e, de fato, morremos.

Nesse processo transformador, nada novo pode nascer até que algo velho morra primeiro. Por isso, sempre que nos apegamos a uma pessoa, um lugar, objeto ou situação que tenha vivido além do seu propósito, nós apenas nos impedimos de viver a abundância da renovação. No mundo moderno, o rito de iniciação que nos prepara para a nossa derradeira morte é o caminho de voluntariamente abraçar a mudança e a transformação psicológica. Ao longo do curso de nossa vida, isso significa passar por muitas "pequenas mortes" no processo de desapego. Embora deixar ir e mudar possa parecer assustador a princípio, é uma parte necessária do ciclo que permite a renovação.

O propósito do setor final do processo cíclico é a conclusão e a renovação. É aqui que a forma física, emocional e mental que cumpriu sua função se desintegra e volta para o estado sem forma da energia. A essência da sabedoria do propósito da forma é destilada e concentrada em uma cápsula de semente que é colocada no escuro submundo, no submundo ou no inconsciente, e aguarda a renovação com o início do próximo ciclo. A fase negra encerra o conteúdo acumulado do passado, que é o adubo para o solo que nutre a semente do futuro.

Vamos agora analisar mais de perto os estágios específicos de transformação que atravessamos durante as fases de lua negra dos nossos processos cíclicos e examiná-los detalhadamente. Ao começarmos a reconhecer os indicadores no mapa de nosso processo transformador de lua negra, podemos viajar mais facilmente pela paisagem de nossa renovação.

Os Estágios da Transformação Psíquica

As três partes que compõem esse processo, que começa com a morte do velho e termina com o nascimento do novo, são: (1) desintegração; (2) purificação; e (3) regeneração.

Na linguagem arquetípica da astrologia, esses três estágios da transformação (término, dissolução e renovação) correspondem ao simbolismo dos três planetas mais afastados no sistema solar: Urano, Netuno e Plutão. Esses planetas foram chamados de "embaixadores da galáxia" por fazerem a ponte entre nosso mundo pessoal da forma finita, representado por Saturno (o grego Cronos), Pai do Tempo, e as vibrações transpessoais do cosmos. Eles anunciam a destruição das velhas formas cristalizadas ao simbolicamente nos mover para o processo transformador, uma jornada que pode nos sintonizar com as forças coletivas do universo.

Urano, o Deus do Céu, que às vezes aparece na forma de um para-raios, corresponde ao término repentino e à desintegração da forma. Netuno, o mitológico Deus dos Oceanos, representa o princípio da dissolução e marca o estágio do processo de transformação quando a limpeza, a purificação e a cura ocorrem. Por fim, Plutão, o Deus do Submundo, associado com a morte e o renascimento, muda, regenera, concebe e gera a nova vida para a existência.

O ensinamento secreto da lua negra é desapego, retirada, rendição, limpeza, cura, destilação da essência da sabedoria, mutação, aspiração e espera no silêncio tranquilo pela renovação. Esse modelo de transformação aplica-se às muitas "pequenas mortes" que ocorrem nas perdas físicas e psicológicas durante o curso de nossa vida e à última "grande morte" no fim de nosso tempo de vida.

Desintegração

A desintegração, o primeiro estágio do processo de transformação, é marcada por uma quebra e uma ruptura na velha forma, que algumas vezes ocorre repentina e inesperadamente. Esse é um tempo em que as principais estruturas de nossa vida, tais como relacionamentos, família, trabalho, saúde, lar ou sistemas de crença, começam a se decompor e não mais funcionar bem ou servir ao nosso senso de propósito. Algum tipo de verdade sobre a realidade de nossa situação está tentando romper nossa mentalidade habitualmente condicionada e essa força primordial atua para pôr fim à nossa situação.

Nós podemos viver esse estágio como a decepção amorosa resultante do fim de um relacionamento que foi o mais longe possível naquela maneira em particular, e a subsequente perda de nosso parceiro devido a separação, traição, divórcio ou morte. Ou pode ser a nossa família que comece a se desfazer quando nossos pais nos abandonam ou nos deixam em razão de doença, divórcio ou morte; ou nossos filhos nos deixem por intermédio da fuga, do distanciamento, do crescimento ou da mudança de casa.

Pode ser nosso corpo físico que adoeça e acabe com a nossa sensação de bem-estar e boa saúde que nos permite prosseguir com nossa vida. A descoberta, o início ou sintomas agudos de doenças que ameaçam a vida, como câncer, aids, doenças cardíacas ou Alzheimer, ou ainda a recuperação de dependência química podem nos afundar na destruição do nosso mundo como o conhecíamos.

Algumas vezes perdemos ou somos forçadas a deixar nossos empregos. Existem muitas razões: incompetência, competição, salário insuficiente, aposentadoria, falência ou aquisição do negócio; um acidente que interfere em nosso desempenho no trabalho; tédio; ou saber que o trabalho não tem futuro para nós. A destruição do nosso lar pode ser causada por desastres naturais como fogo ou inundação, execução de hipoteca ou a necessidade de se mudar por razões pessoais ou profissionais.

Essa destruição pode ocorrer também no nível psicológico, em que circunstâncias nos forçam a reavaliar e nos afastar de um sistema de crença, seja ele espiritual, religioso, político, filosófico ou intelectual, que tenha guiado nossa vida ou moldado nossos valores. Ou saber que nossa infância e nosso passado não foram da maneira que pensávamos ter sido pode destruir nossas acalentadas suposições. A descoberta de segredos, escândalos, esqueletos no armário da família como incesto, abuso, estupro, alcoolismo e outros vícios, adoção, ilegitimidade, sexualidade não convencional e casos amorosos podem subitamente destruir as falsas premissas sobre as quais construímos nossa realidade.

Em cada um dos casos mencionados acima, esse pode ser um tempo de mudanças repentinas e inesperadas em nossas vidas, um tempo em que nós perdemos nosso relacionamento para outra pessoa, nossa família unida, nosso emprego, nosso bem-estar físico, nosso sistema de crença ou nosso lar. Se for o relacionamento o que nós perdemos, as rotinas do dia a dia que se baseavam na interação com nosso parceiro desmoronam. Nossa identidade como uma parceira e, muitas vezes, como um casal em situações sociais se dissipa. Nossa segurança econômica oriunda do relacionamento provavelmente também vai ficar ameaçada e instável. O futuro parece desolador quando imaginamos como vamos sobreviver, tanto física quanto emocionalmente.

O propósito desse primeiro estágio é destruir o velho e isso ocorre por meio do processo de desintegração. Na medida em que somos capazes de deixar para trás o que é velho, a nossa experiência pode ser de súbita liberação das limitações do passado. Entretanto, quando não compreendemos por completo o processo cíclico da mudança levando à morte e ao renascimento, nós tentamos desesperadamente nos agarrar ao que era e não é mais. Essa é uma reação comum que leva ao choque e à disrupção, fazendo com que nos sintamos destroçados.

Nós experimentamos uma sensação de irrealidade ao atravessarmos cada dia. Não podemos acreditar que isso está de fato acontecendo conosco. Podemos ser dominadas por ataques de pânico e de ansiedade em razão de nossa repentina posição precária e insegura. Não sabemos como seremos capazes de suportar e prosseguir. Podemos alternar entre um estado de entorpecida negação e instabilidade histérica. Freneticamente correndo de um lado para o outro, podemos tentar barganhar e fazer um acordo com nosso parceiro, ou pai, ou filho, ou chefe ou nosso banco na tentativa de "salvar ou resgatar o que pudermos" do relacionamento, da propriedade ou de qualquer que seja a estrutura de vida em perigo.

Explosões de raiva e fúria pela injustiça de nossa situação são comuns e, em geral, são direcionadas àqueles que nós achamos que tenham causado nossas dificuldades, ao destino ou a Deus. Nós nos sentimos mentalmente desorientadas, fragmentadas, incapazes de nos concentrar ou tomar decisões. Fisicamente, podemos nos sentir nervosas, ansiosas, trêmulas ou ter dificuldades para dormir e comer. Insônia, indigestão, agitação, suor e palpitações no coração são todos sintomas físicos que ocorrem com frequência durante esse estágio.

De uma perspectiva budista, a causa principal do sofrimento é o apego à permanência de alguma coisa. Buda ensinou que todas as coisas são, por sua própria natureza, impermanentes e sujeitas a mudança. Se compreendemos isso, quando passamos pelos inevitáveis fim e perda, não nos surpreendemos e não fica tão doloroso aceitar a realidade da maneira como ela é. Por outro lado, quanto mais nós tentamos nos agarrar à velha forma e negar o que está acontecendo, maior a força disruptiva que nós criamos inconscientemente para nos libertar de nossos apegos. A lição desse primeiro estágio Uraniano é deixar ir e permitir que o processo de desintegração avance e ocorra.

Nossa experiência não precisa ser tão devastadora se nós conscientemente aceitarmos a importância de abandonar os velhos modos de pensar e ser. A quebra da forma também ocorre nos conceitos mentais que moldam nossa visão da realidade. Essa quebra abre as portas, deixando o velho sair, permitindo que o novo entre. Nós podemos ser libertas de nossas ideias preconcebidas sobre como as coisas devem ser, de modo que possamos ter uma visão mais ampla de como as coisas podem ser.

À medida que afrouxamos as rédeas que mantêm a nossa mente sob controle, nós nos descobrimos imersos em uma amplitude na qual o terreno é aberto e desobstruído. Nos tornamos abertas a maneiras de ver a nós mesmas e ao mundo que nunca poderiam ter-nos ocorrido antes, em nossas velhas formas de pensar. Podemos ver o espectro de possibilidades que reside em uma vasta extensão de potencialidade. Aqui, nós podemos receber repentinos e intuitivos lampejos de discernimento e fazer rápidas conexões não lineares que nos permitem vislumbrar o verdadeiro formato da realidade.

Podemos facilitar esse processo permitindo que nossa mente divague, faça livres associações, considere isso e aquilo. Podemos fazer desvios panorâmicos em nossas viagens que nossos prazos e itinerários rigorosos antes não permitiam. Nós observamos nossos sonhos acordados, relaxamos o corpo, nos acalmamos, cultivamos um senso do que é natural e espontâneo.

Não buscamos por estabilidade e não tentamos finalizar ou tornar permanente. Nós permitimos que a mudança, a espontaneidade e o não planejado alterem e influenciem nossa vida. Fazemos coisas que nunca havíamos tentado antes, como meditar ou assistir a uma palestra ou um jogo de futebol.

A dádiva secreta do primeiro estágio do processo de transformação é a do *insight*. Para recebê-lo, devemos reconhecer a lei da mudança, a natureza da impermanência e a vasta potencialidade sem forma que é o material bruto da criação.

Embora seja teoricamente possível para alguns indivíduos superconscientes alcançar a libertação e a transformação instantânea durante o primeiro estágio, a maioria de nós luta com os nossos apegos. Então, aos poucos, seguimos para o segundo estágio do processo de transformação, em que outro tipo de processo, desafio, lição e dádiva fica disponível para nós.

Purificação

O segundo estágio do processo de transformação nos chama a renunciar, purificar, curar e transcender os limites da forma finita para nos fundir com um todo maior. O começo desse estágio pode ser marcado pelo pânico se estabelecendo em um estado de desespero e sentimentos de desamparo. Temos uma sensação de que nossa identidade e a segurança do passado se foram e não há nada para substituí-las. Nesse ponto, as roupas e os pertences de nosso ex-companheiro desapareceram de nossa casa; ou, se nós nos mudamos, é a hora em que nossos objetos desnecessários são colocados em depósitos, vendidos ou doados. Não há nada estável, certo ou confiável com que possamos contar por garantia.

O propósito desse segundo estágio é dissolver e limpar os restos do nosso passado. Na medida em que somos capazes de nos render aos fatos e aceitá-los, nossa experiência pode ser de transcendência e fusão. No primeiro estágio, fomos desafiadas a desistir de nossos conceitos; no segundo estágio, nosso desafio é purificar as emoções e nos livrarmos de nossa dor. Entretanto, quando não compreendemos totalmente o processo, nós continuamos a manter a situação. E quando retemos os velhos, e não mais apropriados, padrões emocionais, nós também continuamos agarradas ao sofrimento que esses padrões criaram. Nossa vivência principal passa a ser de angústia e ilusão.

Dor e sofrimento emocional tornam-se a nossa realidade. Nós, em geral, afundamos em depressão e nossa vida é permeada de tristeza. Não conseguimos conter o fluxo das lágrimas que inundam nosso corpo. Algumas de nós podem ser capazes de chorar na presença de outros, enquanto para outras essa liberação ocorre apenas na privacidade da solidão. E há aquelas de nós cujas lágrimas são silenciosas, mudas, contidas nas vazias cavernas de nosso desespero.

Nós nos sentimos desconectadas dos outros e cada vez mais solitárias em nosso isolamento. Podemos sentir como se nossa carência fosse maior do que nunca e que nós não estamos recebendo o amor e o apoio das pessoas que achamos que deveriam estar lá para nós. Em nossa vitimização, nós assumimos o papel de bode expiatório ou mártir. Podemos perder o companheirismo ou testar a paciência de nossos amigos, que ficam cansados de nos ouvir reclamando a respeito de nossa infelicidade, sobretudo quando ignoramos ou rejeitamos seu conselho; nós podemos sentir como se eles estivessem nos rejeitando.

Ao ficarmos perdidas na escuridão e na confusão do desconhecimento, podemos nos sentir melancólicas, soturnas ou pessimistas. Parece não haver esperança, perspectiva, nada que pareça bom. Ficamos mentalmente embaçadas, nada é claro. Algumas vezes, imagens que mudam de forma assustadora e distorcida dominam nossa mente durante o dia e imagens bizarras similares podem invadir nossos sonhos à noite. Podemos ficar paranoicas e desenvolver uma variedade de fobias, sentindo como se os outros estivessem lá fora para nos enganar ou tirar vantagem de nós. Evitamos aqueles que tentam ter de nós definições ou decisões finais.

Nós nos sentimos fisicamente cansadas, fracas, desprovidas de energia, sem vontade de nos mexer ou fazer qualquer coisa. Podemos nos sentir como zumbis, sonâmbulas vagando por uma existência onírica e fantasmagórica. Podemos dormir muito; não parece haver nenhuma boa razão para levantar. O vazio da vida exterior espelha a confusão do nosso mundo interno. Para evitar a realidade de nossa existência cada vez mais sem sentido ou dolorosa, muitas de nós são tentadas a encontrar consolo nas qualidades entorpecentes de substâncias viciantes – álcool, drogas, sexo, comida, televisão. Autoderrotadas, descemos em espiral para atividades autodestrutivas.

O motivo pelo qual sentimos o isolamento, a exaustão, a dor e a desilusão durante o segundo estágio do processo de transformação é que a orientação desse estágio é curar nossas emoções por meio do refúgio, do descanso, da purificação e da abertura do nosso coração para os outros. No ciclo de lunação, quando a lua minguante se dissolve na escuridão, o movimento da energia lunar é a retirada do mundo exterior das atividades manifestas. Da mesma forma, podemos voluntariamente acolher essa oportunidade de recolhimento e descanso, pois, do mesmo modo que o trabalho de cura ocorre de maneira ideal na escuridão, nosso corpo se regenera a cada noite enquanto dormimos. Devemos reconhecer nossa necessidade de sono e descanso e não permitir que outros anseios nos pressionem a decidir, agir, desempenhar, realizar e cumprir.

Em teoria, esse é um tempo para permitir que as águas da dissolução lavem e arrastem o passado, tanto física como emocionalmente. Podemos purificar nosso corpo com dietas desintoxicantes e jejuns, bebendo grandes quantidades de água, fazendo saunas e tomando banhos minerais. Podemos limpar os ambientes em que vivemos doando objetos, em especial aqueles itens que estimulam as lembranças e os apegos que estamos tentando liberar. No âmbito mental, precisamos abrir mão de nossa esperança de que possamos voltar atrás para o que era e do nosso desespero quanto ao futuro.

E, emocionalmente, precisamos compreender como é que nossos sentimentos de raiva, ódio, orgulho, desejo excessivo, ganância, ciúme e inveja continuam a perpetuar nosso sofrimento. Quando somos tomadas por esses estados emocionais negativos, toxinas bioquímicas são criadas em nosso corpo, contribuindo para os nossos estados mentais confusos e ilusórios.

É um tempo para sofrer e chorar. As lágrimas são as águas do corpo que limpam nossos sofrimentos emocionais e seus resíduos tóxicos. Em nosso luto, podemos começar a nos identificar não apenas com o nosso sofrimento, mas nos tornarmos empáticas ao sofrimento de pessoas que também passaram por essas perdas. Percebemos que não estamos sozinhas em nossa situação; que essa é a condição universal e todas nós participamos dela e sofremos juntas. Ao começarmos a abrir nosso coração aos outros e estender a mão com gentileza e simpatia para tocar a sua dor, que não é diferente ou outra senão a nossa própria, começamos a realizar a cura dentro de nós mesmas. Ao ampliarmos nossos horizontes, ajudando os outros de diversas maneiras, fazendo amizade com alguém que precise, oferecendo doações de tempo ou dinheiro para causas valiosas, serviço comunitário ou juntando-nos a grupos de apoio e voluntariado, podemos acelerar a cura que quer ocorrer durante esse estágio.

Nossa dor expande consideravelmente os limites do que nós pensamos que podemos aguentar e nessa extensão de nossa percepção sensorial nos tornamos abertas e receptivas a forças maiores e mais sutis do universo. Durante esse estágio existe a possibilidade de ocorrer experiências religiosas ou transcendentes, o desenvolvimento da sensibilidade psíquica e a capacidade para a empatia em relação aos sentimentos dos outros. Sonhos e visões podem se tornar fontes de sabedoria, inspiração e criatividade.

A dádiva secreta do segundo estágio da transformação simbolizada por Netuno, o Deus do Mar, é a da compaixão (um coração partido é um coração aberto). Para recebê-lo, devemos reconhecer que podemos dissolver os limites artificiais que perpetuam nossa sensação de separação e curar nosso medo de isolamento ao entrarmos na consciência da interconexão entre tudo o que existe.

No refúgio, por meio do descanso, da purificação e de abrir nosso coração, podemos gradualmente começar a nos curar. Podemos nos render à realidade do que é, aceitar a inevitabilidade de nossa perda e, quem sabe, até a ideia de que ela possa ter sido uma necessária e, em última análise, benéfica perda. Essas compreensões nos preparam para o trabalho do terceiro estágio. Entretanto, se nossos medos e ilusões nos impediram de integrar esse processo, e ainda não fomos capazes de nos desapegar de nossos velhos parceiros emocionais negativos, outro conjunto de dificuldades surgirá no terceiro estágio e nos obrigará, normalmente de modos violentos, a confrontar nossa resistência.

Uma vez que tenhamos aceito a morte do velho, chega um certo ponto incipiente quando nós começamos a imaginar: "Bem, e agora? O que vem depois?". Embora ainda não estejamos preparadas para agir ou seguir em frente, a simples germinação de ideias sobre o futuro, concebidas de uma maneira completamente nova, é o portal para o terceiro estágio da transformação.

Regeneração

O terceiro estágio do processo de transformação nos convida a regenerar e renovar. Na medida em que não compreendemos a necessidade de imaginar e preparar-se para alguma coisa nova durante o terceiro estágio, nossa experiência será de ódio e autodestruição. Aqui nós encontramos poder em incríveis proporções, o que podemos usar tanto para destruir como para criar.

O deus mitológico associado com esse estágio é Plutão, marido de Perséfone, que rege o submundo. Durante esse estágio, nós realizamos a descida para dentro de nosso inconsciente, onde residem as partes rejeitadas e negligenciadas de nós mesmas. É esse conteúdo, chamado de "sombra" na psicologia junguiana, que toma a forma dos demônios que parecem apossar-se de nós e nos incitar a criar uma realidade que é assustadora e destrutiva. Nossa sombra tem uma reserva de energia fortemente enrolada, focada e concentrada à disposição, a qual pode ser usada para ferir os outros ou para transformar a nós mesmas. Esse deus penetra em nosso âmago para revelar nossas mais profundas questões fundamentais; ele destrói para renovar e tem o poder de transformar e efetuar a mudança. Mas se nós não soubermos como reconstruir, poderemos ficar presas na destruição sem sentido e no abuso de poder, que é um uso ignorante dessa tão potente energia.

No movimento de penetrar nossa essência, podemos nos sentir como se estivéssemos sendo completamente despidos. Todas as falsas máscaras de nossa personalidade socialmente condicionada estão sendo arrancadas e nos sentimos feridas, expostas, vulneráveis e desprotegidas. Em nossa fúria por sobrevivência, atacamos aqueles a quem nós sentimos que sejam nossos inimigos ou responsáveis por nossa perda e nosso sofrimento. Em nossa raiva, usamos nosso poder para ferir, ameaçar, arruinar, intimidar ou dominar os outros – culpando todos, menos a nós mesmas, por nossa situação difícil. Ao tentar controlar os outros, nós mesmas estamos fora de controle ao bater em nosso parceiro, filho, animal de estimação, ao destruir o carro ou quebrar a mobília.

Se negarmos o poder à nossa disposição, poderemos nos tornar vítimas de ataques de poder pelos outros – seremos estupradas, espancadas, violadas, abusadas. Ou se reprimimos a liberação desse poder plutoniano e, em vez disso, o direcionamos para dentro, podemos tentar nos destruir. Sentimentos de vergonha e falta de valor nos impelem a atingir o fundo do poço em nossos padrões autodestrutivos e viciantes. Não é incomum durante esse período ter fantasias de suicídio ou pensar em outras medidas drásticas para pôr fim a tudo. E se projetamos essa energia negativamente carregada, nós vemos as forças do mal em toda parte ao nosso redor esperando para nos atacar e nos aniquilar no momento em que baixarmos a guarda.

Nossa opção mais esclarecida é usar esse poder plutoniano para nos autotransformarmos destruindo os últimos vestígios de nossos velhos apegos, que atrasam nossa renovação. O desafio do terceiro estágio é reconhecer nossos inimigos como as partes rejeitadas de nós e, então, transformá-los em nossos guardiães aceitando-os na inteireza de nosso ser. Qualquer tipo de terapia profunda, hipnose, regressão a vidas passadas que nos habilite a penetrar nas imagens e nos padrões contidos em nosso inconsciente e a fazer as pazes com nossos demônios – que não são outros além de nós mesmas – é o que mais auxilia. Quando esse último e mais profundo nível de desapego e transformação entra em vigor, nós estamos prontas para o trabalho de reconstrução do terceiro estágio.

O que é solicitado durante esse estágio é a criação da cápsula da semente para o futuro que germinará com o início da próxima fase de lua nova. Dentro da cápsula dessa semente são colocadas três coisas: (1) a destilação da essência de nossa sabedoria do ciclo passado; (2) nosso karma inacabado e hábitos inconscientes; e (3) nossos compromissos para o ciclo futuro. Quando esse estágio chega ao fim, nós devemos ter desenvolvido uma perspectiva que inclui um senso de nosso propósito em um esquema maior das coisas, uma missão a cumprir e a boa vontade em agir de acordo com nossa perspectiva.

Depois de termos abandonado e eliminado os resquícios de qualquer estrutura de vida que esteja sendo transformada, sempre sobra um núcleo de significado e valor. Durante esse estágio, podemos nos pegar fazendo um inventário de nosso passado na tentativa de extrair algum significado que tenhamos inferido e qualquer coisa de valor que ainda reste e que possa ser utilizada no próximo ciclo. Por meio de reflexão e análise, nós tentamos dar sentido ao que aconteceu, descobrir o propósito do ciclo passado e quais lições nós aprendemos. Quais informações obtivemos sobre nós mesmas, como nos relacionamos com o mundo, que verdades compreendemos e onde nós continuamos a nos enganar e aos outros? Fazemos um inventário de nossas forças, nossas habilidades, nossos conhecimentos e talentos que continuam a fazer parte do nosso eu essencial e reconhecemos como podemos continuar a usar e adaptar essas fontes internas para o que virá pela frente.

É essa combinação de sabedoria e habilidades que permanece como uma essência residual purificada. Podemos transferir essa combinação do passado para criar o solo fértil no qual o futuro pode ser concebido. Esse é o receptáculo de nossa cápsula da semente que vai nutrir e sustentar a nova vida durante o período de gestação que antecede o nascimento.

Para cada pessoa, há vários níveis nos quais o processo de transformação é operante e efetivo. Para muitas de nós, o processo não penetra nem realiza mudança nos níveis mais profundos do inconsciente. Assim sendo, com a nossa essência de sabedoria, nós também colocamos uma grande quantidade de material inconsciente dentro da cápsula da semente. Esse material inconsciente consiste no karma não resolvido – problemas que nós não resolvemos no passado e que devem ser carregados. Nós também adicionamos nossos padrões de hábitos condicionados e profundamente arraigados, assim como nossas predisposições genéticas, culturais e arquetípicas. O grau em que tivemos algum tipo de conhecimento sobre nossas motivações inconscientes e reações habituais é até que ponto estamos conscientes desse conteúdo.

O elemento final que infundimos em nossa cápsula da semente são nossas aspirações, intenções e compromissos para o futuro. Esse é um tempo para fazer contato com nossos sonhos, anseios, desejos a fim de pensar no que poderíamos querer para nós mesmas, no passado, mas fomos impedidas de realizar pelas circunstâncias da vida. Talvez quiséssemos ter completado nossos estudos, mas tivemos filhos cedo, ou quiséssemos ter viajado, mas nosso parceiro não estava interessado. Nosso sonho talvez fosse ter o próprio negócio, mas ficamos com receio do risco e precisávamos prover segurança financeira para nossa família; ou talvez desejássemos nos tornar uma artista ou uma musicista, mas não tínhamos confiança o bastante em nosso talento e consideramos isso pouco prático. Devemos considerar agora que, em razão de essas antigas limitações não existirem mais, é possível seguir nossos antigos sonhos e criar novos.

Um exercício útil neste momento é imaginar o que gostaríamos de fazer se as possibilidades estivessem abertas e se não existissem obstáculos de nenhum tipo – dinheiro, educação, treinamento, graduação, idade, saúde ou medo do sexo. Pode não ser viável para nós concretizarmos nossas imagens ideais, mas é importante ter um vislumbre de mais longo alcance sobre nossas potencialidades.

A partir daqui podemos começar a fazer planos sobre o que de fato é possível criarmos. Ainda não é a hora de realizar o sonho, mas convém fazer pesquisas – escrever ou ligar pedindo informações, pesquisar, descobrir quando começam os programas de estudo ou quando partem as excursões de viagens e quanto elas custam, qual subsídio financeiro pode estar disponível, quais as qualificações necessárias, o tipo de trabalho que existe onde eu moro e se há a necessidade de eu me mudar.

Agora é a hora de considerar nossas intenções – o que queremos fazer por nós mesmas e por quê. O que desejamos fazer em benefício de pessoas que conhecemos agora, do passado ou que ainda entrarão em nossa vida; o que queremos fazer pelo planeta e por quê. Nesse estágio, fazemos as promessas diante do nascimento do novo a respeito dos compromissos que desejamos cumprir nos ciclos futuros.

Em nossa semente, nós fundimos a essência do passado e a intenção para o futuro. Neste ponto do estágio plutoniano, nossa consciência nascente espera com o desejo de ser renascida. Em um nível literal, a união entre nossa mãe e nosso pai em uma relação sexual fornece uma conexão para a semente entrar no útero da mãe, o caldeirão do renascimento. O sonho na cápsula da semente é incubado no estado embrionário. No estágio de desenvolvimento fetal de nossa gestação física ou psicológica, o projeto da essência da sabedoria, do karma e dos hábitos inconscientes e das intenções futuras é impresso nos canais psíquicos e nos circuitos neurológicos que criam a teia das dimensões inconscientes da psique.

Em um momento em que as energias planetárias entram em alinhamento com o novo propósito da alma, o trabalho de parto anuncia o início da jornada da alma através do canal vaginal. Nós inspiramos o ar pela primeira vez, ingressamos no mundo da forma e a nova vida nasce no início da fase de lua nova do processo cíclico. O ciclo dá uma volta completa.

Em nossa tentativa de reformular o negro, a discussão dos estágios de transformação que ocorre durante o estágio escuro do processo cíclico oferece um modelo de como nós podemos atravessar momentos sombrios em nossa vida com compreensão, consciência e fé na renovação. Isso nos permite maximizar a potencialidade para o significado, a cura e a criatividade que naturalmente reside na fase negra.

A Lua Negra e a Cura da Alma

A fase negra do processo cíclico é o útero da alma. Ela abrange a junção entre o mundo dos vivos e o dos mortos e não nascidos. Nós entramos na fase negra por meio da morte e a deixamos por meio do renascimento. No nível da transformação psicológica, adentramos a escuridão por meio da morte de uma parte velha e não mais necessária de nós mesmas ou de nossa vida; e a deixamos quando começamos a abraçar uma nova e regenerada identidade ou um novo objetivo.

Essas vivências da fase negra em ambos os níveis físico e psicológico ocorrem durante a ausência da luz da lua. Quando passamos por essa fase do processo cíclico, viajamos por um território de nossa psique que normalmente se oculta de nossa percepção consciente e o qual nós não podemos compreender com a mente consciente. A esfera sombria da psique humana contém tudo o que jaz abaixo da superfície da consciência. Como o lar da alma, a fase negra é o local onde nós mantemos as memórias residuais da soma total do nosso passado, nesta vida e nas anteriores. Aqui encontramos as feridas da alma que estão clamando para serem curadas. No submundo da psique, encontramos os fantasmas do nosso passado e nos deparamos com visões tanto do céu quanto do inferno.

Na escura parte final do processo cíclico, tudo retorna para a fonte e se funde ao todo maior. As energias da fase negra magneticamente nos atraem para baixo, sob as águas indiferenciadas do vasto oceano cósmico da unidade. Essa imersão na consciência de nossa unidade com toda a vida é sentida mais tarde, quando estamos encarnadas fisicamente, como o anseio místico por aquela conectividade que pode curar a dor da separação e do isolamento em nossa vida. Tanto as buscas espirituais e químicas quanto os vícios em relacionamentos são caminhos que os indivíduos modernos seguem em seu anseio pela paz e serenidade daquele vagamente lembrado outro mundo.

Neste espaço entre mundos e tempo entre encarnações, a fase negra proporciona uma abertura para o submundo de nossa consciência, onde podemos acessar todo o universo do passado, presente e futuro fluindo para a nossa psique. Ela é o depósito da sabedoria oculta e dos ensinamentos secretos incorporados em imagens universais, míticas e arquetípicas. A tradição budista ensina que nesse estado intermediário, chamado *Bardo*, encontramos deidades pacíficas e coléricas. Dane Rudhyar escreve que é onde encontramos tanto os Anjos de Luz quanto os Guardiães do Umbral.[4]

Nesse profundo recesso da psique, nossos anjos podem nos guiar para a fonte de compreensão transcendente, inspiração criativa e as mais altas aspirações de amor altruísta e serviço. Interligados com os anjos estão nossos demônios, cujas faces espelham todos os nossos fracassos, frustrações, negações, medos, raiva, ganância, ciúme, ódio e ignorância. As raízes de nossos anjos e demônios remontam às alegrias e ao sofrimento do passado e seus ramos se estendem em direção às possibilidades do nosso futuro.

É por meio da fase negra que cada uma de nós se conecta com o passado e com o futuro. Ela é uma metáfora para a invisível realidade de tudo o que acontece antes do que nós podemos nos lembrar. A dimensão negra, que fica escondida sob a superfície da percepção consciente, abriga o depósito das memórias esquecidas do passado e as potencialidades das possibilidades futuras. A soma total de nosso passado pessoal e coletivo, tanto os sucessos quanto os fracassos, fica gravada nas muitas camadas do inconsciente – de imagens esquecidas das experiências pessoais desta vida, da infância, do ciclo de nossa morte, da concepção, da gestação e do nascimento, das vidas passadas e, então, mais fundo no estrato transpessoal do inconsciente coletivo.

Embora esse material psíquico normalmente não seja acessível à mente consciente, ele tem, contudo, um efeito poderoso em como nós percebemos e interagimos com o mundo. A fonte de nossas forças escondidas que, desconhecidas para a nossa mente racional, dominam nossas ações e moldam nossas circunstâncias de vida residem no submundo da psique. Esse é o solo do qual nossas experiências e circunstâncias conscientes são formadas e nutridas.

A psicologia ocidental refere-se a essa dimensão da mente como o inconsciente, que retém nossas memórias traumáticas reprimidas e aspectos rejeitados de nossos *selfs*. A filosofia oriental a descreve em termos de karma e reencarnação. Ambas as tradições propõem que os eventos que ocorreram em nosso agora esquecido passado, no qual nós ferimos ou fomos feridas por outrem, são as sementes para as feridas duradouras em nossa alma que precisam ser curadas. Quer essa força seja chamada de karma ou motivações inconscientes, tanto o pensamento do Oriente quanto o do Ocidente concordam com a existência de um padrão que percorre o inconsciente tecendo os antigos fios do nosso futuro.

Nossa passagem pela escuridão nos oferece a oportunidade de curar essas feridas e, no processo, podemos descobrir as riquezas ocultas do inconsciente. É somente ao entrar na fase negra do espaço interior e fazer as pazes com nossas memórias e resolver nossas questões que um caminho se abre em direção à cura. No processo, podemos descobrir a riqueza do submundo da psique, da renovação, da criatividade inspirada e da fusão com a alma do cosmos.

A Fase de Lua Negra e o Karma

As feridas da nossa alma resultam do material inconsciente que nós trazemos do passado. A perspectiva oriental explica esse processo em termos de karma e reencarnação. Esses conceitos formam a base de uma suposição que as leis morais operam na esfera da consciência. Filósofos orientais têm usado essa visão para explicar como as forças inconscientes do passado afetam o presente e o futuro. Um adágio budista ensina: "Se você quiser saber quem você foi na sua vida passada, olhe para as suas circunstâncias do presente. Se quiser saber quem você será em sua vida futura, olhe para as suas ações no presente".

Karma e reencarnação ensinam que nós colhemos os resultados de nossas ações prévias desta vida ou de vidas anteriores, tanto positivas quanto negativas; e, conforme nossas reações, plantamos as sementes das circunstâncias futuras. De acordo com essa perspectiva, a perda e o sofrimento com que nos deparamos quando estamos passando por nossas fases de lua negra podem não ser apenas o produto desta vida; eles talvez sejam a fruição de atitudes prejudiciais aos outros, lições inacabadas e relacionamentos mal resolvidos que trazemos do nosso passado. O que é visto pelos olhos conscientes nessa realidade temporal não é senão a ponta de um *iceberg* cujas causas antecedentes se prolongam profundamente no passado. Quando consideramos nosso passado inconsciente sob essa luz, podemos obter clareza e compaixão no entendimento das causas do sofrimento, da perda, da dor e dos fardos aparentemente injustos que surgem em nossos períodos de transição de lua negra. Também deve ser mencionado que, devido a ações positivas no passado, colhemos a safra da abundância e prosperidade em nossa vida.

O processo transformador que ocorre durante as fases de lua negra nos oferece a oportunidade de cumprir nossas obrigações morais kármicas, assumir voluntariamente nossas dívidas pendentes e assim trazer questões não resolvidas do passado para um estado de equilíbrio e conclusão. As energias da fase negra podem nos sustentar ao oferecer grandes recursos escondidos de força e sabedoria para cumprir nosso propósito. Entretanto, quando o que sentimos é a dor pungente de nossas feridas, o ensinamento kármico da escuridão é que nossa alma não vai se curar até que compreendamos a necessidade de transformar nossas atitudes e ações que criaram esses resultados. Ao nos tornarmos conscientes do funcionamento da lei de causa e efeito, nosso karma parece se acelerar e os resultados amadurecem mais depressa. Podemos queimar rapidamente muito do velho karma quando, de maneira voluntária, buscamos fazer as reparações necessárias e conscientemente mudar nosso comportamento de ações prejudiciais para benéficas.

Essa é a lição kármica que nos oferece uma dádiva de cura durante a noite negra da alma. Escrituras bíblicas resumem a lei do karma nos três versículos seguintes: "Pois aquilo que o homem semear, isso também ceifará" (Gálatas 6:7). "Olho por olho, dente por dente" (Êxodo 21:24). "Tudo quanto, pois, quereis que os homens vos façam, assim fazei-o vós também a eles" (Mateus 7:12).

Na medida em que nosso nível de consciência opera em um mundo dualista no qual percebemos a realidade polarizada em uma separação entre objeto e sujeito ou eu e outro, ficamos presas pela lei kármica de causa e efeito. A escuridão, como um símbolo da fase de fechamento do processo cíclico, é onde tudo se funde de novo com a fonte. Ela contém a possibilidade da experiência direta de "unicidade", que foi referida como a Lei da Graça, Consciência Crística, Mente Búdica. A Lei da Graça transcende a Lei do Karma quando a distinção entre o eu e o outro se dissolve em uma consciência mais inclusiva da unidade fundamental de toda a vida.

No Oriente, o termo *bodhisattva* descreve o ser que atingiu a iluminação por ter cumprido e completado seu karma. Entretanto, em vez de permanecer na luz clara, essa pessoa escolhe continuar encarnando nesta dimensão dualista com o objetivo de beneficiar os outros. A vida de um *bodhisattva* é motivada pelo desejo de aliviar o sofrimento e guiar os outros em direção à cura e à libertação.

As energias de nossa fase negra podem apontar para o nosso compromisso em imitar o ideal *bodhisattva*. No nível em que a Lei da Graça, ou unidade, funciona, os fardos de dor e sofrimento não são retribuição kármica, mas sim responsabilidades adicionais que nós assumimos voluntariamente para ajudar os outros. O padrão que em geral se desenvolve é o do curador ferido. Na primeira parte da vida passamos por alguma grande dor, perda ou negação, que é na verdade o campo de treinamento para aprofundar nossa capacidade para a empatia e a sensibilidade. Na vida adulta, a partir do poder e da sabedoria da nossa própria experiência, nós trabalhamos com nossa capacidade de ajudar e curar os outros em situações similares.

Dessa perspectiva, as energias da fase negra também podem indicar as dificuldades que encontramos quando funcionamos como válvula de escape para a purificação do karma e o acúmulo tóxico – não apenas para nós mesmas, mas para a família ou o grupo ao qual pertencemos. Em famílias disfuncionais, o membro mais aberto e vulnerável normalmente desempenha essa função; e na sociedade o bode expiatório assume o papel do mártir. Fatores da fase negra podem indicar os compromissos que nós assumimos para resolver um problema coletivo ou arquetípico, e a cura de um indivíduo terá um efeito cumulativo que repercute em todo o grupo. Isso pode apontar também para viver uma vida simbólica, na qual o que vivemos não são questões pessoais, mas coletivas.

Quando karma e reencarnação são associados com os conceitos de evolução e progressão, eles se tornam os meios pelos quais a consciência atinge a autorrealização.[5] O karma é o princípio pelo qual moldamos nossa personalidade e nossa realidade de acordo com nossas escolhas e ações. Atravessando eras no tempo, a reencarnação nos oferece muitas vidas e variadas experiências por meio das quais podemos compreender, praticar e aperfeiçoar o ato da criação. Nossos padrões kármicos inconscientes que buscam por resolução e conclusão nesta vida estão contidos na fase negra de nosso processo de transformação.

O caminho oriental ensina que o objetivo da iluminação é a libertação da ilusão da dualidade, que precipita o renascimento e o sofrimento infindável da condição humana. Tradições ocultas ocidentais falam em desenvolver o reconhecimento total de ser uma unidade de consciência dentro de uma mente mais ampla e viver em harmonia com a terra e todas as coisas vivas. Esse é o significado interno da experiência da fase negra como sacrifício, serviço altruísta, prática espiritual e iluminação.

A Lua Negra e o Inconsciente Psicológico

Como vimos, na psicologia ocidental a dimensão sombria da consciência humana corresponde ao inconsciente. O inconsciente é definido como a área da mente que contém pensamentos, imagens e impressões latentes, esquecidas e irremediáveis. Ele é a fonte daqueles padrões, necessidades, motivações e compulsões, além de dirigir a nossa vida que opera sob a superfície da percepção consciente. Embora não sejamos conscientemente conhecedoras dos mecanismos dessas forças ocultas, elas exercem uma poderosa influência, afetando nossas escolhas, ações e atitudes na vida. Quando atravessamos a fase de lua negra da transformação psicológica, descemos para os reinos inconscientes de nossa psique. A contínua exploração do inconsciente revela a existência de muitas camadas do passado nessa dimensão da mente.

Há menos de cem anos, Sigmund Freud foi o pioneiro na exploração dos antecedentes inconscientes da consciência. Ele postulou a existência de uma vasta porção da mente, o subconsciente, que inclui não apenas desejos instintivos, mas experiências pessoais distantes na infância, as quais foram assustadoras, dolorosas ou inaceitáveis e, por muito tempo, foram reprimidas e esquecidas. Em sua prática, Freud descobriu que os sintomas de pacientes histéricas podiam ser atribuídos de forma direta a esses aparentemente esquecidos traumas psíquicos na primeira infância e que eles representavam energia emocional não apurada. Esses padrões de comportamento neurótico podiam ser neutralizados caso fosse possível fazer a pessoa relembrar claramente essas experiências dolorosas, que causaram uma marca profunda e um choque emocional, e assim liberar a energia bloqueada.

Mais tarde, Carl Jung aperfeiçoou o trabalho de seu mentor, e sua grande contribuição para a psicologia foi a teoria do inconsciente coletivo. Ele propôs que existem duas dimensões do inconsciente – uma camada pessoal que Freud descobriu, que consiste no material biográfico reprimido do próprio indivíduo; e uma segunda camada chamada inconsciente coletivo, cujo conteúdo nunca foi consciente e não é adquirido por meio das próprias experiências e memórias da pessoa. Essas propensões herdadas na psique humana remontam além do período pré-infantil nos resíduos da vida ancestral. Jung chamou de "arquétipos" essas imagens primordiais no inconsciente coletivo, que são as mais antigas e universais formas-pensamento da humanidade. Esse segundo sistema no inconsciente contém as formas-pensamento preexistentes na psique que são universais: padrões mentais e emocionais impessoais que são idênticos em todos os povos ao longo do tempo e que reaparecem de modo transcultural na humanidade como temas na mitologia, na religião e nos contos de fadas.

O inconsciente coletivo não apenas contém o arquivo das memórias ancestrais do passado; ele também é o depósito das potencialidades latentes e dos sonhos do futuro porvir da mente consciente. Pensamentos completamente novos e ideias criativas que nunca haviam sido conscientes podem se apresentar partindo do inconsciente. Isso forma uma parte importante de nossa psique subliminar, em que ideias germinais para o futuro podem surgir das escuras profundezas da mente. O inconsciente coletivo pode ser concebido como uma casa de tesouros que é a fonte de toda inspiração, criatividade e sabedoria.

Além das camadas pessoais e coletivas do inconsciente, psicólogos contemporâneos que estão ampliando o mapa da psique sugerem agora que existe uma terceira camada, a perinatal.[6] A camada perinatal é a interface entre as dimensões pessoal e transpessoal (coletiva) do inconsciente; e ela consiste nas experiências que nós encontramos em nossas transições do parto e da morte. Observações mostram que muitas formas de psicopatologias e motivações inconscientes têm profundas raízes nos aspectos biológicos do nascimento e da morte que também fazem paralelo com o processo de renascimento espiritual.

O psiquiatra Stanislav Grof, ativo no movimento da psicologia transpessoal, propõe a existência de um princípio organizador da psique que ele define como um "sistema COEX", ou Sistema de Experiência Condensada. Um sistema COEX é uma constelação dinâmica de memórias de diferentes períodos da vida de um indivíduo, do nascimento biológico e de certas áreas da esfera transpessoal, como as encarnações passadas, a identificação animal e as sequências mitológicas, cujo denominador comum é uma forte carga emocional da mesma qualidade. Ele representa um ou dois problemas ou complexos principais da vida de uma pessoa que são herdados de um passado inconsciente. A maioria dos sistemas COEX conecta-se dinamicamente com aspectos específicos do processo de nascimento. Quando as nossas transições perinatais são codificadas com experiências difíceis, elas emergem mais tarde na vida assumindo a forma de doenças.* O agente de cura interno em cada indivíduo, que está sempre indo em direção a um estado de completude, atrairá ou recriará situações na vida que contêm uma carga emocional similar.[7] Esse processo nos dá a oportunidade de confrontar novamente, liberar e curar as questões dolorosas inconscientes provenientes das nossas experiências de nascimento/morte que moldam nossa vida.

Nosso passado inconsciente abrange esse vasto e multidimensional reino escondido em nossa psique, onde surgem as poderosas e compulsivas forças que causam confusão e dor em nossa vida. Essas são as feridas em nossa alma. Pelo fato de essas forças não serem vistas com facilidade, elas se tornam inimigos secretos que são a fonte da nossa autodestruição. Na realidade, esses inimigos secretos que subversivamente procurarão nos derrotar, ferir ou destruir são aspectos ocultos de nós mesmas.

Os reinos negros de nossa psique contêm tudo o que nos aconteceu em um tempo anterior àquele do qual conseguimos nos lembrar, em nosso passado biográfico pessoal tanto nesta vida quanto em vidas passadas, bem como em nosso passado arquetípico. Muitos desses eventos são os fatores causais de nossas compulsões, que nos fazem agir de formas que nós não entendemos e que por fim resultam em danos a nós mesmas e aos outros. Eles estão enraizados em nossos padrões de hábitos inconscientes, crenças profundamente arraigadas, acúmulos kármicos e traumas esquecidos. Certas questões podem se tornar temas de toda uma vida que se manifestam como ciclos repetitivos de traumas físicos e emocionais com o subsequente sofrimento.

A psicologia ocidental propõe que as motivações inconscientes que nos impulsionam para o comportamento autodestrutivo provêm das

---

* No original, grafada como *dis-ease*, sugerindo que as doenças (diseases) provêm de sentimentos "não fáceis" de se lidar. (N. do T.)

energias reprimidas dos traumas esquecidos e das impressões absorvidas que nós não fomos capazes de assimilar e integrar. Nosso sistema de defesa tende a reprimir as memórias associadas com poderosas experiências envolvendo medo, fracasso, dor, perda ou perigo. Quando não podemos reconhecer ou liberar sentimentos residuais que acompanham essas experiências traumáticas, eles ficam presos nas teias inconscientes da nossa psique. Aqui, contidos sob pressão e confinamento, eles apodrecem e poluem nosso sistema. Esse conteúdo venenoso da psique distorce nossa percepção e colore nossa visão do que é a vida. As energias bloqueadas e carregadas de emoção são as origens dos medos aparentemente irracionais, das fobias, compulsões, culpa e vergonha que nos afligem; e são também a base dos sintomas psicossomáticos da doença em nosso corpo físico. A cura requer que nos relembremos, compreendamos e liberemos o sentimento imputado associado com o trauma.

Entretanto, nossa mente consciente resiste a descobrir essas imagens sombrias que nos rondam, porque a compreensão talvez esteja além daquilo com que nós poderíamos lidar, e tais imagens poderiam nos sufocar e abalar. É nisso que reside nosso medo condicionado da escuridão. Muita da nossa energia vital é usada para deter essas forças assustadoras e potencialmente destrutivas. Quanto mais a mente consciente se desliga, mais nossa autoimagem se desenvolve separada da totalidade de nosso ser.

É a nossa negação e inabilidade em lidar com essas partes escondidas e esquecidas de nós mesmas que dá origem ao conceito junguiano de sombra. A sombra é o inimigo dentro de nós que nos empurra para o comportamento autodestrutivo. Quando projetamos nossa sombra, ela se torna o inimigo externo que tenta nos prejudicar e nos destruir. A natureza demoníaca da sombra toma a forma de nossos padrões de pensamento negativo que são causados pela repressão. Esses padrões mentais distorcem nossa percepção da realidade e servem para falsificar nossos relacionamentos com os demais, o que cria conflito, confusão e desconfiança em nossas experiências de vida. E a sombra é a mensageira do inconsciente. Por meio de sua atividade, passamos a conhecer a natureza do sofrimento do nosso eu oculto.

A cura na escuridão exige que nós recuperemos as partes rejeitadas e perdidas de nós mesmas e as integremos na totalidade de nosso ser. De uma perspectiva espiritual, a energia dessas emoções destrutivas precisa ser extirpada e purificada. Ela pode ser transmutada nas qualidades correspondentes de sabedoria que são o uso iluminado das mesmas energias.[8]

A Cura da Alma

Curar a alma é uma das questões centrais das fases de lua negra em nossa vida. A esfera sombria é o local que contém as feridas profundas na psique. Tanto a psicologia ocidental quanto a filosofia oriental preocupam-se com os processos em nosso passado inconsciente que produzem as condições dolorosas do presente. Curar as feridas psíquicas da pessoa é tarefa da psicologia junguiana; e o alívio do sofrimento é o objetivo da iluminação oriental. As duas correntes buscam curar a ferida da alma e efetivar a transformação espiritual em direção à autorrealização e à consciência iluminada.

O processo de Jung caminha em direção a efetivar a individuação estabelecendo uma rede de comunicação entre o consciente e o inconsciente; além de integrar e harmonizar esses componentes de nosso ser. Com a autorrealização, surge a consciência de uma responsabilidade ética, segundo a qual não podemos mais conduzir nossa vida como se não tivéssemos conhecimento dos mecanismos secretos de nosso inconsciente.[9] A prática budista atinge a consciência iluminada de nossa verdadeira natureza, pelo bem de todos os seres. As causas do nosso sofrimento são a ilusão de separatividade e os resultados subsequentes de nossas atitudes e ações autocentradas anteriores. A compreensão precipita uma mudança em nosso comportamento e em nossa conduta.

O ferimento vem da separação da unidade da fonte. Ao descermos para o submundo de nossa consciência, encontramos nossos anjos e demônios, as profundas feridas em nossa psique e os tratamentos para curar a alma. É o lugar onde nós ficamos o mais dolorosamente sozinhas até que compreendamos nossa conectividade com um todo maior. A cura implica prosseguir para um estado de inteireza consigo mesma e com o resto da vida.

A cura acontece no escuro, quando a última fase do processo cíclico realiza seu trabalho de finalização e renovação. O animal selvagem ferido instintivamente se retira para a silenciosa quietude da escura e vazia caverna a fim de se curar; a psique também requer que desçamos para as profundezas do inconsciente a fim de curar a alma. Aqui podemos descobrir as causas ocultas das feridas em nossa psique e alinharmo-nos com as energias de liberação e transformação da fase de fechamento para realizar a cura.

Ao viajarmos entre os mundos, da dimensão da realidade manifesta consciente para o reino fenomenal inconsciente, devemos alterar nossa percepção para entrar no túnel que leva ao submundo da psique. Nossas fases de lua negra são épocas excelentes para nos envolvermos em qualquer tipo de trabalho interno, no qual possamos explorar as dimensões escondidas de nosso ser. Existem muitos métodos diferentes para acessar o inconsciente, os quais abrangem as disciplinas psicológicas, espirituais, artísticas e farmacológicas. Quando encontramos o conteúdo do inconsciente, é importante ter as medidas de segurança e as precauções apropriadas; caso contrário esse processo pode sobrecarregar a mente consciente e causar o seu colapso. Pessoas diferentes, de acordo com suas precondições, escolherão ou serão escolhidas por um caminho mais ou menos estruturado e supervisionado.

O caminho espiritual inclui recolhimento, meditação, prece, ritual, transe, busca interior, cânticos, cura xamânica, yoga, trabalho com a respiração, guias espirituais e iniciação. A participação nessas atividades pode levar a uma grande realização espiritual durante esse período. Se formos orientadas psicologicamente, podemos fazer muito progresso em recuperar o *Self* durante os tempos negros da transformação psicológica. Essas modalidades abrangem métodos como psicoterapia, imaginação guiada, trabalho com os sonhos, hipnose, regressão, respiração holotrópica, *rebirthing*, terapia do grito primal, *rolfing* e bioenergética. Muitos indivíduos são libertos da dor do passado e superam seus vícios e compulsões inconscientes por meio do Programa de Doze Passos de recuperação e outras técnicas de aconselhamento encontradas em muitos grupos de apoio em funcionamento neste período. Eles incluem organizações como os Alcoólicos Anônimos, Comedores Compulsivos Anônimos, grupos para codependentes, bem como grupos para dependentes de amor, jogadores, adultos e crianças de famílias disfuncionais e sobreviventes de estupro, incesto e abuso.

O processo artístico-criativo pode nos ajudar a acessar nosso inconsciente; e temas arquetípicos e mitológicos passam por várias formas de arteterapia, pintura, teatro, escultura, música, dança extática, poesia e escrita inspirada. Substâncias que alteram a mente, como drogas psicodélicas, ervas e cogumelos, podem induzir estados extraordinários de consciência, levando a experiências visionárias e catárticas.

O processo essencial encontrado em muitos desses caminhos de cura é o de reconhecimento, liberação, purificação, transformação e comprometimento. O primeiro passo é reconhecer que existe uma ferida e admitir a existência de sofrimento e confusão em nossa vida. Nossa mente inconsciente resiste reconhecendo que aquilo que ameaça nos oprimir e muitos padrões comportamentais de fuga são manifestações dessa negação. Na verdade, drogas, álcool e outras dependências químicas são um mecanismo de enfrentamento para anestesiar memórias dolorosas e seus correspondentes sentimentos negativos; e para criar a ilusão de bem-estar.

Os sentimentos dessas memórias rejeitadas ficam presos no circuito de nossos corpos físico e emocional. A segunda fase envolve relembrar essas experiências penosas e liberar a carga emocional da energia bloqueada. A terceira fase é purificar o acúmulo tóxico do apodrecimento das energias reprimidas. Limpar o sistema psíquico vai clarificar nossas percepções da realidade e o efeito causal de nossas ações.

Ao passarmos a conhecer as faces de nossas tendências ocultas e aceitar esses componentes do nosso ser como internos mais do que externos, passamos para a próxima fase da cura; transmutar as energias negativas na sua natureza positiva. Ensinamentos budistas sustentam que existem cinco grupos básicos de energias emocionais negativas: (1) ignorância/estupidez; (2) apego, que dá origem ao desejo e à ganância; (3) aversão, que cria ódio, raiva e agressão; (4) orgulho, a causa da arrogância; e (5) inveja, que resulta em ciúmes. Quando a energia da emoção é purificada e transmutada, ela se expressa como uma "sabedoria" particular ou um aspecto do estado desperto da mente. Por exemplo, a energia dentro de nós que se manifesta negativamente como raiva, quando transformada, se torna uma sabedoria espelhada cuja essência é clareza, luminosidade e visão das coisas como elas são.[10]

À medida que nos curamos, nos aproximamos de um estado de inteireza dentro de nós mesmas, e essa consciência precipita uma compreensão da nossa conexão com tudo na vida. A função transcendente do processo da fase negra é ativada quando começamos a considerar os outros como não separados de nós e a agir de acordo com isso. Nesse ponto, começamos a utilizar essa mesma energia que antes estava bloqueada e distorcida, resultando em ações inconscientes que eram prejudiciais e dolorosas para nós e para os outros, de tal forma que não nos ferimos mais ou aos outros e podemos ativamente os ajudar.

Em última instância, o caminho para lidar com feridas problemáticas da alma é partir de um ponto de vista altruísta. As energias da fase negra não devem ser usadas apenas para fins pessoais. Ao ajudar os outros, nós nos curamos. Em nossas transformações psicológicas, podemos nos comprometer a curar certos aspectos de nós por meio do amor altruísta e do serviço aos outros. Ao apelarmos para as energias da lua negra, podemos desenvolver uma sensibilidade em relação às pessoas em estado de necessidade e estender nossa empatia e nossa compaixão àqueles que estão sofrendo. Podemos aproveitar uma reserva de força para carregar os fardos de outrem, cuidar dos doentes ou nos envolver em trabalho voluntário, serviço comunitário e atividades caritativas.

Aqui, devemos permanecer conscientes da tênue linha entre amor altruísta e serviço como um caminho para a cura, bem como entre cuidados compulsivos e codependência. É importante que não nos tornemos salvadoras profissionais que constantemente precisam criar vítimas para resgatar. Se a nossa doação aos outros é motivada por expectativas de amor, segurança, aceitação ou retorno ou se nossos cuidados são orientados para nos tornarmos indispensáveis estimulando a dependência do outro por nós, nos tornamos presas a padrões autodestrutivos de relacionamento. No entanto, ao utilizar as energias da fase negra para desenvolver uma percepção expandida da plenitude de toda vida, descobrimos a fonte de nossas forças e nossos talentos ocultos.

A lua negra é o véu por trás do qual ingressamos no reino da realidade invisível, e ela mostra o caminho para penetrar nos recessos profundos de nossa mente e descobrir a sabedoria secreta. A casa do tesouro de toda inspiração criativa e sabedoria fica aberta para nós durante as fases de lua negra em nossa vida. Ela é o portal para o inconsciente coletivo, onde nós podemos acessar o conhecimento universal e nos tornar mediadoras e transmissoras de temas eternos. Os símbolos arquetípicos nesse reino podem falar conosco diretamente em uma linguagem que tem significado para todas as pessoas em todas as épocas.

Nós podemos apreender a sabedoria secreta do passado e do futuro interiormente, por meio do poder da nossa imaginação, das nossas visões, dos nossos sonhos e das nossas fantasias; e externamente, por meio de temas mitológicos que aparecem em ritos religiosos, símbolos artísticos e contos de fadas. Joseph Campbell diz que os mitos são as representações das energias inconscientes dentro de nós e dá pistas do significado espiritual da vida. Todos os deuses e deusas residem em nós como os seres de sabedoria, guias espirituais e mestres interiores que nos guiam para esse rico filão de material psíquico em nosso inconsciente, o que dá origem ao nosso saber verdadeiro e belo.

As experiências que nós encontramos no reino negro da consciência nos provê com as oportunidades de conectar as fontes de conhecimento metafísico e crenças espirituais. Nesse local, em que tudo se funde de volta para a fonte, a fé e o saber que vêm da experiência direta nos reinos sutis transcendem os conceitos intelectuais e a lógica racional. Esse é o templo dos ensinamentos secretos onde, por meio de ritual, prece e meditação, podemos nos alinhar com as energias cósmicas ou divinas e canalizar inspiradas criações. Nesse reino sutil somos receptivas a estados mais elevados de consciência e podemos ativar nossas habilidades psíquicas e telepáticas. Essa é a fonte do poder interior ao qual nós recorremos em crises.

A fase negra, acima de tudo, é o âmbito dos Mistérios. Guardião da Iniciação, esse setor revela a descida para o submundo, onde encontramos a realidade da dimensão não física e vivenciamos os segredos da morte e do renascimento, da renovação e da regeneração. Nesse mundo do espírito residem as memórias do passado e os sonhos para o futuro. Esses dons do espírito provenientes dos mundos angélicos são nossos recursos e talentos secretos que constituem a riqueza do submundo.

Embora possamos ter a assistência de um professor espiritual, conselheiro psicológico ou espírito guia, nossa jornada para o sombrio é essencialmente algo que devemos fazer sozinhas. Nosso relacionamento com o sombrio espelha nosso relacionamento conosco quando estamos sozinhas. O escuro nos convida a nos retirar do mundo externo e nos recolher para os nossos espaços internos. Isso atende à nossa necessidade de privacidade e reclusão, em que podemos nos engajar no trabalho de cura.

Para algumas de nós, os momentos negros de nossa solidão comunicam-se com uma rica vida interior de contemplação, introspecção, prática espiritual e autoexpressão artística. Aqui, podemos nos conectar com os dons ocultos do inconsciente. Nós nos sentimos confortáveis em permanecer sozinhas e não ficamos solitárias. É uma experiência centralizadora e criativa por meio da qual podemos recarregar nossa energia, acessar nossa sabedoria interna e nos curar.

Mas, para outras, a sensação de estar sozinha traz sentimentos de alienação. Nossa reação emocional primordial é a de ser isolada dos demais e nos sentirmos abandonadas, desprezadas e indesejadas. Nós entramos em pânico, ficamos ansiosas, assustadas e desesperadas quando estamos sozinhas ou temos tempo livre em nossa vida, sem nada para preenchê-lo.

Outras de nós usam, ainda, as energias de retirada da fase negra para criar uma cápsula de proteção que nos envolve e esconde nossas atividades ocultas ou nossos segredos vergonhosos. Evitamos a exposição pública, ficamos alheias e agimos de forma evasiva. Nós nos tornamos obsessivas em evitar que os outros descubram nossas decepções, nossos relacionamentos clandestinos, casos amorosos, disfunções físicas, vícios e problemas familiares.

No processo de recuperar o sombrio, devemos curar nosso relacionamento com as partes ocultas de nossa vida consciente quando estamos sozinhas. Em ocasiões nas quais nossa experiência de solidão reforça a sensação de isolamento e exclusão, ou quando nos voltamos para dentro de nós mesmas para disfarçar nossos malfeitos e vergonhas, não conseguimos usar as energias da fase da lua negra de forma positiva e autoafirmadora.

À medida que reavaliarmos a escuridão, passaremos a conhecer o período negro como um período de cura no qual podemos transformar, renovar e empoderar a nós mesmas e aos outros. A escuridão é o reino oculto transformador de nossa consciência que pode nos levar além de nossos limites como os conhecemos. No Ocidente, associamos o negro com o vácuo e o vazio, mas, na filosofia budista, o vazio não significa nada. Certamente, ele é o estado de energia pura da potencialidade fundamental de todas as formas. A lacuna negra abrange esse reino sem forma, que existe entre a realidade manifesta de nossas estruturas e nossos conceitos de vida. O negro é a base e a fonte de todo o devir, no qual a cura e a renovação ocorrem.

Em vez de negar a escuridão, é importante reconhecê-la, explorá-la, abraçá-la e ir além dela. Os locais de passagem pela escuridão oferecem-nos a oportunidade de descer às profundezas da nossa psique, onde podemos confrontar e examinar nossos medos do desconhecido. Esse trabalho nos permite liberar as dolorosas energias bloqueadas que nos mantêm congeladas em padrões de hábitos destrutivos inconscientes. Nós podemos prosseguir para curar as feridas em nossa alma, obter conhecimento sobre os Mistérios e transformar nossa vida.

Perguntas do Diário

1. Eu me sinto assustada quando percebo que o bem-estar do nosso planeta está em uma situação precária? Fico nervosa por não ser capaz de acompanhar e me adaptar a um mundo que muda rapidamente? Em geral, sou temerosa e resistente em me desapegar do que é velho e mudar, seja em relação a trabalho, relacionamento, modo de vida ou sistema de crença?

2. Quando a inevitabilidade da morte do que é velho e da necessidade de mudança surge em minha vida, entro em pânico e tento contê-la, ou eu a aceito, deixo ir e sigo em frente? Em retrospecto, eu vejo essas passagens como períodos ruins e negros em minha vida? Se entrei em depressão e desespero, eu acreditei que essa era a forma que a vida seria de agora em diante? Agora eu entendo que existem estágios específicos de

transformação em que o velho é destruído para preparar o caminho para a renovação?

3. Em que medida eu vivo um sofrimento profundo e penetrante em alguma área da minha vida? Qual padrão na minha vida pode ser indicativo de um ferimento em minha alma? De que maneira as coisas ou os relacionamentos que eu não resolvi ou concluí no passado continuam a influenciar minhas circunstâncias atuais? Essas condições dolorosas continuam a se repetir como um padrão em minha vida, como um pesadelo? De que modo eu reagi no passado? Qual poderia ser uma maneira diferente de reagir quando isso acontecer de novo?

4. Tenho um horário habitual em minha rotina no qual eu fico sozinha e em privacidade? Tenho muito ou pouco desse tempo e espaço? Como eu me sinto quando não tenho esse tempo ou tenho minha privacidade invadida? Que tipo de coisas eu só faço quando estou sozinha? Isso é uma experiência positiva – relaxante, curativa, centralizadora, criativa, produtiva? Ou ficar sozinha faz com que eu me sinta desconfortável, solitária, temerosa ou desesperada?

5. Eu sinto veias profundas de forças ocultas ou sabedoria dentro de mim, nas quais eu reluto em acreditar ou mostrar? O que elas podem ser? Tenho inspirações que são criativas ou que dão soluções úteis para problemas que eu não sei de onde vêm? Eu consigo me imaginar permitindo que esses poderes ocultos atuem em minha vida? Como minha vida seria diferente?

Notas

1. James Hillman, *The Dream and the Underworld* (Nova York: Harper & Row, 1979), p. 67.
2. C. A. Meier, "Ancient Incubations and Modern Psychotherapy", traduzido por R. F. C. Hull, em *Betwixt and Between: Patterns of Masculine and Feminine Initiation*, organizado por Louise C. Madhi, Steven Foster e Meredith Little (LaSalle: Open Court, 1987).

3. James Hillman, *The Dream and the Underworld* (Nova York: Harper & Row, 1979), p. 65.
4. Dane Rudhyar, *The Astrological Houses* (Nova York: Doubleday & Co., 1972), p. 132.
5. John Algeo, *Reincarnation Explored* (Wheaton: The Theosophical Publishing House, 1987), p. 7.
6. Stanislav Grof, *The Adventure of Self-Discovery* (Nova York: State University of New York, 1988).
7. *Ibid.*, p. 5.
8. Chögyam Trungpa, *Cutting Through Spiritual Materialism* (Berkeley: Shambhala, 1973). [*Além do Materialismo Espiritual*. São Paulo: Cultrix, 1987 (fora de catálogo).]
9. Radmilla Moacanin, *Jung's Psychology and Tibetan Buddhism* (Londres: Wisdom Publications, 1986), p. 45.
10. Chögyam Trungpa, *Cutting Through Spiritual Materialism* (Berkeley: Shambhala, 1973).

Índice Remissivo

A.E.C, 20n
Adão, 53; e Lilith, 223-29, 234-35
Adastria, 155
Adati, 45
Adônis, 114
Afrodite, 45, 48, 158, 168, 258
Agamenon, 160
Agricultura, descoberta da, 102-03, 110-11
Alarico, 305
Alecto, 158
Alfabeto de Ben-Sira, 224-25
Algol, 206
Allione, Tsultrim, 76
Amamentação, e lua cheia, 272-74
Amon-Rá, 43
Anandos, 126
Anata, 194, 195, 201, 214
Anciã: e menopausa, 275-76; visão da sociedade da, 278-82
Andrômeda, 199
Aniversário, mês anterior ao, 29-30
Antea, 181
Anúbis, 179

Apate, 150
Apolo, 43, 54, 122, 160, 169, 174, 182, 202
Aquário, era de 82
Áries, era de, 122-23
Aristófanes, 147
Ártemis, 43, 45, 47, 174, 177, 179, 272, 282
Asclépio, 142, 198-99, 214, 301
Asmodeu, 230
Astarte, 45
Astéria, 174
Astérope, 163
Atena, 57, 160; e Medusa, 194, 195-97, 198, 199-205, 206-07, 213, 214. *Ver também* Palas Atena
Atlas, 164, 199
Átropos, a Cortadora, 167-68
Aurinhacense, período, 104-05

Baal, 114
Baba Yaga, 44
Bacchus/Baco, 301, 303
Baubo, 310
Bela Adormecida, A, 94, 129, 131, 170

Bleakly, Alan, 165
Bodhisattva, 348
Bolen, Jean Shinoda, 213
Branca de Neve, 94, 129, 131
Briffault, Robert, 260
Bruxa Malvada, a, 44
Bruxas, na Idade Média, 65, 264-65
Budismo: e iluminação, 134; e vazio, 151; estado intermediário do, 345; sobre demônios, 75-6 ; sobre permanência, 335

"Cabeça de Medusa, A" (Freud), 207
Calendários, 20-1, 260
Campbell, Joseph, 142, 358
Candelabro, hipótese do, 98
Caos, 150, 151
Çatal Hüyük, 113
Céos, 174
Cérbero, 178
Cérebro esquerdo e o medo da morte, 56-60
Ceres, 132. Ver também Deméter
Cerridwen, 44
Cetus, 199
Chod, 75
Cibele, 55
Ciclo de lunação; da Deusa, 85, 103-15; da lua, 16-23, 85-94; e ciclo de vida de uma planta, 22-3, 88-90
Ciclo: da criação, preservação e destruição, 36-8; de lunação, 17; do ano, 26-7, 28 ; do dia, 28; era precessional, 118-24; menstrual/menstruação, 252-69; planta, 23, 26
Cípria, 155
Circe, 44, 62, 179, 180, 272

Clemente de Alexandria, 303
Clitemnestra, 160
Cloto, a Fiandeira, 167
Coatlicue, 44
"Coração Revelador, O" (Edgar Allan Poe), 162
Core, 177
Criação, 36-7; e Lilith, 224-27; história da, pelo *Zohar*, 218-19
Crianças, com o arquétipo de Perséfone, 314, 318-22. *Ver também* filhas
Crisaor, 198
Crise, 284
Crisótemis, 163
Cronos, 150, 201
Cura da: da alma, 344-60; escuridão, 72-7; transformação psíquica como, 331-45

Dânae, 197
Death: The Final Stage of Growth (Elisabeth Kübler-Ross), 34
Deméter, 43, 45, 48, 55, 132, 273; e Hécate, 176, 177-78, 183, 188; estória de, e Perséfone, 294-98; e mistérios da lua negra entre mãe e filha, 311-12, 313, 316-17; nos Mistérios Eleusinos, 292-93, 302, 303, 304, 306, 307-08, 310-11
Demofonte, 296
Depressão, 16
Desintegração, 331-36
Destruição, 37-8
Deus Sol, 18, 20
Deusa da Lua Negra: e menopausa, 275-82; Perséfone como, 317-22

Deusa da Lua Tripla, 46-9, 152-53; e irmãs Górgonas, 193, 200
Deusa Lua, 18, 20, 22
Deusa Negra, 39, 41-4; a antiga, 49-51; arquétipo da, 282-89; como a sombra feminina, 41, 60-7; derivação da, 48; e a menstruação, 252-69; e cura da, 72-7; e o inconsciente, 142-45; medo dos ensinamentos da, 67-72; mudança de visão da, 59-60; nomes para a, 44; o segredo da, 77-80
Deusa Tríplice, 143; e Lilith, 234. *Ver também* Hécate
Deusa: ciclo de lunação da, 103-14; culto à grande, 45-6; desaparecimento/desaparecer da, 81-6; morte da, 115-24; nascimento e crescimento da, 93-7; no Paleolítico Superior, período, 97-103; ponto decisivo no culto à, 51-60; reavaliando a fase de lua negra da, 124-30; renascimento da, 130-36; *Ver também* Deusa Negra; Deusa Tríplice da Lua
Deusas da Noite. *Ver* Nix
Diana, 47, 177, 272
Díctis, 197
Dionísio, 114, 300, 301, 303
Dira, 159
Downing, Christine, 312
Doze Trabalhos de Hércules, Os, 164-65
Dragontime (Luisa Francia), 269
Dumuzi, 52, 114
Durga, 45

E.C, 20n
Eisler, Riane, 52, 111, 114, 128-29
Eist, Harold, 16

Eliade, Mircea, 14
Elias, 229
Eneida (Virgílio), 179
Enki, 219
Envelhecimento: como fase da lua negra, 33-4; das mulheres, 29; e menopausa, 277
Equidna, 163
Érebo, 148, 149
Eresh-kigal, 44, 48
Erictônio, 199
Erínias, as, 152, 153, 157-62, 173, 179, 180. *Ver também* Fúrias, as
Eris, 150
Eros, 129-30, 148, 150, 151, 300
Escuridão, 150
Ésquilo, 157, 160
Esteno, 195
Éter, 148, 149
Éter, 149, 150
Eumênides (Ésquilo), 160
Euríale, 195
Europa, 175
Eva, 53, 224, 226-27, 228

Fada Má, A, 44
Fagan, Brian, 98
Fanes, 148, 150, 151
Fase de lua negra/escuridão, 14-5, 23-9; descobrindo nosso caminho através da, 35-9; e a cura da alma, 344-46, 354-60; e a menstruação, a gravidez e a menopausa, 31-2; e ciclo de lunação, 17-8, 21-2; e envelhecimento e morte, 33-4 ; e inconsciente, 350-54; e karma, 347-49; e mês anterior aos aniversários, 29-30; e o

solstício de inverno, 30-1; e perda(s) pessoal(ais) 34-5; em ciclos astrológicos, 40n14 ; morte da Deusa como, 115, 118; reavaliando a, da Deusa, 124-30; *Ver também* Parte minguante do ciclo lunar

Fase(s) da lunação, 88-9, 90, 91-2; e ciclo menstrual, 254-55

Fausto (Goethe), 232

Fear of Women, The (Lederer), 207

Febe, 174-75

Feminino(a): despertando novamente para o, 83; e ciclo de era precessional, 118-24; estória do, 95; lua como, 22-3; renascimento do, 130-36; *Ver também* Deusas

Fortuna, 170

Fortune, Dion, 249, 291

Francia, Luisa, 269

Freud, Sigmund, 142, 194, 204, 207, 208, 329, 350

Fruits of the Moon Tree (Bleakly), 165

Fúrias, as, 44, 62, 153, 157, 180.
Ver também Erínias, as

Gaia, 52, 54, 119, 143, 149, 157, 163

Gera, 150

Gerião, rei, 198

Giamario, Daniel, 131

Gilgamesh, 43, 120-22

Gilgamesh, Enkidu and the Netherworld, 120-22

Gimbutas, Marija, 100, 113, 148

Goethe, Johann Wolfgang von, 232

Gorgófona, 199

Górgona(s), irmã(s), 193, 195, 198.
Ver também Medusa

Górgona, máscara(s) de, 200-01, 203-04, 205

Górgonas, as, 44

Grande Deusa, 22.
Ver também Deusas

Grande Mãe, 22

Grandes Mistérios, 299-300, 302-05.
Ver também Mistérios Eleusinos

Graves, Robert, 155, 158, 164, 168, 193, 202

Gravidez: como fase da lua negra, 32; e lua cheia, 272-75

Greene, Liz, 171

Greias, as, 198

Grof, Stanislav, 351

Gustafson, Fred, 41

Hades, 303, 312

Halicar, 113

Hall, Nor, 189

Hallowmas, 27-9, 71, 91, 93, 114

Harding, Esther, 25, 265, 267

Harris, Maxine, 66, 245

Hathor, 45

Hebe, 177

Hécate, 42, 44, 48, 62, 141, 174-76, 282, 295; a tripla natureza de, 177-80; como guardiã do inconsciente, 184-89; companheiros de, 179-80; dons de, 180-84; genealogia de, 174-77

Heket, 174

Hel, 44, 50

Hélio, 295

Hemera, 148, 149

Henderson, Joseph, 306

Heq, 174

Hera, 45, 53, 63, 121, 126, 132, 163-64, 230; e Hécate, 175, 177-78; e menstruação, 259, 260, 261, 262-63
Hermes, 179, 180, 197-98, 296
Hesíodo, 143, 150, 157, 172, 174, 175, 195
Hespérides, as, 141, 152, 153, 162-66
Héstia, 132
Hígia, 214
Hillman, James, 185, 327, 328, 330
"Hino a Deméter" (Homero), 298
Hipnos, 149, 183
Hipótese Eva, 99
Hippios, 196, 203
Hofmann, Albert, 308
Homero/homéricos, 143, 148, 298
Hórus, 53

Iaco, 301, 303
Ilithyia, 169
Inanna, 43, 45, 52, 218, 219, 220, 221, 222, 234, 286
Inconsciente(s), 71, 170-71, 173, 346-47; cura da escuridão, 72-7; e Deusa Negra, 142-45; e fase de lua negra, 350-54; e mitos, 142; Hécate como guardiã do, 184-89; parte da sombra, 60-6
Iniciação, 307, 308
Isaías, 223-24, 227
Ishtar, 43, 45, 258
Ísis Negra, 44
Ísis, 43, 45, 48, 53, 55, 258, 260, 293

Jasão, 63, 165, 180, 273
Jaynes, Julian, 56, 57
Jeová, 43, 54, 69
Jericó, 113

Jesus, 53
Johnson, Buffie, 212
Jung, Carl, 85, 142, 329, 350, 354
Juno, 132. *Ver também* Hera

Kali, 42, 44, 48, 55, 176, 258, 260, 273; e Medusa, 201
Karma, 172; e fase de lua negra, 71, 347-49
Kerényi, Karl, 310
Koltuv, Barbara Black, 230-31, 233
Kore, 298, 310
Kübler-Ross, Elizabeth, 34, 35, 83, 313
Kundalini, 165, 212 130, 169; e serpente(s), 24-5
Kwan Yin, 45, 48

Ladão, 163, 164-65
Lamento, período de, 34-5
Lâmia(s), 62, 230
Láquesis, a Mediadora, 167
Leda, 155
Lederer, Wolfgang, 207, 209-10, 213
Leroi-Gourhan, Andre, 107, 138
Leto, 174
Leviatã, 54
Lilith, 42, 44, 62, 141, 217-18, 258 272; como sombra da sexualidade e liberdade feminina, 233-34; estória de, 218-19; na Idade Média e das Trevas, 227-32; na Suméria e na Babilônia, 219-23; na tradição hebraica, 223-27; no século XIX, 232-33; recuperando a, dentro de nós, 234-45
Linha Mortal (Flatliners), 309
Lípara, 163

Lua cheia, 86-7; e ciclo de vida de uma planta, 22, 23; e gravidez, parto e amamentação, 272-75; e preservação, 35-6; no ciclo de lunação/ciclo lunar, 17-8

Lua Nova e a Menarca, A, 270-71

Lua Nova: e ciclo de vida de uma planta, 22; e menarca, 270-71; *Ver também* Parte crescente do ciclo lunar

Lua: ciclo de lunação da, 17-23; fase(s) da lunação, 88-9, 90, 92; origem da palavra, 14-5; *Ver também* Fase escura da lua; lua cheia; fase minguante da lua; parte crescente do ciclo lunar

Luminares, 17

Maat, 45
Madona Negra, a, 44
Mãe e filha, 311-17
Mãe Lunar, 22
Mãe Terrível, A, 44
Magdalenense, período, 105-08
Magia, 180, 182-83
Maison, Jonelle, 217
Marduk, 52, 54, 119
Maria, 53
Marshack, Alexander, 104, 111
Marte, 122
Matriarcado: e Lilith, 232-33; mitologia do, 43-51; transição(ões) do, 42-3, 51-7. *Ver também* Feminino; Deusas
McGillis, R. F., 232
McLean, Adam, 143
Mead, Margaret, 279
Medeia, 44, 62, 63, 179, 180, 273
Medusa, 42, 44, 53, 54, 62, 141, 193-94, 272; e Atena, 199-205; com Cabelos de Serpentes, 205-14; conto da, 194-99

Megera, 158

Menopausa: como fase da lua negra, 32-3; e a Deusa da Lua Negra, 275-82

Menstruação/menstrual: como fase da lua negra, 31-2; e Deusa Negra, 252-69; e Lilith, 240-41; e Medusa, 200

Mesolítico, período, 109-10

Metamorfose (Ovídio), 158-59

Métis, 194, 201, 202, 214
Milton, John, 150
Minerva, 120
Mistério, origem da palavra, 13-4. *Ver também* Mistérios da Lua Negra; Mistérios Eleusinos

Mistérios da lua negra entre mãe e filha, os, 311-17

Mistérios Eleusinos, 126, 178, 292-93; comentário sobre os, 305-11; Maiores e Menores, 299-305, 307

Mistérios Menores, 299-303. *Ver também* Mistérios Eleusinos

Mito(s), 141-42; mudanças nos, 52-4
Mitra, 122
Moira(s), como Destino, 141, 170-73
Moiras, 44, 141, 167
Moiras, as 21, 141, 152, 153, 167-73. *Ver também* Parcas, as
Momo, 150
Morfeu, 183
Morgana, 44
Moros, 149
Morrigan, 170
Morte, 33; cérebro esquerdo e o medo da, 58-9; e Mistérios

Eleusinos, 306, 309-10; e renascimento, 306; negligência cultural da, 328; visão patriarcal da, 67-9
Mountaingrove, Jean, 251
Movimento precessional, 116-17; e declínio feminino, 118-24
Mudança/mudar, 284-85; como qualidades da lua negra, 70-1; na sociedade moderna, 328
Mulheres: ciclo vitalício dos mistérios, 269-82; envelhecimento das, 29; na Grécia, 54-5
Museu, 181
Mylonas, George, 293, 304

Naamah, 230-31, 234
Nascimento, e lua cheia, 272-75
Néftis, 44
Negra Dakini, a, 44
Negro(a)/escuridão, 14; cura da, 72-7; reavaliando o, 15-7
Neith, 45, 194, 214
Nêmesis, 44, 62, 141, 150, 152, 153-56, 169
Neolítico, período, 110-15
Netuno, 332, 339
Neumann, Erich, 194, 207
Nix, 44, 141, 143, 144, 145, 147-50, 174; filhas de, 152-73
Noble, Vicki, 252, 285
Noite, 150
Nornes, as, 170

Oizus, 150
Orestes, 160
Oréstia, A, (Ésquilo), 160

Orfeu, 150, 168
Órfico/a(s): sobre a Cabeça da Górgona, 193; sobre a Deusa da Noite, 149-50; *Ver também* Mistérios Eleusinos
Osíris, 53
Ovídio, 155, 158, 193
Oyá, 44

Palas Atena, 47, 122, 132, 197. *Ver também* Atena
Palas, 53
Paleolítico Superior, período, 95-112
Paraíso Perdido (Milton), 150
Parcas, as 44, 62, 153, 168-72. *Ver também* as Moiras
Parte crescente do ciclo lunar: como criação, 36, 37; e ciclo de vida de uma planta, 22, 23; no ciclo de lunação/ciclo lunar, 17-8. *Ver também* lua nova
Parte minguante da lua negra: como destruição, 37; em ciclo de vida de uma planta, 22, 23; no ciclo de lunação/ciclo lunar, 17-8. *Ver também* Fase da lua negra
Patriarcado: e Atena, 201-02; e Lilith, 143-44, 232-34; e Medusa, 193-94, 205-06; medo do feminino no, 65-6; medo dos ensinamentos misteriosos no, 67-72; e menstruação, 258, 259; transição para o, 43-4, 51-6; visão do, dos povos pré-históricos, 108
Pégaso, 203, 204
Peixes, era de 82-3
Perigordiano Inferior, período, 103-04
Perséfone, 44, 177, 178, 183; como Deusa da Lua Negra, 317-22; estória de Deméter e, 294-99; mistérios da lua

negra entre mãe e filha, 311, 313-15, 316-17; nos Mistérios Eleusinos, 292-94, 298, 299, 302, 306, 307, 311
Perseu, 174
Perseu, 54; e Medusa, 194, 196-98, 100-200, 203, 205, 206, 208
Píton, 54
Places Where She Lives (Allione), 76
Planta, ciclo de vida de uma, 22-3, 25-6
Plutão, 292, 295, 296, 297, 300, 312, 315, 332, 340
Plutarco, 14
Poe, Edgar Allan, 162
Polidécto, 197, 199
Posêidon, 196, 198, 203; e Medusa e Atena, 203-05
Preservação, 35-7
Processo cíclico: fase negra do, 25-9
Prytania, 176, 183
Psicologia junguiana, 340; e cura, 354; e Hécate, 185; e mito do herói, 210; e sombra, 60-1
Psicologia: e áreas de lua negra, 71; e mito(s), 141-42. *Ver também* Psicologia Junguiana; Inconsciente
Purificação, 332, 336-40

Queres, 149

Rainha das Fadas, a (Spenser), 151
Redgrove, Peter, 228, 257, 259, 265
Reencarnação, 71, 346-47. *Ver também* Karma
Regeneração, 180, 183-84, 331, 340-44
Rei Lear (Shakespeare), 185
Ritual(ais), 292; menstrual, 267, 268. *Ver também* Mistérios Eleusinos

Roda do Ano, 113-14; e fases da lunação, 91-3
Rossetti, Christina, 13
Rossetti, Dante Gabriell, 233
Ruck, Carl A. P., 308
Rudhyar, Dane, 87, 345

Salomão, rei, 230-31
Samael, 230, 232
Sansenoy, 226, 229
Sarton, May, 205
Selene, 177
Semangelof, 226, 229
Sêneca, 311
Senhora Holle, A, 44
Senoy, 226, 229
Sereias, as, 44
Serpente: como animal lunar, 21; e *kundalini*, 212; e lua negra, 24; e patriarcado, 53-4
Sexualidade: e menstruação, 260-66; Lilith como, 232-45; visão do patriarcado a respeito da, 68-70
Shakespeare, 170, 185
Shakti Woman (Noble), 252
Shakti, 45
Shekinah, 45
Shelley, Percy Bysshe, 210
Shiva, 42, 273
Shuttle, Penelope, 257, 259, 265
Sincronicidade, 85
Sistema COEX, 351-52
Sisters of the Shadow (Harris), 66
Slater, Philip, 207
Sofia, 45
Sófocles, 157, 294
Sol e a Lua, 17-21

Solstício de inverno, como fase de lua
    negra, 30-1
Solutrense, período, 105-08
Sombra/escuridão: Deusa Negra, 60-6;
    e cura da, 72-7
Spenser, Edmund, 151
Stone, Merlin, 84
Subserviência, e Lilith, 234-37

Tammuz, 114
Tanatos, 149, 183
Tara, 45, 48
Têmis, 154, 157, 169
Teodósio, 305
Teogonia (Homero), 148, 174, 195
Tétis, 143
Thuban, 119-20
Tiamat, 45, 52, 54, 119
Tífon, 54, 119, 163
Tique, 155
Tisífone, 158
Touro, era de, 120-21
Transformação, 21, 25, 35, 36; da forma
    para o sem forma, 35; e fase de lua
    negra, 35, 70-1, 327; stágios da,
    psíquica, 331-44; no processo cíclico,
    35-7, 330-31;
Triptólemo, 297, 303

Urano, 52, 149, 157, 332

Vesta, 132
Vício, 187-88
Virgem Maria, 45
Virgílio, 179
Visão, 181

Walker, Barbara G., 259
Wasson, R. Gordon, 308
Weis, Patricia, 67
White, Randall, 97, 99
Whitmont, Edmond, 65
Wise Wound, The (*A Ferida Sábia* –
    Shuttle e Redgrove), 257, 266, 267
Wyrd, 170
Wyrd, irmãs, 170

Zeus, 43, 53, 54, 63, 119-20, 160, 163,
    197, 303; as Moiras e Destino, 141,
    167, 169; e Atena, 201-03; e Deméter
    e Perséfone, 294, 295-96, 297; e
    Hécate, 175-76; e Nêmesis, 141, 155
Zohar, 218, 224, 228, 230